시작하는 사람들을 위한

의학논문
비평
가이드

The Doctor's Guide to
Critical Appraisal

시작하는 사람들을 위한

의학논문 비평 가이드

첫째판 1쇄 발행 | 2015년 3월 20일
둘째판 1쇄 인쇄 | 2018년 10월 8일
둘째판 1쇄 발행 | 2018년 10월 16일

지 은 이   Narinder Gosall, Gurpal Gosall
옮 긴 이   가톨릭 근거중심응급의학 연구회
발 행 인   장주연
출 판 기 획   이성재
편집디자인   조원배
표지디자인   김재욱
제 작 담 당   신상현
발 행 처   군자출판사(주)
　　　　　등록 제4-139호(1991. 6. 24)
　　　　　본사 (10881) **파주출판단지** 경기도 파주시 회동길 338(서패동 474-1)
　　　　　전화 (031) 943-1888　　팩스 (031) 955-9545
　　　　　홈페이지 | www.koonja.co.kr

* 파본은 교환하여 드립니다.
* 검인은 저자와의 합의 하에 생략합니다.

ISBN 979-11-5955-378-3

정가 30,000원

Dr. Narinder Kaur Gosall BSc PhD

Lead Tutor, The Critical Appraisal Company

Director, Superego Café Limited

Narinder Kaur Gosall은 리버풀에서 수학하였고 영아돌연사증후군과 자궁 내 발육지연에 가로막신경의 역할을 조사하여 신경병리학 박사를 취득했다. 대학강사로 일을 한 후 그녀는 제약회사에 취직하였다. 영국 Pfizer에서 Medical Liaison Executive와 Clinical Effectiveness Consultant 등 다양한 일을 담당했다. 그녀는 의료인들을 대상으로 논문비평 기술을 가르치는 일에 많은 경험을 가지고 있고 이 주제에 대해 국제적인 강연도 많이 해왔다. 현재 그녀는 The Critical Appraisal Company의 수석 강사이고 www.criticalappraisal.com의 온라인 교육과정의 편집장이다.

Dr. Gurpal Singh Gosall MA MB BChir MRCPsych

Consultant General Adult Psychiatrist and Foundation Program Lead, Lancashire Care NHS Foundation Trust

Director, Superego Café Limited

Gurpal Gosall은 캠브리지 대학과 런던 Guy's and St. Thomas's 병원에서 의학을 공부했다. 그는 North West의 전문의로 근무하기 전에 Leeds에 있는 정신과 레지던트로 일했다. 지금 현재는 Royal Blackburn Hospital과 Burnley General Hospital에서 일반 성인 정신과 전문의로서 Psychiatric ICU에서 환자를 돌보고 있다. 그는 오랜기간 동안 가르치는 일과 디자인과 프로그래밍에 관심이 많아 정신과 의사들을 위한 교육과정과 웹싸이트를 운영하는 의학교육회사인 **Superego Café** (www.superego-cafe.com)를 설립하였다.

저자 서문

의료 서비스에 대한 압박은 결코 더 커지지는 않았다. 하지만 많은 임상가들은 적은 자원으로 다양해진 중재법들을 가지고 보다 빠르게 증가하는 환자들을 돌봐야하는 도전에 직면해 있다. 따라서 효과적인 중재법들은 우선 순위를 매겨야 하고 낭비는 최소화되어야 한다.

의료 관리자들이 재무 스프레드시트와 적정 서비스 모델에 관심을 두는 반면, 임상가들은 임상 예후를 향상시키는 임무를 가진다. 많은 임상가들은 혁신적인 진료방법을 찾기 위해 연구 논문에 의지하게 된다. 바로 여기에 위험이 있는데 왜냐하면 강한 근거가 있고 약한 근거가 있기 때문이다.

논문 비평 기술은 이제 진단하고 처방하는 능력 만큼 임상의사에게 중요한 무기 중 하나가 되었다. 논문 비평 기술은 임상의사로 하여금 환자의 예후를 개선할 수 있는 근거를 선별할 수 있게 해준다. 이러한 기술을 획득하는 것의 중요성으로 인해 이제는 의학, 치과학, 간호학 분야 시험에 항상 도입되고 있다.

우리는 9년 전 바쁜 임상의사들을 위해 논문 비평을 설명해주는 이 책의 초판을 저술했다. 우리의 목적은 모든 임상의사들이 한번에 해결책을 찾을 수 있는 책을 만드는 것이었다. 우리의 교육 경험을 바탕으로 비평에 관해 논리적이고 종합적인 고찰을 제공해줄 수 있는 독창적이면서 기본기에 충실한 방법을 채택했다. 이번 판은 변형된 구성, 새롭고 개선된 장들 그리고 새로운 그림들과 시나리오들 그리고 어려운 주제들에 대한 도움 등으로 구성되어 지난 영국의사협회상을 수상한 3판이 확대 개편되었다. 그리고 우리는 핵심 개념들을 강조하기 위해 실제 임상 논문들에서 발췌한 읽을거리를 역시 포함시켰다.

이 책을 읽음으로써 당신은 보다 자신 있게 임상논문들을 비평할 수 있을 것이다. 우리는 당신이 당신의 환자들에게 실제 긍정적인 차이를 만들어줄 진료행위에 근거를 적용하는 법을 배우기를 희망한다. 결국 우리에게 중요한 것은 그것이다.

NKB, GSG

역자 서문

의학연구 논문이 매일 엄청나게 쏟아져 나오는 요즘과 같은 시대에 논문을 비평하는 기술은 의료인들이 꼭 갖추어야 할 필수적인 역량입니다. 하지만 논문 비평의 개념과 필수적인 지식들을 쉽게 설명해주는 입문서나 효과적으로 접근할 수 있도록 도와주는 지침서는 그리 많지 않습니다.

근거중심의학에 관심이 있는 전문의들이 모여 함께 공부하고 학생들과 전공의들을 지도하면서 의학논문 비평에 관해 간결하면서도 핵심적인 내용들이 축약되어 있는 좋은 참고서적을 발견하고 모두가 즐거운 마음으로 공부하면서 번역 작업을 시작하게 되었습니다. 이 책은 비록 비평과 관련된 방법론이나 통계학적인 개념들을 자세하게 다루고 있지는 않지만 의학논문을 읽고 비평하는 의료인들이나 학생들이 꼭 알고 있어야 하는 기본적인 지식과 기술들을 핵심적인 설명과 예제, 그리고 표나 그림으로 잘 정리하고 있어 비교적 쉽게 의학논문 비평을 시작하는데 도움을 줄 수 있는 좋은 입문서가 되리라 생각합니다. 특히 새롭게 개정된 4판은 3판보다 더욱 체계적으로 개념들이 정리되었고 많은 장의 끝부분에 실제 임상논문에서 발췌한 읽을거리가 추가되어 독자들의 이해를 돕고 있습니다.

원저자들은 논문을 비평하는 기술을 배우는 것이 외국어를 배우는 것과 같다고 비유합니다. 비평을 하다 보면 누구나 익숙하지 않은 단어들과 개념들을 만나게 되지만 외국어를 익히는 것과 같이 열심히 노력하면 늘게 되고, 숙달하면 할수록 그리고 자주 하면 할수록 보다 쉽게 하실 수 있게 됩니다.

번역은 가능한 원문의 내용에 충실하면서도 독자들의 이해를 돕기 위해 일부 내용은 쉽게 풀어 기술하고자 하였습니다. 용어는 대한의사협회 의학용어집 5판과 한국역학회 우리말역학용어집을 가능한 사용하도록 하였고 다소 어렵고 생소한 우리말 용어는 원어를 함께 표기하여 독자들의 이해를 돕고자 하였습니다.

끝으로 새로운 번역서가 이어질 수 있게 결정해주신 군자출판사 장주연 대표님과 다시한번 꼼꼼하게 편집 및 디자인 작업을 해 주신 군자출판사 여러 직원분들께 다시 한번 감사드리며, 아무쪼록 이번 번역서도 역시 의학논문 비평을 배우고자 하는 학생들이나 자신의 논문비평 기술을 보다 향상시키고자 하는 의료인들에게 도움이 되기를 기대해 봅니다.

2018년 8월
역자 일동

추천서

지금은 근거중심의학의 시대이다. PubMed에 등재되는 논문의 수는 매년 수만에서 수 십만 건으로 계속 증가하고 있으며 의학 저널 또한 매년 새롭게 등장하고 있다. 이렇게 기하급수적으로 늘어나고 있는 의학정보들과 근거들 가운데 옥석을 가리는 능력은 그 중요성이 점점 강조되고 있다. 과학적 근거에 기초하여 가장 적절한 임상적 의사결정을 하는 근거중심의학에서 논문 비평(Critical Appraisal)은 한 연구의 강점과 약점을 파악하고 과학적 타당성과 임상적 유용성을 판단하는 체계적이고 분석적인 과정이다. 논문 비평 기술은 근거중심의학의 핵심이며 이제 임상의사가 지녀야 하는 필수적인 능력이다.

어떤 임상의가 자신의 환자에게 적용할 치료법을 찾는 과정에서 수많은 논문들이 검색 되었을 때, 그 중 어떤 논문의 결과를 자신의 환자에게 적용해야 할까? 많은 연구들이 연구 설계와 실행 과정에서 비뚤림이 발생하게 된다. 또한 내적 타당도가 우수하더라도 연구 대상과 환경의 차이로 인해 그 결과를 그대로 실제 환자에게 적용할지 판단해야 한다. 이와 같이 체계적이고 분석적으로 논문의 강점과 약점을 파악하기 위해서는 연구방법론과 통계와 같은 필수 지식 습득과 함께, 각 연구 설계에 맞추어 핵심적인 요소들을 체계적으로 확인하고 판단하는 비평 기술이 필요하다.

새롭게 개정된 의학논문 비평 가이드 2판은 지난 1판에 이어 가톨릭대학교 응급의학교실 내 근거중심의학에 관심이 있는 교수들이 협력하여 세심하게 번역하고 의학연구 방법론 및 의학통계 전문가들로부터 철저한 감수를 받아 완성한 새로운 번역서이다. 이번 판도 역시 알기 쉬운 설명 뿐만 아니라 추가적인 예시를 통해 의학논문 비평의 실질적인 접근 방법을 제시해주는 유용한 가이드로서 의학논문을 읽고 활용하는 많은 독자들에게 도움을 줄 수 있을 것이라 확신한다. 그 동안 바쁜 가운데서도 근거중심의학의 근간이 되는 의학논문 비평에 관한 또 다른 좋은 참고서를 만들어 낸 역자들의 열정과 노력에 경의를 표한다.

2018년 8월
가톨릭대학교 응급의학교실 주임교수
김 한 준

역자 및 소속 (가나다 순)

김성욱 평택성모병원 응급의학과

김영민 서울성모병원 응급의학과

김지훈 부천성모병원 응급의학과

김형민 성빈센트병원 응급의학과

김효준 서울성모병원 응급의학과

문형기 서울성모병원 응급의학과

오주석 의정부성모병원 응급의학과

이승준 국립중앙의료원 재난응급의료상황실

이운정 인천성모병원 응급의학과

임지용 서울성모병원 응급의학과

조영석 강동성심병원 응급의학과

조항주 의정부성모병원 응급의학과

홍성엽 대전성모병원 응급의학과

목 차

SECTION A

근거중심의학

시나리오 1

레밍씨는 자동차 대리점을 방문했다. 외판원은 신차를 그에게 보여주었다. '이 차는 최신이며 최고다' 라고 그는 설명했다. '더 빠르고 더 조용하고 더 연비가 효율적이다. 엔진은 혁명적이고 가죽시트는 더 부드러우며 네비게이션은 탁월하다' 레밍씨는 안내책자를 슬쩍 보면서 동의하듯이 고개를 끄덕였다. 만약 당신이 이 차를 사게 되면 당신은 이웃들의 화두가 될 것이다. 레밍씨는 확신했다. 어떤 의문도 시험주행도 없이 즉시 차를 구매했고 통근을 고려했다.

시나리오 2

의사 브라운은 저널의 최신이슈를 읽었다. 새로운 치료에 관한 무작위비교임상시험이 눈에 들어 왔다. 결과는 새로운 치료가 위약보다 더 나았다. 이 치료는 보다 빨리 환자를 개선시키고 부작용은 더 적었다. 논문의 저자들은 새로운 치료를 1차 치료를 권고하였다. 추가적인 고려 없이 의사 브라운은 환자에게 이 치료가 도움이 될 것이라고 확신했다. 그는 동료들보다 나은 성과를 달성하고자 했다. 그는 과에서 화두가 될 것이다. 다음날 의사 브라운은 그의 환자에게 신약을 처방하기 시작했다.

매년 수천 개의 임상연구가 의학학술지에 출간된다. 인체의 복잡성을 반영하듯 방대한 주제의 연구들은 우리의 주의를 끌고 있다. 알곡과 쭉정이를 가려내는 일은 의사들에게 쉽지 않은 일이기에 많은 이들은 전문가의 진료지침에 의존해야 한다.

1972년에 발간된 영국의 역학자 Archie Cochrane의 Effectiveness and efficacy: random reflections on health services[1]는 의사들이 의료의 효과에 대해 얼마나 잘 모르고 있는지를 깨닫게 했다. 그는 1992년에 코크란 연합을

설립하였다. 코크란 연합은 현재 의료 중재들에 대한 체계적 문헌 고찰을 만들어 배포하는 임무를 수행하는 국제기구가 되었다. 코크란 연합과 같은 단체들이 의사들을 편하게 해주고 있지만 근거를 평가하는 기술은 모든 의사들이 갖추고 있어야만 하는 기술이다.

근거중심의학(Evidence-based medicine)

근거중심의학은 최상의 근거와 임상적 전문성, 그리고 환자 가치를 함께 고려해 의술을 행하는 과정을 기술하는 것이다. 1990년대 초에 확산된 이래 환자의 예후를 개선시키는 데 엄청난 영향을 주어 왔다.

가장 흔히 인용되는 근거중심의학의 정의는 '개별 환자 진료에 관한 결정을 내리는 데 있어서 현재 최상의 근거를 공정하고, 명료하고, 현명하게 이용하는 것'이다. 근거중심의학의 실행은 표 1과 같이 5단계로 구성된다.

		근거중심의학의 5단계
1	질문	환자 진료면에서 명확하고 구조화된 임상 질문을 만드는 단계
2	근거	질문에 답이 될 수 있는 최상의 근거를 검색
3	비평	근거의 타당성, 영향력 그리고 적용가능성에 대해 비판적으로 평가하는 단계
4	적용	비평 결과를 임상적 전문성과 환자의 상황과 관점을 고려해 임상에 적용하는 단계
5	감시	이와 같은 과정을 실행 및 감시하고 전체 과정의 효과와 효율성을 평가하며 개선 방안을 찾는 단계

표 1 근거중심의학 - 5단계

근거중심의학은 '수근관 증후군(carpal tunnel syndrome)에 가장 좋은 치료 방법은 무엇인가?'와 같은 임상질문을 만드는 것으로부터 시작한다. 다음 단계는 그 질문에 답을 얻기 위해 의학 문헌을 검색하는 단계로 이어진다. 수집된 근거를 비평하고 최상의 연구 결과들로부터 도출된 권고가 환자에게 적용된다. 마지막 단계는 종종 간과하지만 변화 사항을 감시하고 과정을 반복하는 단계이다. 여기에 감사와 설문조사가 포함될 수 있다.

비록 근거중심의학이 진료를 보다 일관되고 통일된 접근으로 유도했지만 이

것이 임상가들의 진료 행위가 동일해진다는 것을 의미하지는 않는다. 임상가들의 숙련도가 다양하기 때문에 모두가 임상 연구로부터 도출된 권고들을 따를 수는 없다. 예를 들어, 어떤 상태에 대한 최선의 치료법이 근육주사라는 근거가 제시되더라도 임상의사가 그 치료방법을 안전하게 사용하도록 훈련이 되어 있지 않을 수 있다. 나아가 그 치료방법을 환자가 받아들이지 않을 수도 있다. 자원의 부족 역시 이용할 수 있는 선택을 제한시키는데, 특히 새롭고 비싼 치료방법인 경우에 그러하다.

비평(Critical appraisal)

근거중심의학에서 왜 비평이라는 단계가 필요한 것일까? 왜 제시된 결과들을 있는 그대로 받아들이고 모든 결과들을 임상에 적용할 수는 없는 것일까? 첫 번째 이유는 다른 연구들로부터 반대되는 다른 결론이 있을 수 있기 때문이고, 두 번째 이유는 실제 의료 상황은 임상시험이 시행된 제한적인 환경과는 다르기 때문이다. 근거를 적용하고 실행하며 감시하기 위해서 우리는 그 근거가 우리 자신의 임상환경에 이행할 수 있는지에 대한 확신이 있어야 한다.

비평은 근거중심의학의 한 단계에 불과하다. 이 단계는 의사들로 하여금 그들이 검색한 연구들을 평가하여 그 연구가 그들의 환자들에게 임상적으로 중요한 영향을 줄 수 있는 연구인가를 결정할 수 있게 한다. 또한 비평은 진료에 도움이 전혀 안 되는 잘못 설계된 연구들을 가려낼 수 있게 한다. 비평 자체만으로는 환자의 예후를 향상시키지는 못한다. 비평된 연구로부터 도출된 결론은 일상적인 진료에 적용을 하거나, 환자의 예후 향상을 위해 감시할 때 영향을 줄 수 있다.

의학에서 대부분의 주제들과 같이 전문용어들에 대한 이해 없이 비평을 배우기는 어렵다. 일단 시작하면 독자들은 이해하기 어려운 단어나 문구를 만나게 될 것이다. 이 책에서 저자들은 논리적이고 기억하기 쉬운 방법으로 비평을 설명하도록 노력하였다. 익숙하지 않은 용어는 그때 그때 설명될 것이다.

내적 타당도와 외적 타당도(Internal validity and external validity)

비평은 연구의 타당성을 평가하고 연구에 적용된 통계적 기법을 평가하여 그들로부터 임상적으로 유용한 정보를 얻어 내는 것이다. 비평은 다음과 같은 두 가지 주된 질문들에 대한 답을 찾는 과정이다.

- 내적타당도가 있는가? – 연구가 측정하고자 했던 바를 얼마만큼 잘 측정하였는가? 우리는 특정 임상질문에 대한 답을 얻기 위해 연구자들이 얼마나 좋은 연구방법을 사용하였는지가 궁금하다.
- 외적타당도가 있는가? – 즉 연구의 결과를 얼마만큼 보다 큰 인구집단에 일반화할 수 있는가? 보통 연구들은 실험과 인위적인 환경에서 수행된다. 우리는 실제 임상에서 같은 결과를 얻을 수 있을지가 궁금하다.

만약 우리가 내적타당도가 나쁜 연구를 바탕으로 우리의 진료행위를 바꾼다면 우리는 결과에 대한 비현실적인 기대를 할 수 있고 실망하게 될 것이다. 우리는 대안적 선택을 제안하지 않거나 새로운 위험들에 환자들을 노출시키지 않음으로써 그들을 보호할 수 있다.

내적타당도가 좋은 연구들은 외적타당도가 나쁠 수 있다. 특히 연구에 사용된 조건이 일상생활과 거리가 멀다면 더욱 그렇다.

효율과 효과(Efficacy and effectiveness)

먼저 정의되어야 할 두 단어가 '효율'과 '효과'이다. 때때로 이 두 단어는 혼용해서 쓰이기도 하지만 근거중심의학의 맥락에서 볼 때 둘은 서로 다른 의미와 중요성을 갖는다.

효율은 최적의 상황(예. 임상시험)에서 중재의 영향을 의미한다.

효과는 일상적인 임상상황에서 중재가 의도되거나 예상되는 효과가 보이는지를 의미한다.

효율은 내적 타당성을 반영한다. 반면에 효과는 외적 타당성(일반화 가능성)을 반영한다.

효율과 효과 연구간의 차이는 1967년 Schwart와 Lellouch에 의해 처음으로 강조되었다. 효율 연구는 종종 식약처 승인 목적으로 진행된다. 이러한 연구에서 중재는 엄격하게 통제되고 위약 대조군과 비교된다. 연구에 참여한 대상은 대개 선택된 '적격' 모집단이다. 반면에 효과 연구는 처방 허가 목적으로 수행된다. 용량 결정은 보통 수준보다 유연하고 이미 사용되고 있는 다른 중재법과 비교된다. 대상은 거의 모든 환자들이 포함된다.

임상시험의 결과(효율 자료)를 조정되지 않은 임상 상황(효과 자료)에 이행하는 것은 보통 쉽지 않다. 일상 진료에서 획득된 결과가 출간된 효율 연구 결과와 항상 일치하지는 않는 데는 여러 가지 이유가 있다. 중재의 효율은 효과보다 거의 항상 크게 나타난다

시나리오 1 재검토

새 차로 직장에 운전해 가는 것은 레밍씨에게 실망스러운 경험이었다. 지난 주와 같이 같은 시간이 소요되었다. 가속에 있어서도 주목할 만한 차이가 없었다. 연료 소모량도 동일했다. 가죽 시트는 조금 더 편안할 수도 있다. 하지만 이전 낡은 차의 시트에 대해서도 불편함이 없었다. 그 날 저녁에 그는 부인에게 실망감을 전하였다. 그녀는 실망스러워 고개를 저었다. '여보, 당신은 항상 화려한 안내책자에 빠진다니까'

시나리오 2 재검토

의사 브라운은 병원장실에 불려갔다. 그의 과의 처방비용 분석결과 그의 비용은 다른 동료들에 비해 높았다. '지난달부터 당신은 비싼 약을 처방해왔지만 환자의 예후는 보다 나아지지 않았소'. 병원장은 좀 더 시간을 달라는 브라운의 요구를 인정해주고 싶지 않았다. '당신은 신약으로 50명의 환자를 치료해 왔으나 완치된 환자가 더 늘지 않았다' 라고 말했다. 의사 브라운은 읽었던 논문을 언급했으나 병원장은 '나도 또한 읽었으나 나는 내 처방 행위를 바꾸지 않았다'며 실망스러워 고개를 저었다. '이 임상시험에서 발표된 효율 자료는 효과성을 보여주는 자료로 해석될 수 없다는 것은 분명하다. 그리고 나의 비평 기술이 당신보다 나은 것 같다'라고 말했다.

근거중심의학 접근의 첫 단계는 환자 진료의 어느 부분에 관한 명확하고 구조화된 임상질문을 만드는 단계이다. 올바른 답을 얻기 위해서는 올바른 질문이 필요하다.

P.I.C.O.

PICO를 이용해 만들어진 질문은 그와 관련된 명확한 답을 검색할 수 있게 한다. '당뇨를 어떻게 치료할 것인가?' 그리고 '장관암의 원인은 무엇인가?'와 같은 광범위한 질문은 이해하기 쉬우나 문헌검색을 할 때 너무나 많은 결과를 얻게 된다. 표 2는 'P.I.C.O.' 약자를 설명하는 표인데 이는 적절하고 정확한 검색 전략을 유도할 수 있다.

P	Patient or Problem (환자나 문제점)	당신의 환자나 그들의 문제점을 기술
I	Intervention(중재)	고려하고 있는 주요 중재, 노출, 검사 혹은 예후 인자를 기술
C	Comparison(대조)	치료의 경우 비교군을 기술(항상 대조군이 필요한 것은 아니다)
O	Outcomes(결과)	얻고자 하는, 측정하고자 하는 혹은 영향을 받는 결과를 기술

표 2 P.I.C.O. 소개

예를 들어, 한 의사가 우울 증상으로 내원한 신환을 평가한다고 하자. 의사는 항우울제를 처방하고자 한다. 환자는 부작용에 대해 걱정을 하고 다른 치료 방법이 없는지 묻고 있다. 의사는 우울증을 치료하는 데 인지 행동 치료가 사용된다고 들었다. 의사는 표 3과 같은 PICO 검색 전략을 이용하여 검색을 수행할 수 있다.

P	Patient or Problem(환자나 문제점)	우울증을 가진 남성에게
C	Intervention(중재)	인지 행동 치료가
C	Comparison(대조)	항우울제(fluoxetine)에 비해
O	Outcomes(결과)	우울 증상을 보다 개선할 수 있나?

표 3 PICO 개념틀의 적용 예

검색 전략(Search strategies)

민감한 검색 방법을 채택하게 되면 검색 결과를 극적으로 개선할 수 있다. PICO 방식으로 연구 질문을 구체화하여 시작하는 것은 연관된 정보를 보다 체계적으로 검색할 수 있게 하고 필요한 정보가 있는 곳을 제시해 준다. 그 다음에 데이터베이스에 있는 용어를 찾기 위해 핵심용어, 유사어, 혹은 동의어를 확인해야 한다.

처음 검색을 시작할 때는 너무 좁게 찾아서는 안 되고 가능한 많은 논문을 찾도록 해야 한다. 이때 핵심용어와 모든 연관된 용어를 결합하여 동시에 찾으면 검색 결과를 폭발적으로 증가시킬 수 있다. 그 결과 좁은 검색어로 색인된 문헌들과 보다 넓은 검색어로 나열된 모든 문헌들이 검색에 포함된다. 만약 너무 많은 결과들이 검색되면 검색을 구체화함으로써 보다 구체적인 결과를 얻을 수 있다. 필터 기능은 검색 효과를 증대시키기 위해 이용된다. 부주제어(subheading)는 검색을 구체화할 때 색인용어와 함께 사용할 수 있다. 색인 작업가는 문헌에 핵심용어(keyword)를 할당할 수 있다. 이 용어는 주제어(major heading)로 표시함으로써 가중치가 부여된다. 또한 이들은 문헌의 주된 개념을 나타내는데 사용될 수 있다. 이것은 검색이 보다 구체화되도록 돕는다.

검색엔진들은 대부분 대소문자를 구분하지 않는다. 즉 Diabetes와 diabetes는 동일한 결과를 보여준다. 예를 들어 구절을 찾기 위해서 'treatment of diabetes mellitus'와 같이 인용부호를 사용하면 그 구절을 가진 자료만이 검색된다.

Boolean 연산자들은 검색 전략에서 핵심용어와 문구를 결합하는 데 사용한다.

- **AND**는 서로 다른 주제어들을 연결하는 데 사용한다. 이것은 검색을 구체화하고 검색할 참고문헌을 줄여준다. 예를 들어, 'diabetes' AND insulin inhalers로 검색 시 두 용어가 모두 포함된 문헌만 검색된다.

- **OR**은 검색을 확장하는 데 사용한다. 주제어나 유사어를 결합하는 데 OR을 사용한다. 예를 들어 'diabetes' OR 'hyperglycaemia'로 검색 시 두 용어 중 하나가 포함된 문헌들이 모두 검색된다.

- **NOT**은 검색에서 특정 용어를 제외시키기 위해 사용한다. 예를 들어, 'diabetes' NOT 'insipidus'로 검색 시 첫 번째 용어는 포함되나 두 번째 용어는 포함되지 않은 문헌들이 검색된다.

- **괄호(제한하기)**: 검색어들 간의 관계를 명확히 하기 위해 사용한다. 예를 들어 '(diabetes or hyperglycemia)' AND 'inhalers'로 검색 시 괄호 안에 들어 있는 용어 중 어떤 것과 마지막 용어가 포함된 문헌들이 검색된다.

- **절단(truncate)**: 어떤 용어의 끝에 붙인 절단 부호는 그 용어로 시작되는 모든 문헌들이 검색된다. 예를 들어, 'ardio*'로 검색 시 cardiology, cardiovascular 그리고 cardiothoracic등이 모두 검색된다. 절단 부호는 물음표(?), 별표(*) 그리고 더하기 표시(+) 등으로 검색엔진마다 다양하다.

- **만능 부호(wild cards)**: 만능 부호는 대치될 수 있는 가능한 모든 용어들을 검색하는 데 사용한다. 예를 들어, 'wom#n'으로 검색 시 'woman' 그리고 'women' 등이 포함된 모든 문헌이 검색된다. 흔히 사용되는 만능 부호로 우물 정 표시(#)와 물음표(?) 등이 이용된다.

- **줄기 체계(stemming)**: 대부분의 검색 엔진은 검색어들을 줄기 체계로 정리하고 있다. 줄기 체계는 '-s', '-ing'그리고 '-ed' 등의 접미사를 없애고 정리된다. 이렇게 정리된 후에 줄기 용어를 검색하면 자동적으로 그 모든 용어들이 포함된 문헌이 검색된다.

- **유의어 사전(thesaurus)**: 이것은 보다 효과적인 검색을 수행하도록 하기 위해 MEDLINE과 같은 검색엔진에서 사용된다. 또한 일종의 조정된 사전으로 다른 문헌들로부터 정보를 색인하는 데 이용된다. 이 사전은 하나의 검색용어 아래 관련된 개념을 군집화하여 이루어진다. 그 결과, 모든 색인 작업자 들은 어떤 주제 영역을 기술하기 위해 동일한 표준 용어를 사용하게 된다. 여기에는 핵심 용어들과 핵심용어

들에 대한 정의, 그리고 핵심용어 간의 교차 참고문헌 등이 포함된다. 의료분야에서 미국 국립 의학도서관은 Medical Subject Headings (MeSH)라는 유의어 사전을 사용한다. MeSH는 17,000개 이상의 용어들이 포함되어 있다. 이러한 핵심 용어들은 의학문헌들에서 나타 나는 단일 개념을 대표한다. 대부분의 MeSH 용어들은 선택을 위해 넓은 의미, 좁은 의미, 그리고 관련 용어 등을 가지고 있다. MeSH는 또한 색인 작업자들이 MEDLINE 검색엔진에 통합 입력 시에도 사용된다.

- **동의어(synonyms)**: 검색엔진들은 같은 뜻을 가진 다른 단어들과 검색어들을 조합하는 유의어 사전을 이용하여 검색을 확장할 수도 있다.
- **더하기 (+) 부호**: 검색 결과에서 나타날 용어 앞에 plus (+) 부호를 사용할 수도 있다. 예를 들어, '+glucophage diabetes'는 성분명 metformin 보다는 상품명 Glucophage와 diabetes가 포함된 문헌을 검색한다.
- **중단용어(stopwords)**: 흔히 발견되는 'and', 'this' 그리고 'also' 등의 단어는 색인되지 않는다. 이러한 중단용어들이 만약 색인되었다면 검색 용어로 사용되어 검색엔진 내 모든 서류에 적용될 수도 있다.

정보 출처

의학 정보에 관한 결정적인 단일 출처는 없다. 포괄적인 검색 전략은 모든 관련된 자료가 검색되도록 다수의 다른 출처들을 사용할 것이다.

모든 학술지는 동등하지 않다. 일부 학술지는 다른 학술지들보다 명망이 있다. 그러한 명망에는 많은 이유가 있는데, 출간 역사가 길거나 중요한 의학 단체의 학술지이거나 중요한 연구들을 출간하기로 평판이 나있기 때문이다. 학술지에 어떤 논문이 출간 되었는지를 아는 것은 중요하다. 하지만 최고의 학술지에도 가끔은 질 낮은 논문이 실리기도 하고 덜 명망이 있는 학술지에 좋은 논문이 실리기도 한다.

동료 심사 학술지(Peer-reviewed journals)

동료 심사 학술지는 투고된 각 논문이 학술지의 편집인이 아닌 일련의 전문가들에 의해 독립적으로 평가되는 학술지를 말한다. 출간이 고려되려면 투고된 논문은 동료 심사자들 대부분에게 승인되어야 한다. 심사 과정은 보통 동료 심사자들이 저자들이 누군지 모른 상태로 진행된다. 이중 맹검 동료심사는 저자 및 동료 심사자들 모두 서로에 관해 모른다. 익명성은 피드백 과정에 도움을 준다.

동료 심사 과정은 저자들로 하여금 그 분야의 연구자들과 전문가들이 정한 표준 지침을 지키도록 한다. 또한 동료 심사는 출간 전에 연구의 실수와 오류를 발견할 수 있게 한다. 이러한 질 평가로 인해 동료 심사 학술지는 동료 심사가 아닌 학술지보다 더 높은 평가를 얻게 된다.

하지만 동료 심사 절차에도 단점이 있다. 첫째, 논문 투고에서부터 출간되기까지 시간이 지연된다. 둘째, 특별한 전문 분야에서는 동료 심사자들이 저자들의 신분을 추측할 수 있어 평가의 객관성이 손상될 가능성이 있다. 셋째, 혁신적이고 보편적이지 않은 결론은 동료 심사 과정에서 반대에 부딪혀 구태가 지속되는 문제가 발생할 수 있다.

마지막으로, 동료 심사가 끝난 논문에도 오류가 없거나 사기 연구가 출간되지 않는다고 보장할 수 없다는 사실을 기억해야 한다. 동료 심사 절차 자체가 오류가 있어 보이는 경우도 있다. 예를 들어 2013년 Science지에 의해 날조된 것으로 판단된 한 모방 논문이 많은 접근 공개 저널들에서 정밀한 검토가 부족하거나 없었음이 밝혀졌다. 분명히 잘못된 논문의 채택은 예외적인 것이 아니라 일반적이다. 2014년 두 출판사는 한 연구자가 그 작업들이 컴퓨터에 의해서 생성된 비상식적인 결과물임이 밝혀진 후에 120개 이상의 논문들을 그들의 투고 시스템에서 제거했다고 공표했다.

학술지의 영향력 지수(Journal impact factor)

논문이 다른 사람들에게 유용한지를 반영하는 높은 인용수는 그 학술지에 출간된 연구가 가치가 있었음을 말해준다. 그러나 단순하게는, 다른 사람들에 의해 인용이 많이 되거나, 작고 자주 발행되지 않는 저널보다는 크고 자주 발행되는 저널을 높게 순위 매기고 선호하기도 한다.

학술지의 영향력 지수는 같은 분야의 다른 학술지와 비교해 한 학술지의 수행력을 평가할 수 있게 해준다. 해당 학술지에 실린 논문들이 다른 학술지에 인용되는 빈도수로 그 학술지의 중요성을 순위 매긴 것이다. 영향력 지표는 매년 Thomson Reuters에 의해 계산되고 Journal Citation Report (JCR)에 출간된다.

학술지의 영향력 지수는 어느 해에 한 학술지에 실린 논문이 인용되는 빈도를 조사한 것이다. 영향력 지수는 지난 2년 동안 출간된 논문들이 그 해에 인용된 수를 2년동안 출간된 논문수로 나누어 계산한다. 2014년 New England Journal of Medicine의 영향력 지수는 54.42이었고 British Medical Journal은 16.3이었다.

영향력 지수는 학술지의 한 가지 특성이지 어느 특정 논문에 대한 것이 아니므로 비평에 있어서 학술지의 영향력 지표가 한 논문의 중요성을 평가하는 데 사용되어서는 안 된다는 것을 기억하는 것이 중요하다. 또한 JCR에 실린 인용수는 서신, 종설 혹은 원저를 구분하지 않은 수라는 사실도 알아야 한다.

즉시 인용 지표(immediacy index)는 Thomson Reuters가 학술지들을 평가하는 또 다른 방법이다. 이는 한 학술지에 실린 논문들이 얼마나 자주 같은 해에 많이 인용되었는지를 측정하는 것이다. 이것은 최신 연구들을 다루는 학술지들을 비교하는 데 유용하다.

학술지는 그것에 실린 논문들의 접근성을 향상시키고 그들을 널리 홍보함으로써 영향력 지수를 개선할 수 있다. 몇 해 전부터 학술지에 대한 웹 기반의 접근이 개선되면서 인쇄되기 전에 인터넷에 먼저 연구 논문들이 출간되고 있다. 많은 학술지들이 연구 결과들을 언론에 공개하고 가입자들에게 이메일로 알려주고 있다. 한 학술지에 출간된 종설의 비율의 증가 역시 그 학술지의 영향력 지수를 높여주고 있다. 종설만으로 구성된 학술지들은 종종 JCR의 주제 영역 순위에서 1순위를 차지한다.

영향력 지수가 학술지의 질에 대한 정량적 평가치를 제시하기 때문에 이 지수를 조작하는 스캔들이 있어왔던 것도 놀랍지 않다. 일부 학술지 편집장들은 강압적으로 자기 인용을 하거나 심지어 원고가 부실할 때 해당 학술지를 인용하도록 연구자들에게 압박하기도 한다.

잉겔핑거 규칙(Ingelfinger rule)

New England Journal of Medicine의 전 편집장이었던 프란츠 잉겔핑거의 이름으로부터 유래된 잉겔핑거 규칙에는 원저나 그에 포함된 그림들이나 표들은 하나 이상의 학술지에 출간되어서는 안 되는 것으로 규정하고 있다. 이 규칙은 원래는 학술지의 보도가치를 보호하기 위해 적용되었는데 이제는 학계에 원칙으로 널리 채택되고 있고 대중이나 전문가집단에게 알려지기 전에 연구가 동료심사니 출간의 대상인지를 확인하는 데도 쓰이고 있다.

논문의 구성(Organisation of the article)

대부분의 출간된 논문들은 아래와 비슷한 구조를 가지고 있다.

제목 : 제목은 간결하고 연구에 관한 정보를 제공해야 하지만 독자들이 관심을 갖도록 하기 위해 때로는 다른 재미없는 논문들보다 주목을 끌어 선택할 수 있도록 하는 제목이 이용되기도 한다. 제목은 수 많은 사람들이 그 논문을 읽을 수 있도록 하고 인용수를 증가시킬 수 있다.

저자(들) : 독자들로 하여금 저자들이 학문적으로 전문성과 경험을 갖추고 있는지를 보여준다. 저자들이 소속된 기관이 그 분야 연구에 있어 좋은 명성을 가지고 있다면 연구과제의 신뢰성을 높일 수 있다. 그 논문에 기여하지 않은 '손님 저자' 혹은 '선물 저자'가 없도록 주의해야 한다. 이러한 저자들은 저자들의 이력서를 보다 인상적으로 보이도록 하기 위해 상호관계를 바탕으로 추가될 수도 있다. 역으로 연구에 상당한 공헌을 하여 저자 자격이 있음에도 불구하고 저자로 인정되지 못한 저자를 '유령 저자'라고 한다. 국제 학술지 편집자 위원회(ICMJE)는 다음 4가지 준거를 기준으로 저자됨을 권고하고 있다.

1. 연구의 개념과 설계 혹은 자료 수집, 분석, 혹은 해석에 상당히 공헌한 자
2. 초고를 쓰거나 중요한 지적 내용에 대해 핵심적인 수정을 한 자
3. 출간본에 최종 승인한 자
4. 연구의 모든 부분의 정확성 혹은 충실성과 관련된 질문들이 적절히 조사되고 해결되었음을 확신하는 연구의 모든 측면에 대한 책임이 있음에 동의한 자

저자로서 지정된 모든 연구자들은 저자됨의 기준에 맞아야 하고 4가지 기준이 맞는 모든 연구자들은 저자로서 확인되어야 한다. 4가지 기준에 모두 맞지 않는 연구자들은 감사의 글에 기재해야 한다.

초록 : 초록은 연구 논문의 요약으로 연구를 수행한 이유, 방법론, 전반적인 결과 그리고 결론을 간략히 기술한 것이다. 초록을 읽는 것은 논문을 알게 해주는 빠른 방법이나 초록에 제공된 간결한 정보로 연구의 장단점을 보여 줄 것 같지 않다. 만약 당신이 초록에 관심이 있었다면 당신은 나머지 본문을 읽어야만 한다. 당신의 진료를 위한 정보를 얻는 데 초록 만을 이용해서는 안 된다!

서론 : 서론은 이 연구가 무엇에 관한 연구이고 왜 이 연구가 수행되었는지를 설명해주는 부분이다. 좋은 서론에는 연구의 주제와 관련된 이전 연구들에 대한 참고 문헌들이 포함되고 이미 알고 있는 사실의 중요성과 한계점들이 기술된다

방법 : 방법에는 연구가 어떻게 수행되었는지에 관한 자세한 정보를 제공해주는 부분이다. 연구 설계, 연구대상자가 어떻게 선정되었는지, 중재와 측정하고자 한 목표들 및 그것을 측정한 방법에 관한 자세한 정보가 제공된다.

결과 : 연구 대상자들에게 무슨 일이 일어났는지를 보여주는 부분이다. 원시자료 및 자료들을 분석하기 위해 사용된 통계방법과 그 결과가 포함될 수 있으며 표, 도 표 및 그림 등으로 제시된다.

결론/고찰 : 연구의 주제에 관해 이미 알고 있던 것을 맥락으로 연구의 결과와 발견된 것의 임상적 연관성을 고찰하는 부분이다. 이 부분에 연구의 제한점과 후속 연구에 관한 제언이 포함될 수 있다.

이해관계의 상충 : 논문에는 연구 절차에 대한 대중의 신뢰를 유지하기 위해 과학적 수혜에 관한 정보 또한 출간되어야 한다. 이해관계 상충은 일차적인 이해관계(연구에서 얼마나 많은 환자들이 좋아졌는지와 같은)에 관한 전문가적 판단이 이차적인 이해관계(경제적 이득과 같은)에 의해 영향을 받을 때 존재한다. 이해관계의 상충은 연구제안서 작성에서부터 출간에 이르기까지

연구 과제에 참여한 어떤 사람들-저자들, 그들의 고용주들, 후원 기관, 학술지 편집자 그리고 동료 심사자들-에 의해서도 발생될 수 있다. 이해관계의 상충은 경제적인(예, 연구비, 학회 발표에 대한 강사료) 혹은 개인적인(예, 학술지 편집자와의 관계) 것들이 있을 수 있다. 이상적으로는, 저자들은 그들이 연구를 수행할 때 있었던 이해 관계를 모두 밝혀야 한다. 하지만 이해관계의 상충에 대한 공개가 연구의 결과가 타당하다는 것을 반드시 의미하지는 않는다.

Ileal-lymphoid-nodular hyperplasia, non-specific colitis, and pervasive development disorder in children.
Wakefield AJ, Murch SH, Anthony A, et al. *Lancet* 1998;351:637-41.

이 연구는 홍역, 볼거리, 그리고 풍진 예방접종(MMR)을 2세 때 맞은 아동들에서 염증성장질환과 자폐증이 관련 가능성을 제기한 연구이다. 이 연구는 언론에 대대적으로 발표되었다. MMR에 대한 공포는 영국에서 전국적으로 80%까지 예방접종율을 감소시켰고 집단면역의 감소와 홍역 유행을 초래하였다. 나중에 주 저자가 백신 제조사를 상대로 사용할 근거를 찾는 변호사들로부터 연구비를 받았고 연구 당시 단독 홍역 백신에 대한 특허를 가지고 있었음이 밝혀졌다. 13명의 저자들 가운데 10명이 공식적인 게재철회에 서명하였다.[1] Lancet 편집장은 이러한 심각한 이해관계를 알았다면 결코 이 연구를 출간하지 않았을 것이라고 말했다.
1Murch SH, Anthony A, Casson DH, et al. Retraction of an interpretation. Lancet 2004;363:750

---

1). Murch SH, Anthony A, Casson DH, et al. Retraction of an interpretation. Lancet 2004;363:750

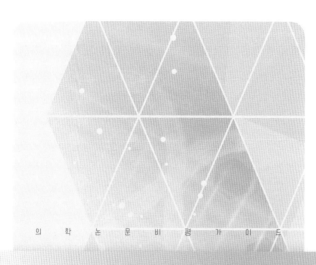

SECTION B

방법론 평가

임상 논문의 가치를 가장 중요하게 결정하는것은 연구설계라고 우리는 흔히 오해한다. 무작위 비교 임상시험이라는 용어가 나오면 많은 임상의들은 이 연구가 큰 가치가 있으며 연구의 결과를 자신의 임상실무에 적용할 수 있을 것이라 생각한다. 만일 이게 사실이라면 다른 종류의 연구는 필요가 없게 될 것이다.

연구는 질문에 답을 찾기 위해 시행된다. 따라서 어떤 논문에 대한 비평은 반드시 그 논문의 핵심인 목적과 목표에 대한 이해로 부터 시작되어야 한다. 임상적 질문은 보통 논문의 제목에 반영되어 있다. 논문의 앞부분 몇 단락에 그 임상적 질문에 대한 답변이 왜 필요한지 이전 연구들을 참고하거나 고찰 등을 통해 그 이유를 설명해야만 한다. 이전보다 나은 방법을 제안하거나 혹은 이전 결과들을 확증하기 위해서 특히 이들 결과가 논란의 여지가 있거나 관행에 대해 큰 변화를 제안할 수 있다면 연구를 반복하는 것이 합당한 이유가 될 수 있다.

일차 가설

연구자가 과학적인 실험을 시행하면서 임상적 질문은 그 실험을 통해 사실 또는 거짓으로 판명되어질 문장으로 이를 일차 가설이라고 한다. 사전가설이라고도 하며 가설은 자료 수집 이전에 결정되게 된다. 가설은 보통 임상적 질문과 같거나 거의 밀접하게 연관되어있다. 표4는 임상적 질문과 일차 가설의 예를 보여주고 있다.

임상적 질문	실험	일차가설	연구설계
요통의 가장 적합한 진통제는 무엇인가?	요통환자에서 paracetamol과 ibuprofen을 비교	Paracetamol이 ibuprofen에 비해 보다 효과적으로 요통을 감소시킨다.	요통치료에 paracetamol과 ibuprofen의 효과를 비교하는 무작위 대조 연구 시행

표 4. 연구 계획 설계

모든 연구가 가설을 검정하기 위해서만 설계되지 않는다는 점을 기억하자. 증례보고나 질적 연구같이 가설을 만들어내기 위해 시행되기도 한다.

요약하면, 좋은 연구란...
그 주제에 대해 이미 알려진 바를 요약한다.
추가적인 연구의 필요성을 설명한다.
새로운 연구가 기존의 것과 다른 점을 설명한다.
임상적 질문과 일차 가설을 분명히 명시한다.

하위그룹 분석(Subgroup Analysis)

이상적으로 하나의 연구는 잘 정의된 한 가지 일차 가설에 대한 답을 얻기 위해서 설계되어야 한다.

하지만 연구자들은 한 연구에서 한 가지 분석 이상을 원할 수 있다. 예를 들어 두 가지 치료 중 어떤 치료가 나은지 보고자 할 때 단지 노인 환자들에서 어떤 차이점이 있는지, 부작용의 빈도 차이도 보기를 원할 수 있을 것이다. 이들 추가적인 비교를 하위그룹 분석이라고 한다.

많은 하위그룹 분석을 하게 되면 단지 유의한 결과만을 강조하게 되고 연구자는 자료 들춰내기로 비난 받을 수도 있다.

자료 훑기

자료 훑기는 연구 대상 환자 군에서 다량의 자료수집을 하거나 결과에서 차이를 보기 위해 그 대상 환자 군을 다중 비교하는 경우에 발생한다. 분석을 많이 하면 할수록 대상 환자 군 간의 차이점을 더 많이 발견하게 될 것이다. 통계학적 유의성과 alpha 레벨에 대해서는 이 책의 뒤에서 다루고 있으며 자료 훑기의 문제점을 완전히 이해하기 위해 후에 다시 이 장을 읽을 수도 있을 것이다. 요약하면 한 가지 결과를 비교할 때 통계적 유의한 결과는 단지 우연에 의해서 발생할 수 있으며 이는 연구자가 그릇된 생각을 하도록 할 수 있다. 만약 두 가지 결과를 비교한다면 각각의 결과는 우연에 의해 통계적인 유의성을 가질 수 있으며 이들 가능성의 조합에 의해서 한가지 결과를 비교할 때 보다 더 우연한 기회에 유의한 결과를 얻을 가능성이 커지게 되는 것이다. 많은 하위그룹으로 나눠 분석을 진행하다 보면 실제 별다른 차이가 없음에도 불구하고 적어도 한 가지에서 통계적으로 유의하다는 결과를 얻게 되는 수가 있다(type 1 error). 결과적으로 잘못된 결론을 도출할 수 있다. 결과가 나온 후에 다시 하위그룹을 구분하는 것 또한 비뚤림이 발생할 수 있다. 동일한 결과에 대하여 많은 가설에 대한 검정(다중 검정)은 피해야만 한다.

하위그룹 분석은 최소한으로 제한해야 하고 가능하면 방법론적으로 사전에 지정하여 진행해야 한다. 자료에서 얻어진 추가 분석은 탐색적으로 가설을 제안하는 데 사용해야만 하고 검정해서는 안 된다. Bonferroni 교정이 다중 검정 결과를 보정하는 데 사용될 수 있다.

연구자들은 종종 하나의 임상적 질문에 대한 답변을 위한 방법이 다른 질문들에 대해서는 부적절할 수 있다는 사실을 간과한다. 논문으로 출간해야 한다는 압박감에 연구자들은 의미 있는 결과를 찾기 위해 자료 훑기를 시도할 지도 모른다.

하위그룹과 도덕성

2010년 General Medical Council 지침에는 예를 들어 타당한 방법론적 이유로 나이, 성별, 민족 또는 성적 의식과 같이 하위집단으로 연구 대상을 제한하는 것이 차별로 여겨지지는 않는다고 기술하고 있다.

요약하면, 좋은 연구란...
연구 목적과 목표에 하위그룹 분석에 대해서 명시한다.
하위그룹 분석을 최소화한다.
과도한 자료를 수집하지 않는다.
논문에서 후반부에 추가적인 하위그룹 분석을 하지 않는다.
일차 가설 대신에 하위그룹 분석에 초점을 맞추지 않는다.
하위그룹을 분석하여 다른 논문으로 출간하는 것을 시도하지 않는다.

시나리오 3

에드워드 박사는 음주와 폐암의 관계를 조사하기 위한 환자-대조군 연구를 설계하였고 건강한 대조군과 폐암환자 700명을 모집했다. 각 대상자들에게 음주 과거력을 조사하여 음주가 폐암과 밀접한 관계가 있는 놀라운 결과를 발견하였고 이는 단지 우연에 의한 결과로 생각되지 않았다. 그녀는 이 결과를 British Medicial Journal에 투고하였다.

대부분의 임상적 질문들은 노출과 결과의 관련성에 대한 것들이다.

여기서 노출은 위험인자이거나 치료가 될 수 있다.

- 썬베드를 사용하면 피부암의 위험성이 증가하는가? 노출은 위험인자(썬베드 사용)이고 결과는 피부암이다.
- 콜레스테롤 저하제는 심장 질환의 위험성을 감소시키는가? 여기서 노출은 치료(콜레스테롤 저하제)이고 결과는 심장 질환이다.

연구자들은 연관성이 존재한다는 증거를 찾기를 원한다. 가끔 임상적 질문이 간단해 보이지만 실제 그 상황은 좀 더 복잡해서 연구자가 발견한 증거가 완벽한 답변이 되지 못할 수도 있다.

예를 들어 연구자들이 도시생활이 심장 질환 위험성의 증가와 연관성이 있는지를 알아보고자 한다. 이 연구에서 도시생활을 하는 군과 시골에 사는 군을 비교했을 때 도시 생활을 하는 사람들이 심장 질환을 더 갖고 있었다. 이 연관성이 증명되었다고 하더라도 다른 원인으로 제3의 인자인 교란 요인이 존재할 수 있다.

교란 요인은 노출과 결과 사이에 삼각관계를 형성하지만 교란요인은 인과 관계선상에 있지 않다는것이 중요하다(그림 1). 교란 요인에 의해 마치 노출과 결과가 직접적인 관계가 있는 것처럼 보이게 하거나 심지어 실제 존재하는 연관성마저 감추기도 한다.

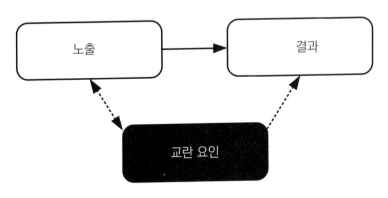

그림 1. 노출, 교란요인과 결과의 관계

위 예시에서 도시 거주자가 근교에서 농사일을 하며 사는 사람들에 비해서 근무 때문에 더 스트레스를 받을지도 모른다. 스트레스는 교란 요인이다. 스트레스는 도시에서 생활하는 것과 연관이 있고 심장 질환과도 독립된 연관성이 있다. 만일 도시 생활이 중요한 인자로 오인하게 되면 이는 연구자들이 도시 거주자들은 심장 질환의 위험성이 증가된다고 단순하게 결론을 내리게 될 수도 있을 것이다. 이는 전 인구들을 혼란에 빠지게 할 것이다.

교란 요인으로 작용하기 위해서는 다음의 변수들과 반드시 연관성이 있어야 한다.
- 노출과 연관성 가짐, 그러나 노출의 결과여서는 안된다.
- 노출과는 독립되어 결과와 연관성을 가짐(중간 매개자가 되어서는 안됨).

그림 2의 예시와 같이 도시에 거주하는 것은 심장 질환과 연관이 있어 보인다. 스트레스는 교란 요인으로 도시 생활과 연관이 있고 심장 질환의 위험인자이며 이는 도시 거주자가 아닌 사람에게도 해당이 된다.

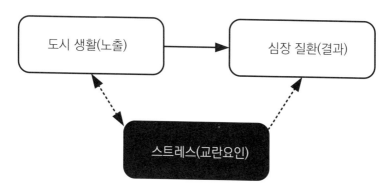

그림 2. 스트레스는 교란 요인이다.

역으로 생각하는 것은 맞지 않는다. 도시 생활은 스트레스와 연관이 있을지라도 스트레스와 심장 질환 사이의 연관성을 교란하지 않는다. 도시에 주소를 가진 것은 스트레스와 별개로 심장질환의 위험인자가 아니다(그림 3).

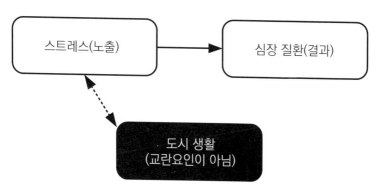

그림 3. 도시 생활은 교란 요인이 아니다.

교란요인을 언급할 때 우리는 보통 양성 교란 요인을 말한다. 양성 교란요인은 관계없는 두 변수가 관계가 있는 것처럼 보이게 한다.

- 예 : 도시 생활과 심장질환의 연관성은 스트레스에 의해 양성 교란을 받는다. 도시 생활하는 사람은 스트레스를 받을 수 있지만 스트레스는 심장질환의 위험인자이며 이는 도시에 거주하지 않는 사람에

게도 해당된다.

음성 교란요인 또한 존재하는데 이는 실제 연관성을 감춘다.

- 예 : 나쁜 식습관과 관상동맥 질환의 연관성은 운동으로 음성 교란이 나타날 수 있다. 규칙적으로 운동하는 사람은 나쁜 식습관의 영향을 보상하여 나쁜 식습관이 관상동맥 질환과 관계가 없는 것처럼 보이게 할 수 있다.

교란은 사실 관계를 과장하거나 저평가할 수 있고 심지어 관계의 방향을 바꿀 수도 있다. 예를 들면 운동의 강도와 심장 질환 간의 연관성은 나이에 의해 역전(젊은 사람일수록 운동의 강도가 세다)될 수 있다.

교란 요인들의 확인
연구자들이 그들의 연구를 설계할 때에는 지식과 직관에 근거하여 교란 요인의 가능성에 대해 고려해야 한다. 보통 방법을 기술하는 부분에 가능한 교란 요인들을 나열한다. 연구자들은 보통 하나 혹은 그 이상의 교란 요인을 갖고 있는 많은 주제에 대한 자료를 수집하게 될 것이다.

교란 요인들 다루기
일단 교란 요인이 발견되면 이는 많은 방법으로 다룰 수 있다. 측정은 다음과 같이 시행할 수 있다.

- 제외 기준 : 교란요인을 함께 제거
- 짝짓기, 무작위 : 교란 요인을 가진 대상을 양 군에 동일하게 할당
- 회귀 분석 : 통계적 방법을 이용한 교란 요인의 결과에 대한 영향을 설명

시나리오 3 재검토
에드워드 박사는 British Medical Journal의 편집자로부터 다음과 같은 편지를 받았다.

"흥미있는 결론이지만 연구의 결과는 교란 요인을 고려할 때 특별한 것이 없습니다. 불행하게도 흡연이 교란 요인임을 간과한 당신의 연구 결과를 출판할 수 없습니다."

요약하면, 좋은 연구란...
교란 요인의 가능성에 대해서 생각하라.
교란 요인들을 나열하고 연구에서 연관성에 어떠한 영향을 주는지 설명한다.
교란 요인들이 연구 설계 및 분석 단계에서 어떻게 다루어졌는지 기술한다.

비뚤림은 실수를 의미하며 실수는 연구가 진행되는 동안 어떤 단계에서도 발생할 수 있다. 이는 불운한 것이 아니라 잘못된 연구 방법에 의해 발생하는 것이다. 결과적으로 잘못된 결과가 발생할 수 있다. 잘못된 결과는 잘못된 결론을 이끌어 낼 수도 있다. 잘못된 결론이 임상에서 환자에게 적용되면 이는 환자에게 해가 될 수도 있다.

비뚤림과 교란의 차이

비뚤림은 잘못된 결과를 도출한다.

비뚤림이 있는 연구에서는 결과 자료가 비뚤림에 의해 부정확해진다. 결론은 비뚤림 없이 수집된 자료에 근거하여 올바르게 내려졌다면 다른 결과가 가능했을 것이다.

- 예시 : 한 연구에서 어떤 환자군이 새로운 치료법을 받고 있고 다른 환자군은 이전 치료법을 받고 있는것을 알고 있다. 새로운 치료군이 연구에서 보다 적은 증상을 보고하였고 연구자들은 자료에 근거하여 기존 치료법에 비해서 새로운 치료법이 낫다고 판단하였다. 하지만 환자들이 각각 속한 그룹에서 얼마나 좋아질걸로 기대하고 있다는것을 예상하지 못했더라면 결과는 달라졌을지도 모른다.

교란은 잘못된 결론을 도출한다.

교란 문제가 있는 연구에서는 결과 자료는 정확하지만 그릇된 결론이 나오게 된다. 연구자가 전체 상황을 이해하지 못해 결과를 잘못 해석하게 된다.

- 예시 ; 연구자들은 근교에 사는 환자군에 비해서 도시에 거주하는 사람들의 심장 질환이 더 많기 때문에 도시에 거주하는 사람들이 심장 질환의 위험성이 크다고 잘못 결론내리게 된다. 하지만 연구자들은 교란인자로써 결과의 원인이 되는 스트레스를 간과하였다.

교란 요인은 연구자들의 실수에 의해 만들어지는 것이 아니라는 점에서 비뚤림과는 다르다. 교란 요인은 실제 생활에서 연구 대상이 되는 노출과 결과에 이미 존재하고 있던 연관성에서 발생한다.

비뚤림의 유형

비뚤림은 연구의 어떤 단계에서도 발생가능하고 많은 유형의 비뚤림이 존재한다. 우리는 다음장들에서 비뚤림의 원인들을 강조하고 비뚤림의 위험을 줄이는 방법들을 설명할 것이다. 연구에서 흔한 비뚤림의 두 가지 유형은 선택 비뚤림과 관찰 비뚤림이다.

선택 비뚤림은 집단을 대표하지 않는 대상자를 모집하고 할당하면서 발생하는 문제점이다.

관찰 비뚤림은 연구에서 자료가 수집되는 방법에 문제가 있는 것으로 결과가 연구자와 대상의 기대치에 영향을 받게 된다.

요약하면, 좋은 연구란...

비뚤림의 위험을 최소화하는 방법을 사용하려고 노력한다.
비뚤림이 발생하면 이를 인정하고 결과가 어떻게 영향을 받았는지에 대해 기술한다.
향후 연구자가 가능한 비뚤림을 감소시키기 위해 어떻게 방법을 개선해야 하는지를 제안한다.

의 학 논 문 비 평 가 이 드

SECTION C

연구설계

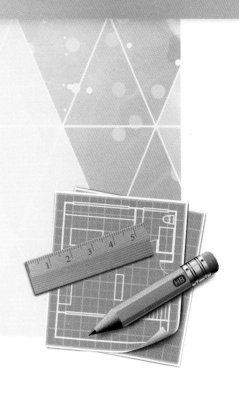

임상적 질문에 따라 어떤 연구 설계가 적절한지를 결정한다.

- 한 임상적 질문은 하나 이상의 연구 설계에 의해 대답이 가능하다.
- 하나의 연구 설계를 통해 모든 임상적 질문에 대답할 수 없다.

임상적 질문의 유형에 따라 어떤 연구유형이 적합할 것인지 결정하게 된다. 연구 설계는 크게 세 가지 주 범주로 나누어진다.

1. 관찰 기술적 연구 – 연구자는 한 사람 또는 한 군에서 일어난 일들을 관찰하여 보고한다.
2. 관찰 분석적 연구 – 연구자는 두 개 이상의 군에서 동질성과 차이점을 보고한다.
3. 실험적 연구 – 연구자는 여러 가지 방법으로 군에 개입을 한 실험군과 전혀 개입하지 않았거나 다른 개입을 한 대조군 사이의 결과를 비교하여 분석한다.

서로 다른 연구 설계의 예는 다음 4개의 장에서 기술될 것이다. 각기 다른 연구 설계의 장단점은 우리가 아직 다루지 않은 용어들에 대한 참고문헌들에 포함되어 있을 수 있다.

임상적 질문에 따라서 연구를 분류하는 것 또한 가능하다. 예후 연구 (혹은 생존 연구)와 진단 연구는 section G에서 기술하고 있다.

연구들을 기술하는 데 사용되는 용어들

- **종적(longitudinal)** : 한집단을 2회이상 추적하는 것. 보통 수 일, 수 주, 수 개월 또는 수년에 걸쳐서 정기적으로 평가한다.
- **단면(Cross-sectional)** : 어느 한 시점에서 대상군을 다루는 것(시간의 스냅샷). 보통 대상을 한 차례 평가
- **병렬(Parallel)** : 대상군들은 서로 다른 중재를 받게 되고 실험은 각군

에서 독립적으로 동시에 행할 수도 있다.

- **전향적(Prospective)** : 현재와 미래를 다루는 것. 새로 생성된 자료를 수집.
- **후향적(Retrospective)** : 현재와 과거를 다루는 것. 이미 생성된 자료를 수집
- **생태학적(Ecological)** : 개인적 수준이 아닌 집단 수준의 정보를 주는 집단 또는 사회에 대한 연구
- **설명적인(Explanatory)** : 의학 연구센터와 같이 이상적인 상태에서 행해지는 연구로써 어떤 중재가 시행가능한지, 그리고 어떻게 작용하는지 보는 연구이다. 주로 신약과 위약을 가능한 동질한 대상에게 적용하여 효율성(efficacy)을 측정한다.
- **실용적인(Pragmatic)** ; 중재가 실세계에서 작용하는지 결정하기 위해 외래 혹은 병동처럼 일상의 임상상황에서 수행된다. 이런 연구들은 효과(effectiveness)를 측정한다. 이들 결과는 선택된 환자가 그 치료를 받게 되는 환자들에 대한 대표성을 가지는 한 매일 임상실무를 더 반영하는 것으로 여겨진다. 대부분 새로운 치료는 위약보다는 표준치료와 비교된다. 실용적인 연구는 통제하거나 눈가림하기가 어려워 과도한 탈락이 발생하는 어려움이 있다.

설명적인 연구에서 효율적으로 보여진 어떤 중재라도 실용적인 연구에서는 항상 효과적이지는 않을 수 있다.

관찰 기술적 연구 (Observational Descriptive Studies)

관찰기술적 연구에서 연구자는 한 표본에서 무슨 일이 일어났는지 관찰하게 된다. 표본집단에 어떤 중재가 개입되지 않고 비교를 위한 대조군도 없다. 이런 연구들은 새로운 연구 과제를 위한 아이디어를 얻는 데 유용하다.

증례 보고(Case report)

한 사람에 대한 경험을 보고 하는 것이다.

증례보고는 기술하기는 쉽지만 입증하기가 쉽지 않고 보통 반복될 수 없다. 또한 우연과 비뚤림에 빠지기 쉽다. 실제 이 연구의 가치는 가설을 생성하는 데 사용될 수 있다는 점이다.

> 1848년 미국 버몬트에서 철도 노동자로 근무하던 Phineas Gage에 대한 유명한 증례보고가 있었다. 폭발사고로 철 막대가 그의 머리를 관통하여 좌측 전두엽을 파괴하였다. 이후 수년 뒤 그의 행동과 성격의 변화가 되었으며 불안해하고 부적절한 욕설과 판단력이 흐려졌다. 이 증례보고는 뇌의 특정부위가 정해진 기능을 한다는 아이디어를 제공해 주었다. 전체 증례는 Wikipedia를 통해 확인이 가능하다. http://en.wikipedia.org/wiki/Phineas_Gage. Accessed 10 October 2014.

> MHRA와 Commission on Human Medicines의 Yellow Card Scheme은 의심스러운 약물의 부작용을 경험한 환자들에 대한 증례보고 예이다. Yellow Card 보고는 이전에 보고되지 않은 약물의 잠재적 위해와 부작용에 대한 새로운 정보에 관한 내용이다. http://yellowcardd.mhra.gov.uk.

증례군 연구 (Case series)

이 연구에서는 하나의 환자군이 연구대상이며 드문 질환을 연구하는 데 유용한 연구방법이다.

유명한 증례군 연구는 1961년 Lancet에 발표된 한 서신(letter)형식으로 발표되었다. WG McBride는 편집장 에게 다음과 같은 내용을 보냈다. 선천적 이상이 약 1.5%의 영아에서 존재 한다. 최근 몇 달 동안에 임신기간 중에 항구토제 또는 안정제로 thalidomide를 복용 한 여성에서 많은 심각한 이상을 가진 환자가 발병한 것을 관찰하였고 거의 20% 정도에 이른다. 당신의 독자 중에서 임신 중 이 약물을 복용한 여성의 환아에게 비슷한 이상이 있었다고 보고한 적이 있는가?' 선천적기형과 연계시점을 통해 thalidomide가 시장에서 사라지게 되었다.

McBride WG. Thalidomide and congenital abnormalities. Lancet 1961, 2, 1358

증례보고와 증례군 연구만을 발표하는 저널도 있다. 이들 연구물들은 주로 학회의 포스터 발표나 학술지의 서신(letter) 또는 신속회신(rapid response)에서 보게 되는 경우가 많다. 증례보고, 증례군 보고 모두 근거의 분석 측면에서는 수준이 낮지만 새로운 질병을 구분 짓거나 증상과 징후, 원인 인자, 연관성, 치료적 접근과 예후인자들을 발견하는 데 유용하다.

증례보고 또는 증례군 보고는 순수하게 서술하는 연구이므로 '비평'을 해야 할 필요는 없지만 "결과가 진실일 가능성이 있는가?"에 대한 질문 없이 증례보고 또는 증례군 보고를 무시해서는 안 된다.

시나리오 4

일반 개업의 닥터 리차드는 그녀의 연구 문서 최종본을 읽으며 미소를 지었다. 손발톱 무좀 50명 환자를 대상으로 한 조사에서 절반 이상의 비율이 감염 발생 한 달 전에 공영수영장을 이용한 적이 있음이 밝혀졌다. 그녀는 'journal of public health'에 실리기를 바라며 공중보건 전문의에게 논문사본을 보냈다.

관찰 분석적 연구에서 연구자는 두 개 이상의 집단에서 관찰된 유사성과 차이점을 보고하게 된다. 이 연구방식은 위험요인과 결과 사이의 관계를 파악하는 데 유용하다. 두 가지 방식(코호트 연구, 환자 -대조군 연구)은 다음과 같은 점에서 초점을 두는 바가 다르다.

- 코호트 연구는 위험인자에 노출된 대상자 모집에 집중한다. 연구 시작 시점에 위험인자에 노출된 군과 아닌 군으로 나누어 진다.
- 환자-대조군 연구는 어떤 결과를 가지고 있는 대상자를 모으는데 집중한다. 그러므로 연구 시작시점에 특정 결과를 가지는 군, 다른 군은 그렇지 않은 군으로 나누어 진다.

코호트 연구

코호트는 어떤 군을 뜻한다. 코호트 연구에서는 어떤 위험인자에 노출된 대상을 그 요인에 노출되지 않은 대상과 짝짓기한다. 연구 시작시점에서 연구대상들은 결과를 모르는 상태이다. 연구자는 양측 그룹을 추적 관찰하여 각 군 간의 결과발생의 차이를 비교하게 된다(그림 4). 연구자는 대조군에 비해 위험요인에 노출된 집단이 보다 그 결과가 발생한다는 것을 보여주고 싶어 한다.

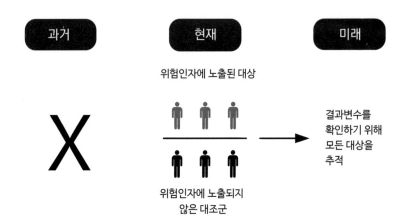

그림 4 코호트 연구 설계

코호트 연구는 위험요인에 노출된 결과를 조사할 때 수행되며 이를 통해 원인과 예후에 대한 답을 찾는 데 이용된다. 이 방식은 질병 발생률을 직접 추정 가능하게 하며 또 시간적 관련성(사건이 결과를 초래했는지) 및 다양한 결과들을 평가할 수 있는 방식이다.

위험요인에 노출된 후 질병이 발생하기까지는 많은 시간이 소요될 수 있다. 따라서 코호트 연구는 연구 시작 및 유지에 많은 비용이 발생한다. 이 연구 기간 중 대상자가 연구에서 탈락하여 초기 대상군과 연구 종료 시점의 대상군이 차이가 날 수 있어 이런 점은 비뚤림의 원인이 될 수 있다.

The mortality of doctors in relation to their smoking habits; a preliminary report
Doll R, Bradford Hill A. *British Medical Journal* 1954, 1, 1451-55.

흡연과 폐암의 관계에 대한 코호트 연구; 24389명의 의사들을 흡연유무에 따라서 두 집단으로 분류하였다. 29개월후 789명의 사망환자에서 흡연 양이 증가함에 따라 폐암으로 인한 사망률이 의미있게 꾸준히 높아짐을 보였다.

코호트 연구는 또한 '전향적인' 혹은 '추적' 연구로도 알려져 있다.

때때로 후향적 코호트 연구라고 기술하기도 하는데 이것은 역설적으로 들릴 수도 있지만 간단하게 연구자가 이미 진행중인 코호트 연구에 관심 있는 다른 결과치를 첨가하는 것을 의미한다. 이것은 연구자가 다른 코호트 연구를 기획하고 구성할 필요가 없어 시간과 돈을 절약할 수 있다. 이런 후향적 코호트 연구를 시작할 때 중요한 점은 대상자들을 나누어 그룹에 속하게 하는 시점에 연구자가 정의한 위험인자 노출 유무가 확실히 정해져 있어야 하며 관찰하고자 하는 결과는 가지고 있지 않아야 한다는 점이다.

개시 코호트(inception cohort)란 질병의 초기 단계에 모집된 대상 집단으로 질병이 발생하기 이전의 집단을 말한다.

환자 대조군 연구

특정 질병을 갖고 있는 환자군과 이 질병이 없는 대조군을 짝짓기한다. 모든 대상자는 과거에 하나 이상의 위험요인에 노출된 적이 있는지 조사하게 된다 (그림 5). 연구자는 대조군과 비교하여 환자 집단이 위험요인에 보다 더 노출되었다는 것을 보여주고 싶어 한다.

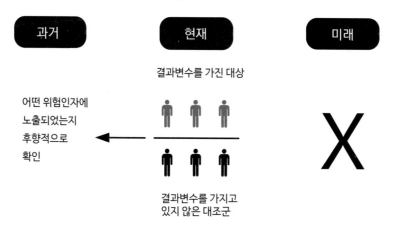

그림 5 환자 대조군 연구 설계

환자-대조군 연구는 또한 '사례 비교' 또는 '후향적' 연구라고도 한다. 이들 연구는 보통 질병의 원인을 조사하는 데 사용된다. 이 연구는 새로운 질환이 발생했을 때 종종 수행되는 방식이며 이를 통해 어떤 사람이 질병에 이환되는지 더 잘 이해할 수 있도록 도와준다. 또한 기다림이 없으므로 위험요인에 노출과 질병발생의 간격이 긴 경우에 특히 유용하다.

환자–대조군 연구는 적은 수의 환자가 필요하기 때문에 대부분 빠르고 비용이 적게 든다. 하지만 대조군을 짝짓기하는 것은 어려울 수 있다. 주된 어려움은 과거의 위험요인 노출에 대한 기억을 회상과 기록에 의존해야 한다는 점이다. 따라서 노출과 질병 사이의 시간적 관련성을 확인하기 어려울 수 있다.

Smoking and carcinoma of the lung: preliminary report.

Doll R, Bradford Hill A. British Medical Journal 1950, 2, 739-48.

폐암, 간암, 대장암이 의심되는 환자에서 흡연을 포함한 과거 위험요인에 노출여부를 묻는 환자-대조군 연구. 폐암환자는 흡연자로 확진되었고 모든 질병이 없는 대조군은 비 흡연자였다.

드문 위험요인 혹은 질병에 대한 연구

위험요인과 질병의 관계가 연구되는 중이고 위험요인이 드물다면 위험요인을 갖고 있는 충분한 대상군의 수를 충분히 확보하기 위한 최선의 방법은 코호트 설계이다. 환자–대조군 연구설계를 하는 것은 현명하지 못한 방법이다. 환자 대조군 연구는 질병이 있는 환자와 그 질병이 없는 대상을 모집하면서 시작한다. 드문 위험요인에 노출된 적은 수의 대상을 찾기 위해서는 많은 수의 대상이 모집되어야 한다.

질병이 드문 경우에 질병에 이환된 충분한 대상군의 수를 확보하기 위한 방법은 환자–대조 연구설계이다. 코호트 설계를 선택하는 것은 현명하지 못한 방법이다. 코호트 연구는 위험 요인에 노출된 대상과 노출되지 않은 대조군을 모집하면서 시작된다. 많은 수의 대상군이 드문 질환에 이환된 소수의 환자를 찾아내기 위해 추적관찰이 필요하다.

환자-코호트 그리고 코호트 내 환자-대조군 연구

Nested case-control study는 코호트 연구의 일부분을 차지하는 집단에서 시행된다. 일단 충분한 수의 질병의 이환이 코호트 집단에서 도달되면 환자-대조군 연구는 기준자료에서 이전에 노출되지 않은 경우와 함께 조사하는데 사용될 수 있다. 이 증례는 같은 코호트 내에서 대조군과 짝짓기가 된다. Nested case-control study는 비용 감소에 도움이 된다.

Case cohort 연구에서 증례는 전통적인 환자-대조군 연구와 같이 모집된다. 차이점은 대조군이 향후 질병상태에 상관없이 초기 코호트의 모든 구성원으로부터 모집 된다는 것이다(위험기간이 시작될 때 위험에 노출된 집단). 대조군은 전체 코호트의 표본이다.

연관성 또는 인과성?

관찰 분석적 연구는 위험요인에 노출과 질병 사이의 연관성을 종종 보여준다. 하지만 연관성 그 자체가 인과관계가 있다는 것을 꼭 의미하는 것은 아니다. 인과적 관계가 있다는 것은 '언제 연관성이 인과관계를 내포하는가?'라는 질문에 Sir Austin Bradford Hill의 9가지 고려할 점을 이용하면 보다 쉽게 접근할 수 있다.

- **강도(Strength)** : 다른 요인을 배제시킬 정도의 충분히 강력하고 충분히 큰 연관성이 있는가?
- **일관성(Consistency)** : 다른 연구자들에 의해서 다른 장소 혹은 환경 그리고 다른 시간대에 시행하여도 결과가 동일인가?
- **특수성(Specificity)** : 매우 특별한 질환과 노출이 연관성이 있는가?
- **시간성(Temporality)** : 노출이 질병에 대해 선행하는가?
- **생물학적 양반응성(biological gradient)** : 노출의 정도가 증가하는 것이 질병의 위험도 증가되는 것과 연관성이 있는가?

- **타당성(Plausibility)** : 인과관계를 설명할 수 있는 과학적 기전이 있는가?
- **일관성(Coherence)** : 연관성이 질병의 자연경과와 일치하는가?
- **실험적 근거(experimental evidence)** : 다른 무작위 실험으로부터의 근거가 있는가?
- **유사점(Analogy)** : 기존의 증명된 원인적 인과관계와 유사성이 있는가?

비록 규칙의 예외가 있어 제한적이지만 미생물과 질병간의 인과관계 여부를 밝히는 데는 독일의사의 이름을 붙인 Koch's의 가정이 유용하다.

- 박테리아는 질병의 모든 경우에 존재해야만 한다.
- 박테리아는 질병의 숙주에서 검출되고 배양되어야 한다.
- 그 질병은 박테리아의 순수배양액을 건강한 숙주에게 접종 시 재발현되어야 한다.
- 그 박테리아는 실험적으로 감염된 숙주로부터 다시 채취 가능해야 한다.

Rothman과 Greenland는 충분 원인(sufficient cause)과 부분 원인(component cause) 의 개념을 소개하였다. 특정한 질병의 원인은 질병의 발생에 선행되어지는 조건 또는 특성으로 규정되어지며 그 원인이 없이는 질병이 발생하지 않거나 어느 정도 시간이 경과해야 발생하게 된다.

'Sufficient cause'는 완벽한 인과관계 기전에 의해 불가피하게 질병을 발생시킬 수 있는 일련의 최소한의 조건과 사건으로 설명할 수 있다. 질병을 발생시키기 위해 어떤 특별한 사건, 조건 또는 특성이 그 자체로는 불충분 할 수도 있는데 component cause는 그 자체는 원인적 기전으로 작용할 수 있으나 sufficient cause는 아닌 경우이다. 즉, Component cause는 다른 요소들과 함께 작용하여 원인적 기전을 일으킨다. Component cause는 거의 유전적, 환경적 요인들을 일부 포함하고 있다.

'Rothman's pies'는 이들 개념을 묘사하는 데 사용된다. 이 파이차트는 각 각의 component slice로 나뉘어져 있다. 그 파이 전체는 충분한 인과복합체 (sufficient causal complex)이며 몇 가지 component causes(파이의 조각)의 조 합이다.

횡단적 단면연구

횡단적 단면연구에서는 특정 시점 특정 인구집단에서의 노출과 결과의 이환 율이 정해진다. 연구자는 대상자들을 추적 관찰하지 않으므로 어떤 특정 사 건의 시간적 순서에 대한 정보를 얻지 못한다. 그러므로 이 연구방법은 연관 성에 대한 연구는 가능하지만 인과관계에 대한 판단을 할 수 없으므로 그 유용성에 한계가 있다.

시나리오 4 재검토

닥터 리차드의 동료는 그 발견에 대해 리차드보다는 덜 흥분하였다. 그는 '결과가 흥미롭기는 하지만 당신이 선택한 연구디자인은 수영장과 손발톱 무 좀과의 연관성만을 보여줄 뿐입니다. 당신은 인과관계가 있다고 말하고 싶 어 하지만 횡단적 단면연구는 그것이 불가능합니다. 대중들에게 밝혀 혼란 을 주기 전에 다시 초기로 돌아와서 좀 더 적절한 연구설계를 선택하는 것 이 어떻겠습니까?'

실험적 연구(Experimental Studies)

실험적 연구에서 연구자는 어떤 치료의 효과를 측정하기 위해 몇 가지 방법으로 중재한다.

대조군이 없는 임상시험(uncontrolled trial)
모든 연구대상자가 동일한 치료를 받는다면 대조군이 없는(uncontrolled) 시험으로 분류된다(그림 6).

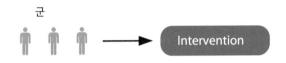

그림 6 대조군이 없는 임상실험 설계

비교 임상시험(controlled trial)
비교시험에서 연구 대상은 두 가지 치료 중 한 가지 치료를 받게 된다(그림 7). 연구하고자 하는 치료가 실험군에 시행된다. 대조군에게는 표준적인 중재나, 위약을 통한 치료를 시행하며 실험에 따라 치료를 하지 않기도 한다. 연구자는 실험군과 대조군 사이의 결과 차이를 보고한다.

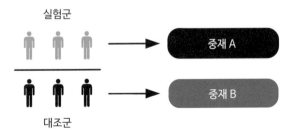

그림 7 비교 임상시험 설계

일반적으로 실험군과 대조군은 연구 과제에서 함께 비교된다. 과거대조군 (historical control)이 사용되었다면 실험군은 대조군의 구 자료(old data)와 비교 한다.

일부 시험에서는 2개 그룹 이상을 비교하기도 한다.

무작위 비교 임상시험(Randomised controlled trials)

치료 효과를 연구하기 위한 gold standard 설계이다. 실험참가자는 어느 군에 속할지 선택할 수 없다. 이 연구에서 대상은 무작위적으로 할당된 치료를 받게 되어 선택비뚤림(selection bias)을 최소화하고 무작위 전략에 따라 두 치료군 사이에 동등하게 교란요인(confounding factors)이 분포하게 된다. 무작위 비교 임상시험은 효율성을 측정할 때 믿을만한 측정방법이며 메타 분석이 가능하지만 시행하기 어렵고 많은 시간과 비용이 소요된다. 또한 대상군 간의 다른 치료가 시행되어 윤리적으로도 문제가 될 수 있다.

교차설계임상시험(Crossover trials)

모든 대상 환자 군이 한가지 치료를 받고 연구 중간에 다른 치료법을 바꾸어 받게 된다(그림 8). 실험자는 어떤 치료가 대상군을 호전시켰는지 확인한다. 이 실험방법에서 이월효과를 최소화하기 위q 해서   약효세척기간(washout period)를 이용한다. 이 기간을 충분히 가져가지 않으면 약제 중단이나 금단에 의한 효과에 의해 두 번째 치료효과에 영향을 줄 수 있다.

그림 8 교차설계임상시험 설계

치료순서에 의한 효과를 막으려면 대상자들을 그룹으로 나누어 그룹마다 치료순서를 다르게 가져가는 방식으로 연구 방식을 좀 더 정밀하게 할 필요가 있다(그림 9).

그림 9 교차설계임상시험 설계

교차시험은 드문 질환을 연구하는 데 종종 이용되는데 대상환자가 적은 경우 통상적인 임상시험의 검정력은 떨어지게 된다. 교차시험의 경우 각각의 시험참여자들은 통상적인 시험보다 2배 가까이 많은 정보를 제공해 줄 수 있다.

교차시험 연구설계는 다른 장점도 가지고 있는데 치료연구에서 연구자는 두 개의군의 대상이 유사하며 치료 유무에 따라 다른 결과가 초래되는 것을 보장할 필요가 있다. 교차시험에서 그 대상은 제각기 대조군이 있기 때문에 짝짓기는 거의 완벽 하다. 여기서 '거의'라는 말은 의도적으로 사용되었다. 보통 임상시험에서는 실험군과 대조군의 결과를 같은 시간대 동일 시점에서 비교를 한다(parallel arms) 교차시험에서는 다른 시점에서 비교를 하게 된다. 이 때 두 개의 다른 시점에 상이한 조건의 몇 가지 변화가 있다면 문제가 될 수 있다.

n-of-1 trial

n-of-1 trial에서는 한 대상만이 연구되고 실험약제와 대체약제를 무작위 순서 혹은 교대로 투여받게 된다(그림 10). 시험은 맹검시험으로 혹은 공개적으로 진행될 수 있다. 그 대상은 정기적으로 본인들의 경과상태를 보고한다. 이것은 실험약제를 투여받는 동안에만 임상적 호전이 발생했는지를 나타낼 수 있기 때문에 특정 대상에서 효과를 확신할 수 있다. 단 이 연구결과의 일반화가능성은 떨어지게 된다.

그림 10 n-of-1 trial 설계

요인 연구(Factorial studies)

실험 연구에서 한 번에 한 가지 요인만을 평가하는 것으로 제한할 필요는 없다. 요인 무작위 연구에서는 한 가지 이상의 요인에 대한 효과를 평가하고 연구자가 두 요인간의 상호작용 효과를 알 수 있도록 한다(그림 11).

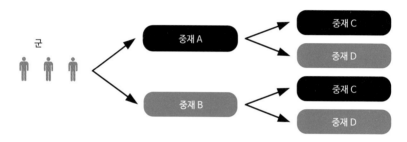

그림 11 요인연구 설계

예를 들어 연구자가 한 가지 항우울제와 위약 그리고 한가지 항정신병약과 위약을 투여 받은 대상을 무작위화하고 싶어 한다면 다른 치료군은 표 5에 보여지는 것과 같다.

		A항우울제	
		복용	위약 A
항정신병약	복용	그룹 1 항우울제 + 항정신병약	그룹 2 위약 A + 항정신병약
	위약 B	그룹 3 항우울제 + 위약B	그룹 3 위약A + 위약B

표 5 요인연구 설계

기타 연구 방법들(Other Types of Studies)

감사(확인조사, Audit)

서비스제공측면 규제기준 국가가이드라인, 프로토콜 혹은 일방적으로 받아들여지고 있는 모범사례와 같은 '황금기준'에 반하는지를 평가하는 때로는 기존의 '황금기준'이 없는 경우 새로운 것을 제시하는 것이 필요하다.

제공된 의료서비스에 관한 자료는 수집된다. 수집된 자료를 바탕으로 좀 더 서비스의 질이 높아질 수 있는 변화를 적용하여 황금기준과 비교하여 피드백하는 과정을 통해 진행되며 한 확인조사 기간은 다른 감사에 의한 자료를 모으는 과정에 의해 종료된다(그림 12). 감사로 명명되기 위해서는 최소 2기간의 독립된 자료 수집이 있어야 한다.

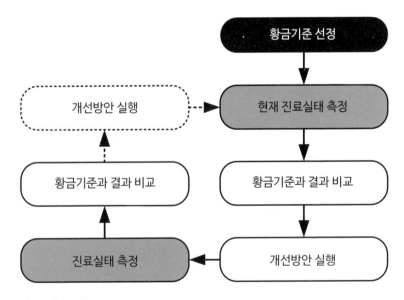

그림 12 감사 절차

감사는 의료서비스의 효과에 대한 정보를 제공하지만 인적-, 물적-자원을 필요로 하고 임상 업무에 방해를 줄 수 있다. 감사는 보통 윤리적 승인이 필요하지 않는다.

설문조사(Surveys)

설문조사에서는 대상군에게 질문을 한다. 설문조사는 의료서비스가 제공되는 패턴을 파악하여 의료서비스 제공 계획을 세우는 데 도움을 줄 수 있다. 센서스(cencus, 총인구조사)는 설문조사의 특별한 종류로 모든 사람 혹은 가정으로부터 자료를 수집한다. 설문조사에서는 인과관계를 구별할 수 없다. 질적 설문조사(qualitative survey)에서는 주관적인 의미와 경험이 강조되며, 그 대상집단의 견해가 도출된다. 이런 연구는 복잡한 이슈들을 다루는 데 이용할 수 있는데 인터뷰, 포커스 그룹 또는 참가자 관찰 등의 방법을 이용한다. 하지만 주관적인 데이터를 분석하여 정보를 얻고 기록하는 것은 어려운 일이다.

경제성 분석(Economic Analysis)

이 연구는 중재의 비용과 유용성을 평가한다. 서비스의 우선순위를 정하는 데 도움이 되지만 가설이나 가정을 기반으로 하기 때문에 객관적이기는 어렵다.

체계적 고찰 및 메타분석(Systematic Review and Meta-Analysis)

체계적 고찰은 그 분야의 관련 논문들을 모두 체계적으로 평가하고 분석하는 시도이다. 메타분석은 몇몇 연구들의 결과를 종합하여 양적인 평가를 생산해낸다.

시장에 한 가지 약물을 도입하는 것은 수년의 시간이 걸리고, 많은 비용이 소요된다(그림 13). 개발 과정은 먼저 질병의 원인으로 알려진 생물학적 표적을 확인하는 것부터 시작된다. 이 표지자에 작용하기 위한 화합물을 만들어낸다. 선택된 화합물은 환자에게 최고의 이득과 최소의 부작용을 줄 수 있도록 변형되고 포장된다. 이런 변형 과정은 동물과 사람에게 순차적으로 진행되고 이들은 규제 당국과 기관여구윤리위원회의 관리를 엄격하게 받게 된다.

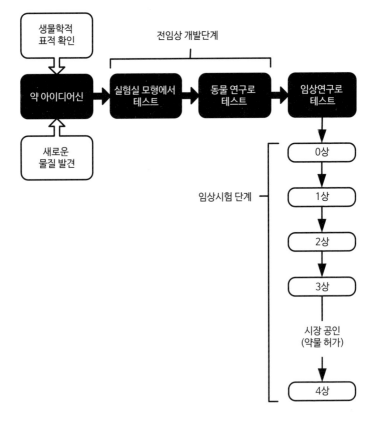

그림 13 **연구 흐름**

개발중인 새로운 상품은 임상시험허가가 필요하다. 영국에서 이런 허가는 보건국 산하기구인(Medicines and Healthcare Products Regulatory Agency, MHRA)에 소속된 의학, 약학, 과학 담당자에 의해서 평가된다.

임상시험 단계(clinical trial phases)
실험적 약물의 임상시험은 5단계로 구성된다.

제 0상 시험(phase 0 clinical trial)

이 실험은 인체 소용량 실험(human microdosing studies)으로도 알려져 있다. 이 과정에서는 소수의 사람들에게 치료용량보다 적은 양의 약물을 투여한다. 이 과정의 목적은 약물의 생체 흡수률이나 반감기 등 약력학이나 약동학에 관련된 정보를 수집하는 것이다.

제 1상 시험(Phase 1 clinical trial)

신약이나 치료에 대해서 처음으로 시도되는 평가과정이다. 연구자는 신약과 치료를 먼저 건강한 소규모 집단에서 시행하여 안정성을 평가하고 용량범위 부작용 등을 시험하게 된다. 이 시험은 분자나 화합물의 작용을 평가하고 이해하는데 목적이 있다. 건강한 지원자는 시간에 대한 보상은 주지만 연구에 참여한 재정적인 인센티브는 받지 않는다.

제 2상 시험(Phase 2 clinical trial)

건강한 지원자 대상으로 수행하는 제 1상 임상시험 10건 중 7건 정도가 제 2상 시험으로 진행하여 관련질환이 있는 환자에게 시행하여 평가한다. 이 단계에서 연구 약물이나 치료는 그 효용성과 안전성을 평가하기 위해 보다 대규모 집단에 시도된다.

제 3상 시험(Phase 3 clinical trial)

이 단계에서는 연구 약물이나 치료가 임상 현장에서 대규모 환자군에 투여되어 그 효과성, 용량 범위와 치료 기간, 부작용을 추적 감시한다. 이 과정에서는 현재의 표준치료와 비교하게 된다.

제 3상 시험에서 만족할 만한 결과가 나오면 이 약물은 시판인허가를 취득하게 되며 적응증과 용량과 같이 사용 가능한 조건과 명칭을 받게 된다. 위험 대 이득 의 비율이 높은 경우의 약 조차도 인증을 받을 수도 있는데 예를 들어 말기 질환자의 삶의 질을 높이는 약물이 그런 경우이다.

제 4상 시험(Phase 4 clinical trial)

의약품 시판 후 조사(PMS)라고도 알려진 제 4상 시험은 약물 처방이 이루어지고 시장에 허가를 받은 후에 시행된다. 제 4상 시험은 다른 인구집단에서 약물의 이득과 부작용에 대한 정보를 수집한다. 장기간 사용에 관한 자료 또한 수집한다. 이런 연구는 일상적 사용 과정 중에 약물의 안전성을 감시하고 또한 다른 새로운 안정성에 대한 우려를 밝힐 수 있고(가설생성), 이들 우려에 대한 확인 또는 반박을 밝혀내기 위해 수행될 수 있다(가설 검정).

SECTION D

연구대상의 선정

임상적 질문을 정하고 연구 설계유형을 선택하면, 연구자들은 연구대상자들을 모집하고 서로 다른 군에 할당하는 방법을 정하는 것으로 연구를 시작하게 된다.

이것은 쉬워 보이지만, 연구대상자를 모집하는 것은 시간이 많이 걸리므로 많은 연구자들이 당혹해 하는 부분이다. 모집시간을 단축하고 적절한 표본수를 얻기 위해 종종 지름길을 택하곤 한다.

비교 임상시험은 연구대상자를 두 개 혹은 그 이상의 군으로 나누어 서로 다른 중재를 비교하게 된다. 연구자들은 각 군이 가능한 비슷하게 하여 그들 간의 어떠한 비교도 공정하게 이루어지도록 해야 한다.

연구대상자를 모집하고 할당하는 방법이 부적절하면 선택 비뚤림을 유발하게 된다.

모집단과 표본

연구자들이 관심 있는 표적 집단을 결정한다. 표적 집단의 모든 사람을 연구에 포함하는 것은 거의 불가능하므로 표적 집단의 대표인 표본집단을 모집한다. 표본집단은 포함기준과 제외기준으로 정의된다. 연구자들은 표본집단을 대상으로 연구를 시행하여 그 결과를 표적 집단에 일반화시킨다(그림 14).

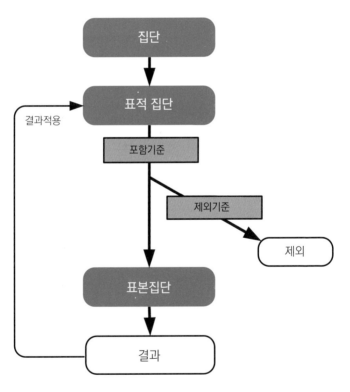

그림 14 연구의 단계별로 집단의 기술

포함기준

포함기준은 표적집단의 연구대상자가 표본집단에 포함되기 위해 반드시 충족해야 하는 기준이다.

제외기준

제외기준은 연구대상자가 포함기준의 기준을 충족하더라도 표본집단에 포함되서는 안 되는 기준이다.

제외기준은 다음과 같은 세 가지로 분류할 수 있다.

연구대상자의 상태가 연구참여하기에는 너무 나쁜 경우

임상시험 계획서에는 서로 다른 군에 있는 연구대상자에게 일어날 일들이 자세하게 기술되어야 한다. 공정한 비교를 위해서, 군 간의 차이는 최소화해야 한다. 만약 연구대상자가 어떤 질환을 앓고 있는 상태에서 연구에 참가하게 되면, 설령 그 질환이 연구의 목표와 관련이 없다고 하더라도 그 환자에게 유익할 수도 있는 중재나 권한을 받지 못하게 될 수도 있다. 예를 들어, 최근 뇌졸중을 앓은 환자가 임상시험 계획서에 기술되지 않았다는 이유로 투약이나 물리치료를 받지 못하게 될 수도 있다. 이런 환자들은 그들의 충족되지 않은 요구가 너무 커졌을때 연구에서 탈락할 가능성이 있다.

또한 환자를 위험에 처하게 하는 것에 대한 윤리적 문제가 있다. 연구자가 가장 바라지 않는 상황은 환자가 임상시험 중에 죽거나 심각하게 악화되는 것이다. 더 어려운 도전은 심각하게 앓는 환자가 임상시험에 참가를 동의할 수 있는 상태이다는 것을 보여주는 것이다.

이러한 부작용을 피하기 위해 너무 상태가 나쁜 환자들은 표본집단에서 제외해야 한다.

연구진행 동안 상태가 나빠질 연구대상자

윤리적 이유로 건강하지만 연구에서 상태가 나빠질 수 있는 연구 대상자는 배제해야한다. 이런 환자는 시험약제 혹은 시험약제와 상호작용 하는 약제에 알려지 혹은 과민성을 가진 경우이다. 태아나 유아에 대한 위험은 또한 표본집단에 산모나 모유수유 여성을 허락하지 않는 배제기준에서 고려해야 한다.

연구대상자가 교란 인자를 갖고 있는 경우

교란인자는 연구자를 잘못된 결론으로 인도할 수 있다. 교란 인자를 다루는 한 가지 방법은 교란 인자를 갖고 있는 연구대상자를 표본집단에서 제외하는 것이다.

제외기준은 한 가지 혹은 그 이상의 교란 인자를 포함할 수 있다. 이는 교란 인자를 갖고 있는 연구대상자는 표본에 포함시켜서는 안 된다는 뜻이다. 그 결과로 이런 인자에 의한 교란은 더 이상 문제가 되지 않게 된다.

읽을거리 1 참고

제외기준의 과도한 사용

제외기준을 남발함으로써 생기는 두 가지 문제가 있다.

1. 표본집단을 모집하기가 어려워져 결과적으로 샘플 수가 줄어들게 되고 결과를 확신하지 못하고 2형 오류의 위험이 높아진다.
2. 진단적 순수성 비뚤림(선택 비뚤림의 일종)이 생길 수 있다. 그 연구 결과는 목표 모집단에 일반화할 수 없다.

제외기준이 너무 과도하게 되면, 연구자들은 다른 방법(예: 짝짓기, 무작위화, 통계)을 통해 교란 인자를 다루어야 한다.

표본 추출 방법

집단으로부터 표본을 추출하기 위한 방법은 5가지가 있다.

1. **(단순) 무작위 표본추출법:** 표적 집단의 각 사람은 선택의 기회가 동등

하게 주어진다. 일반적으로 연구자들은 표적 집단의 세부정보를 담고 있는 기록에 접근할 수 있는 수단이 있다. 무작위 표본추출법은 모든 군이 비례적으로 대표해야 하므로 **대표적 표본추출법** 또는 **비례적 표본추출법**이라고도 한다.

2. **체계적 표본추출법**: 표적 집단의 첫 번째 대상이 무작위로 선택된 후 특정 순위의 대상을 매번 선택하는 방법이다. 이는 **준무작위 표본추출법**이라고도 하며 집단을 대표하는 표본을 선택하는 하나의 방법이다. 읽을거리 2 참고

3. **층화 표본추출법**: 표적 집단의 사람을 인종 같은 한 가지 혹은 그 이상의 특징에 따라 하위그룹이나 층으로 나눈다. 표본은 각 층으로부터 무작위로 추출한다. 이 것은 층으로 나눈 특징을 가진 사람이 표적 집단에서 대표성을 갖게 보증해준다. 읽을거리 3 참고

4. **집락 표본추출법**: 표적 집단을 비슷하고 대표성을 띤 여러개의 집락으로 나눈다. 이 집락들 중 일부에서 집중적으로 추출하고 나머지는 사용하지 않는다. 읽을거리4 참고

5. **편의적 표본추출법**: 편의대로 추출을 하며 대상자가 추출될지 안 될지 선택할 수 있게 한다. 편의적 표본추출법은 가장 쉽지만 잠재적으로 가장 위험하다. 좋은 결과가 종종 얻어지기는 하나 모아진 자료들은 심각하게 왜곡될 수 있다. 편의적 표본추출법은 정성적 연구에 이용된다.

읽을거리 1

Lago-Deibe FI et al. The safety and efficacy of the tetanus vaccine intramuscularly versus subcutaneously in anticoagulated patients: a randomized clinical trial. BMC Family Practice 2014;15:147.로부터 발췌

경구 항응고제를 투여받는 환자들에서, 출혈의 위험을 줄이기 위해 파상풍 백신을 피하로 주사하는 것이 일반적으로 권고된다. 이 연구의 목적은 경구 항응고제를 투여받는 환자들의 파상풍-디프테리아 백신의 근육주사와 피하주사의 안전성과 유효성을 비교하는 것이다.

포함기준
- 최소한 한 번 이상의 파상풍 백신을 투여받는 항응고제 경구 복용 환자

제외기준
- 과거 투여 시에 주사 놓은 사지의 모든 둘레가 심각한 국소반응이 나타난 경우
- 과거 투여에 의해 말초성 신경장애가 일어난 경우
- 과거 투여나 구성성분에 의한 심각한 아나필락시스 반응
- 최근 두 달간 심각한 응고장애(INR > 4)가 있던 경우
- 심각한 질환, 말기 질환, 거동 불능, 심한 만성 질환 혹은 면역억제 상태
- 임신부 혹은 수유중인 여자

해설: 이미 상태가 나쁘거나 악화될 것으로 예상되는 환자 혹은 임신중, 수유 중인 환자는 표본집단에서 제외되었다.

읽을거리 2

Al-Maskari F et al. Prevalence of risk factors for diabetic foot complications. BMC Family Practice 2007;8:59.로부터 발췌

이 연구의 목적은 당뇨환자의 발 합병증의 유병율과 위험인자를 탐구하는 것이다. 표본은 연령과 성별에 상관없이 당뇨 병원에 다니는 모든 당뇨환자이다.

지역 전체의 당뇨환자에 대한 레지스트리나 전산기록이 없으므로, 연구에 참여할 환자를 선정하기 위해 각 병원에 체계적 표본추출법이 사용되었다. 연구에 포함된 각 병원에서 세 명 간격으로 환자를 선택하였다.

해설 : 체계적 표본추출법의 예시이다. 세 명마다 환자가 선택되었다.

읽을거리 3

Bellis MA et al. National household survey of adverse childhood experiences and their relationship with resilience to health-harming behaviours in England. BMC Medicine 2014;12:72.로부터 발췌

연구자들은 불우한 어린 시절의 경험이 건강 악화 습관의 회복에 어떤 영향을 미치는지 알아보기 위해 영국의 성인 거주자들을 대상으로 국가적 가정 조사를 시행하였다.

우선 지역에 따라(n=10, 런던의 중심부와 외곽부 두 지역으로 나눔) 층화한 후 결핍 정도에 따라 좁은 지역으로 세분화하고 무작위로 추출해서 영국 전체의 대표성을 띠는 표본을 만들었다. 표본 수는 각 지역의 인구에 비례하였다.

해설 : 층화 표본추출법의 예시이다. 연구자들은 나라를 지역별로 나누고 각 지역의 인구를 결핍 정도에 따라 층화하여 각 층에서 표본추출 하였다. 결과적으로 연구자들은 나라의 모든 지역에서 경제적 상황이 각각 다른 연구대상자들을 모집할 수 있었다.

읽을거리 4

Manandhar K et al. Estimating the prevalence and burden of major disorders of the brain in Nepal: methodology of a nationwide population-based study. The Journal of Headache and Pain 2014;15:52.로부터 발췌

이 연구의 목적은 보건정책 수립을 위해 네팔의 주요 뇌장애의 유병율과 그로 인한 부담을 조사하는 것이다.

관심대상 인구는 네팔어를 말하고 네팔에 거주하는 18-65세의 성인이다. 우리는 임의 방문형식으로 무작위로 선택한 가정을 훈련된 면접자를 고용하여 방문하게 하였다. 나라 전체의 75구역중 15구역의 가정이 집락 표본추출법에 의해 선택되었다. 각 가정에서 한명의 참여자가 무작위로 선택되었다.

해설 : 집락 표본추출법의 예시이다. 나라는 75개의 집락으로 나뉘어졌지만 15개의 집락에서만 표본 추출되었다.

요약하면, 좋은 연구란...

표적집단을 정의한다.
표본추출 방법을 기술한다.
포함기준을 나열하고 연구의 목적과 연관을 짓는다.
제외기준을 나열하고 설명한다.
얼마나 많은 사람들이 포함되고 제외되었는지 흐름도나 표를 이용해서 나타낸다.
연구대상자 수를 어떻게 결정했는지 설명한다.
표본집단이 표적집단을 얼마나 잘 대표하는지 기술한다.

시나리오 5

일반의사 스티븐슨씨는 마리화나 흡연이 위험한지 알고 싶었다. 그녀의 병원에서 그녀는 환자에게 마리화나를 흡연했는지 물었고 만일 그렇다고 대답한다면 건강상의 문제가 있는지 물었다. 그 결과는 아주 충격적이었다. 마리화나 흡연과 건강악화는 밀접한 연관이 있었다. 그녀는 Addiction Journal의 편집자에게 편지를 써서 그 위험을 강조하기 위해 그녀의 연구를 빨리 출판하라고 재촉했다.

시나리오 6

성형외과 자문의사인 파할씨는 수술 후 관리에 대한 정보를 얻기 위해 얼마나 많은 환자들이 병원의 웹사이트를 방문하는지에 관심이 있다. 그는 연구를 위해 더 타임즈 신문에 광고를 내어 90명의 대상자를 모집했다. 그는 수술 부위의 관리에 대한 정보를 얻기 위해 80%의 환자들이 병원의 웹사이트에 방문할 것이라고 결론을 내렸다. 그는 병원 이사회에 웹사이트 구축을 위한 기금을 마련하도록 제안하였다.

표본집단은 표적집단을 대표할 수 있도록 하여 표본집단으로부터 나온 결과가 표적집단으로 일반화할 수 있어야 한다.

선택 비뚤림은 연구자들이 표적집단을 대표할 수 없는 표본집단을 모집할 때 발생한다. 표본집단을 모집한 원래 인구와 표본집단의 어떤 특성이 상당이 다르면 그러한 표본집단으로부터 얻어진 결과와 결론들은 전체 인구에 일반화 할 수 없다.

선택 비뚤림은 연구자에 의한 **표본추출 비뚤림**과 연구대상자에 의한 **반응 비뚤**

림으로 세분화할 수 있다.

표본추출 비뚤림의 예는 다음과 같다.

- **Berkson (입원율) 비뚤림** : 이것은 표본집단이 병원에서 모집될 때 발생한다. 병원의 사례는 사회에서의 발생률이나 중증도를 반영하지 못한다. 노출과 질병의 관계는 실제 상황을 대표하지 못한다. 예를 들어, 만일 흡연자에게 폐암이 얼마나 많이 발생했는지 조사했다면, 호흡기 병동과 사회에서 수행한 연구의 결과는 다르게 나타날 것이다.
- **진단적 순수성 비뚤림** : 이것은 표본집단에서 여러 질병에 이환된 환자가 제외될 때 발생하며, 이런 표본집단은 인구에서의 실제 복잡한 사례들을 반영하지 못한다. 예를 들어, 만일 과도한 제외기준이 있다면, 연구대상자들은 '너무 순수해지고' 연구의 중재를 잘 수행할 것이다. 실제로는, 환자는 더 복잡하며 여러 병에 중복으로 이환된 상태나 생활 양식 인자들은 치료 성공률에 악영향을 줄 수 있다.
- **Neyman 비뚤림(발생율-유병율 비뚤림, 생존 비뚤림)** : 이것은 어떤 상태의 유병률이 발생률을 반영하지 못할 때 발생한다. 이것은 보통 어떤 상태의 발생 시기와 연구집단의 실제 선택시기의 시간차에 의해 발생하는데, 어떤 사람들은 그 상태에 해당함에도 불구하고 연구에 선택되지 못하게 되는것이다. 이 비뚤림은 췌장암과 같이 빠르게 진행하여 연구에 참가하기도 전에 사망하는 환자가 나오는 경우로서 연구에 종종 영향을 미친다. 연구자들은 가벼운 형태의 질환을 가진 환자들에게서만 중재를 끝내고 모든 임상적 상태의 인구에게 적용할 수 없게 된다.
- **멤버쉽 비뚤림** : 특정 집단의 멤버만이 연구대상자로 모집될 때 발생한다. 특정 집단의 멤버는 전체 인구를 대표할 수 없는 경우가 많다. 일반적인 문제는 암 자선단체 같은 조직에 참가하고 있는 사람이라면, 표본모집단의 전형적인 사람에 비해 자신의 건강을 돌보는 데 더욱 동기 부여되어 있다는 점이다. 실제 사람들이 자신의 건강과 건강한 생활양식을 유지하는 데 별로 신경을 쓰지 않는 반면, 이런 멤버는 임상시험 프로토콜에 잘 따르는 경향이 있다. 읽을거리 6 참고

- **과거대조군 비뚤림**: 이것은 연구대상자와 대조군이 다른 시간대에 선택되어 정의, 노출, 질병과 치료의 내용이 달라서 연구대상자와 대조군이 서로 비교할 수 없게 되는 것을 말한다.

반응 비뚤림은 자원한 연구대상자가 특정 부분에서 일반적 인구와 다른 경우에 발생한다. 이런 차이가 발생하는 가장 흔한 이유는 자원자가 그들의 건강을 증진시키기 위한 강한 동기부여가 되어있기 때문에 연구에 더욱 열심히 참여하기 때문이다. 반응 비뚤림을 초래하는 연구대상자를 모집하는 전형적인 방법은 신문이나 라디오, 텔레비전을 통해 모집광고를 하는 것이다. 읽을거리 7 참고

'반응 비뚤림'이라는 용어는 관찰 비뚤림을 기술하는 데도 쓰이므로 혼동을 일으킬 수 있다(98쪽 참고).

큰 표본 수로 선택 비뚤림을 피하기
연구자들이 선택 비뚤림을 최소화하거나 제거하는 한 가지 방법은 모든 표적집단의 정보를 연구에 포함시키는 것이다. 이것은 연구자들이 모든 필요한 정보를 제공하는 기록에 접근할 수 있을 때 가능하다. 읽을거리 8 참고

할당과 선택 비뚤림
선택 비뚤림은 모집단에서만 발생하는 게 아니라 군에 할당될 때도 발생한다. **각 군의 연구대상자들은 표적집단을 대표할 수 있어야 한다.** 만일 연구대상자가 대표성이 없으면, 할당과정에서 선택 비뚤림이 발생한다.

연구자들과 연구대상자들은 어떤 연구대상자가 어떤 군으로 가야 할지 정할 수 있어선 안 된다. 만약 이를 허락하면, 선택 비뚤림은 필연적이다. 실험적 연구에서 예를 들면, 연구자들은 실험군이 연구를 잘 수행하는 연구대상자들로 구성되기 원하고 대조군은 연구를 잘 수행하지 않는 연구대상자들로 구성되기를 원할 것이다. 그러면 각 군은 표적집단을 대표할 수 없게 되

고 선택 비뚤림이 초래된다.

표본추출과 선택 비뚤림

선택 비뚤림의 위험을 최소화시키는 단계를 밟더라도, 우연에 의해 **표본추출 오류**가 생길 수 있다. 많은 표본 수와 확률적 표본추출이 표본추출 오류를 최소화하는 데 도움을 줄 수 있다.

읽을거리 5

Wen J et al. Risk factors of earthquake inpatient death: a case control study. Critical Care 2009;13:R24.로부터 발췌

중국의 연구자들이 지진 후 입원한 환자의 사망률에 영향을 미치는 인자에 관해 역학적 연구를 수행하였다.

선택 비뚤림(예: 입원율 비뚤림 혹은 Berkson 비뚤림)을 주의해야 한다. 입원 환자의 환자-대조군 연구의 가장 흔한 제외기준은 현장에서 사망한 경우이다. 지진에 의한 사망 대부분은 병원 밖에서 발생하므로, 외상 사망률을 집계할 때 치명적인 제외기준이 된다. 그러므로, 입원환자의 사망 원인은 현장 사망의 것과 극적으로 다를 것이다.

해설 : 그들의 고찰에서, 연구자들은 연구 결과가 모든 지진 희생자들에게 적용되려면 잠재적인 Berkson 비뚤림을 주의해야 한다고 하였다. 그들은 병원에 입원한 희생자에서 나타나는 것이 병원에 오기 전에 사망한 지진 희생자에게 반드시 적용될 수는 없다고 설명하였다.

읽을거리 6

Ruston A et al. Diabetes in the workplace – diabetic's perceptions and experiences of managing their disease at work: a qualitative study: BMC Public Health 2013;13:386.로부터 발췌

이 연구의 목적은 1형, 2형 당뇨병을 가진 고용인의 지각과 경험을 탐구하는 것이다.

이 연구의 포함기준은 현재 혹은 최근에 고용되었던 상태이고 치료방법에 따라 결정된다. 1형 당뇨병을 가진 환자들은 매일 인슐린 주사를 맞거나 인슐린 펌프를 이용하여 치료를 받는 환자여야 하고 인슐린 펌프 치료를 사용하는 일부 병원이 포함된 특별한 치료센터에 다녀야 한다. 인슐린 펌프와 주사를 사용하는 환자를 포함하기 위해서 1형 당뇨병 환자에 관한 국가 자료를 활용하여 연구되었다. 이 자료는 인슐린 펌프와 다른 당뇨병 기술들을 사용하는 것을 지지하는 영국의 온라인 지원 조직의 회원으로부터 수집되었다. 2형 당뇨병을 가진 환자는 영국 동남부의 2개 일반병원의 지역 당뇨병 클리닉으로부터 모집되었다.

해설 : 멤버십 비뚤림의 형태로 선택의 문제가 있다. 모집된 1형 당뇨병 환자들은 온라인 지원 조직의 멤버로부터 모집 되었다. 그들은 당뇨병을 가진 인생을 낙관적으로 바라보는 경향이 있으나 모든 1형 당뇨병 환자를 대표하지는 못한다. 모든 환자들은 외래환자로부터 모집하는 것이 이상적이다.

읽을거리 7

Russell G et al. Parents' views on care of their very premature babies in neonatal intensive care units: a qualitative study. BMC Pediatrics 2014; 14:230.로부터 발췌

연구자들은 신생아 중환자실에 있는 미숙아 아기들의 치료에 대한 미숙아부모들의 관점과 경험을 조사하였다.

과거 6개월 동안 3개 병원 중 한 곳에서 태어난 조기 분만된 아기들의 부모를 대상으로 정량적 연구를 실시하였다. 만일 아기가 32주 이전에 태어났고 영어를 할줄아는 부모인 경우 연구에 포함되었다. 영국 동남부의 3차 병원에서 신생아실의 모집 광고 혹은 초대 편지를 통해 부모를 모집하였다. 편지는 신생아실에 2주 이상 머물고 포함기준에 맞는 부모에게 편지를 부치거나 직접 전달하였다. 부모들은 연구에 참여 여부를 표시하여 답장하였다.

해설 : 고찰 부분에서 연구자들은 응답 비뚤림의 가능성에 대하여 언급하였다. 심한 미숙아의 부모에게 결과를 적용하지 못할 수도 있다. 예를 들어, 특정 인종이나 아주 가난한 지역의 여자들은 미숙아 발생률이 높다. 현재의 표본들은 백인, 고학력, 결혼한 부모의 비중이 높다. 초대에 답장한 부모들만 연구에 참여했으므로 초대에 응하지 않은 부모들로부터는 정보를 얻을 수 없었다.

읽을거리 8

Lass J et al. Antibiotic prescription preferences in paediatric outpatient setting in Estonia and Sweden. Springer Plus 2013;2:124.로부터 발췌

스웨덴과 에스토니아 두 나라의 소아 외래 환자의 항생제 사용을 비교하였다.

우리는 에스토니아 건강보험 펀드와 스웨덴 처방약 레지스트리의 자료를 이용하여 약 처방 사용을 조사하였다. 둘 다 국가적인 처방 자료이며 약국을 통해 처방약이 전산으로 등록되었다. 우리는 2007년 1월 1일부터 12월까지 양 자료로부터 18세 미만의 환자에게 처방된 전신적 항생제 처방을 조사하였다.

해설 : 두 나라의 모든 처방자료를 조사함으로써 선택 비뚤림을 방지하였다. 그 자료들은 상대적으로 쉽게 자료를 수집하고 획득할 수 있는 국가 자료에서 얻을 수 있었다.

시나리오 5 재검토

Addiction Journal의 편집장은 매우 혹독한 답장을 하였다. '불행하게도 귀하의 연구는 선택 비뚤림의 근본적인 문제를 안고 있습니다. 귀하의 표본은 이미 건강 문제를 안고 있는 귀하의 병원 환자들로 구성되어 있습니다. 귀하는 얼마나 많은 마리화나 흡연자들이 건강문제를 안고 있는지 조사하기 위해서는 귀하의 지역사회의 인구로부터 표본을 얻었어야 했습니다. 그것은 많은 시간이 들 것이고 그 결과는 훨씬 덜 인상적일 것으로 예상됩니다.'

시나리오 6 재검토

파할씨의 제안은 병원 이사회로부터 거부당했다. 그들의 결론은 다음과 같았다. '대표성이 없는 표본으로부터 결과가 나왔습니다. 더 타임즈 신문의 독자들은 일반적인 병원의 고객들보다 컴퓨터 사용과 인터넷 접속이 적기 때문에 병원의 고객을 대표할 수 없습니다. 파할씨는 차후 제안에서 선택 비뚤림을 피하기 위해 더 대표성이 있는 표본을 선택해야 할 것입니다.'

요약하면, 좋은 연구란...

연구대상자를 모집하기 위해 지름길을 택하지 않고 충분한 시간과 자원을 들인다.
선택 비뚤림을 최소화하기 위해 어떤 선택 과정을 거쳤는지 설명한다.
실수나 방법론적 제한점에 대해 인정한다.
향후 연구에 어떻게 실수를 피할 수 있는지 가능하면 제안한다.

시나리오 7

필드 박사는 중학교에서 학업성취와 인종 간의 연관성을 연구하였다. 그녀는 한 학교에서 14세의 아시아인 학생 50명을 모집하고 이웃하고 있는 학교에서 14세의 백인 학생 50명을 모집하였다. 양 군의 성비는 동등하였다. 그녀의 연구는 2년 후의 시험에서 아시아 학생의 성적이 떨어짐을 보여주었다. 그녀는 이 코호트 연구를 Journal of British Epidemiology에 투고하여 아시아 학생이 백인들보다 덜 명석하다고 기술하였다. 그녀는 이 연구가 신문의 1면을 장식할 것으로 예상하였다.

이상적으로는, 여러 비교 대상을 갖는 연구에서 각 군에 포함되는 연구대상자들은 노출되는 위험 요인 혹은 관심 사항이 되는 중재를 제외하고서는 가능한 한 비슷해야 한다.

코호트 연구나 환자-대조군 연구에서 연구자들은 실험군을 대조군 보다 먼저 모집한다. 실험군과 대조군은 일반적으로 짝짓기가 이루어지며, 이는 실험군의 모든 연구대상자들은 비슷한 변수를 가진 대조군의 대상자와 짝지워진다는 의미이다. 연구자들은 실험군과 같은 장소에서 대조군을 모집하여 그 결과로 모여진 군들이 비슷하도록 하게끔 만드는 것이 일반적이다.

변수의 짝짓기의 예는 다음과 같다.
- **인구학적 요인** - 나이, 성별, 인종
- **생활양식 요인** - 흡연, 음주, 약물남용
- **질병 요인** - 당뇨병, 심장병, 대장암
- **치료 요인** - 항고혈압제, 콜레스테롤 저하제

읽을거리 9 참조

짝짓기와 교란 요인

교란의 문제는 연구에 제외기준을 설정함으로써 대처할 수 있다. 한편, 교란요인이 많이 있다면 선택 비뚤림 없이 제외기준을 사용하여 다 대처할 수는 없다.

다른 전략은 교란요인을 가진 연구대상자들을 포함하되 각 군에 동일하게 배치하는 것이다. 그러면 교란요인은 모든 군에 동일한 영향을 끼쳐 군의 차이를 비교할 때 그 영향을 무효화할 수 있게 된다.

짝짓기는 교란 요인을 균등하게 배분하는 데 사용된다. 연구 참여자들은 잠재적인 교란 요인들이 비교대상이 되는 두 군 간에 동일하게 분포되도록 선택된다. 이것은 실험군에 교란 요인이 있다면 대조군에도 똑같이 복제되게 한다.
읽을거리 10 참조

짝짓기는 제한처럼, 샘플 수를 제한하고 분석 전략에 영향을 주기 때문에 주의를 기울여야 한다. 특히 짝지어지는 변수가 많을수록 짝지을 대조군을 찾기 어려워진다. 이런 상황에서는 충분한 수의 대조군이 있을 때 짝짓기를 하지 않고 짝짓기를 했어야 하는 변수들을 나중에 보정하는 통계적 분석법을 사용하기도 한다. 이 것은 대규모의 연구에서 흔히 이용되며, 소규모의 연구에서는 짝짓기가 선호된다.

임상 연구에는 서로 다른 군의 연구대상자의 기본 특성을 비교하는 표가 있을 것이다. 한 개 혹은 그 이상의 특성이 군 간에 명백히 다르면 짝짓기에 실패한 것이다. 이 차이가 연구의 내적 타당도에 영향을 미치는지 여부는 그 특성이 중요한 영향을 갖고 있는지 여부에 달려 있다.

읽을거리 9

Okebe J et al. A comparative case control study of the determinants of clinical malaria in The Gambia. Malaria Journal 2014;13:306.로부터 발췌

이 연구는 알려진 말라리아 위험 요인의 중요성을 재평가하고 인구에서 인구학적 그리고 사회-경제학적 말라리아 위험 요인을 검토하였다.

연구 대상 병원의 외래를 다니는 말라리아 확진을 받은 6개월에서 12세의 어린이를 조사하였다. 적절한 대조군을 찾기 위해, 훈련받은 현장 직원이 환자의 문지방에 서서 땅에 펜을 돌리고 펜이 가리키는 방향의 가정을 방문하여 나이가 일치하는 잠재적 대상자를 찾았다. 아이를 찾으면 부모나 그에 해당하는 보호자에게 동의를 받고 다음과 같은 모집기준을 확인하였다. 최근 6개월 간 해당 지역에서 거주함, 최근 2주간 말라리아 치료를 받지 않음, 빠른 말라리아 항원 검사에서 음성임.

해설 : 동일지역에 거주하는 아이가 좋은 짝짓기 대상일거라는 추정 하에 일차적으로 인구학적 요인을 이용해 짝짓기를 한 예이다.

읽을거리 10

다음으로부터 각색: Physical activity and renal cell carcinoma among black and white Americans: a case-control study. BMC Cancer 2014;14:707.로부터 발췌

신장세포암은 백인보다 흑인의 유병률이 높다. 신체 활동량이 신장세포암의 위험 요인일 수 있으나 증거는 일정하지 않다. 이 환자-대조군 연구는 이 관계를 조사하였다.

연구기간 동안 조직학적으로 확진된 20-79세의 흑인 및 백인 신장세포암 환자들을 모집하였다. 대조군은 환자들과 나이(5년 간격으로), 성별, 인종으로 짝지어서 일반 인구에서 선택하였다.

해설 : 연구자들은 환자를 먼저 모집했다. 대조군은 나머지 인구에서 선택하고 두 군을 최대한 비슷하게 맞추기 위해 세가지 변수를 짝짓기했다.

시나리오 7 재검토

필드박사의 연구는 학회지로부터 거부당했다. 편집자는 형식적인 답장으로 논문을 기각했다. '귀하는 학생을 나이와 성별 외에도 다른 중요한 특징을 짝짓기하는 것을 잊었습니다. 기본 특징은 대조군을 생성한 두 번째 학교가 가난한 도심에 있는 첫 번째 학교보다 더 부유한 인구로 구성되어 있음을 보여줍니다. 불행하게도 귀하는 이 차이점을 고려하지 않았기 때문에 이 연구를 출판하는 것은 아시아 학생들에게는 끔찍한 모욕이 될 것입니다.'

요약하자면, 좋은 연구란...

짝짓기가 어떻게 이루어지고 어떤 어려움에 직면했는지 기술한다.

짝짓기 기준을 기술하고 설명한다.

모집 문제를 피하기 위해 짝짓기 기준을 최소화한다.

서로 다른 군의 기본적인 인구학적 요인과 예후 요인을 비교하는 표를 보여주고 명백한 차이점을 강조한다.

무작위화(Randomisation)

시나리오 8

길버트 박사는 관상동맥질환의 위험성을 낮출 수 있는 새로운 치료에 대하여 연구하고 싶었다. 그는 60명의 환자를 대상으로 무작위 대조 시험(Randomised controlled trial)을 하였다. 대상 중 반은 새로운 치료를 받았고, 나머지 반은 위약으로 중재를 받았다. 그는 외래 대기실에 앉아있는 환자를 보고, 왼쪽에 앉아있는 환자는 새로운 치료방법을 받는 군으로, 오른쪽에 앉아 있는 환자는 대조군으로 설정하였다.

무작위화(Randomination)방법은 연구 대상이 되는 모든 사람이 어느 군이나 배치될 수 있는 동등한 기회를 가지게 한다. 연구 대상자를 무작위화 방법으로 할당하면 각 군은 평균적으로 다른 군과 유사하게 된다.

무작위 표본추출은 무작위화와 다르다는 것을 알아야 한다. 무작위 표본추출은 표적모집단에서 표본집단을 모집하기 위해 쓰인다. 무작위화는 동일한 표본집단에 있는 연구대상자를 각 연구군에 할당하는 것이다.

무작위 번호 생성

성공적인 무작위화는 군 배정이 어떻게 될지 예측하지 못하는 것이다. 환자를 배정하는 방법 중 교대로 환자를 배정하는 방법이나 환자의 특성에 따라 배정하는 방법등은 무작위화가 아니다. 이러한 배정방법들은 예상 가능하며 은폐가 잘 되지 않아 중재의 내용을 사전에 미리 알게 됨으로써 잠재적 참여자가 연구에서 제외되는 현상을 막을 수 없게 된다.

위와 같은 방법 대신, 연구자는 환자배정을 결정하기 위해 무작위 순서를 만드는 다양한 기법을 사용한다.

- 컴퓨터 무작위 번호 생성 – 가장 많이 쓰는 방법
- 난수표 – 동등한 빈도로 나타나며 무작위로 배치된 2자리 이상의 수가 포함됨
- 섞은 카드나 봉투 – 모든 배정군이 포함되어 있으며, 연구자나 대상자가 무작위로 뽑게 됨

무작위화 방법

무작위화 방법은 다음 두가지로 나누어진다.

- 고정 무작위화 : 연구 시작 전에 무작위화 방법을 정하고 할당 순서를 정한다. 예로는 단순 무작위화, 블록 무작위화, 층화 무작위화가 있다.
- 중도수정 무작위화 : 연구가 진행됨에 따라 군 간의 수의 불균형과 결과에 대응하여 무작위화된 군을 조정한다. 예로는 최소화가 있다.

고정 무작위화

단순 무작위화(Simple randomisation)

각 연구대상자의 할당은 대상자가 모집되자마자 다른 요인을 고려하지 않고 무작위로 결정된다. 방법으로는 동전 던지기(두 군으로 이루어진 연구의 경우), 주사위 던지기(두 개 이상의 군으로 이루어진 연구의 경우), 난수표 그리고 컴퓨터로 생성 된 무작위 번호 등이 있다.

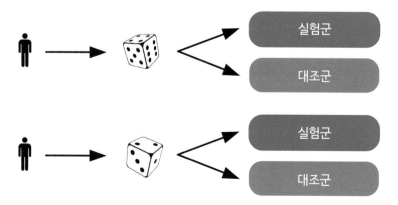

그림 15. 단순 무작위화 – 대상자들이 모집되어 각 그룹에 단순 무작위화로 배정되었다.

단순 무작위화를 하면 알려지거나 알려지지 않은 교란요인들은 각 군에 동
등하게 배치되는 기회를 갖게 되나 소규모 연구에서는 군의 크기가 다르거나
교란요인이 다르게 분포하게 될 수 있다.

블록 무작위화(Block randominsation)

블록 무작위화는 각 군마다 동일한 수의 환자를 배치하기 위해 사용된다. 연
구대상자가 표본집단에 모집될 때, 그들은 단순 무작위화 할 때처럼 즉각적
으로 할당되지 않는다. 그 대신, 연구 대상자들은 각 블록에 배치된다(그림
16). 블록의 크기들은 연구마다 다양하다.

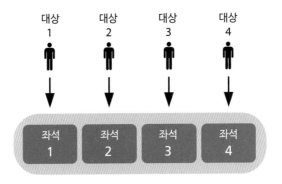

그림 16. 블록 무작위화에서는 먼저 대상자들을 블록에 배정한다.

블록이 채워지면 대상자들은 각 그룹에 똑 같은 수로 배정된다. 이 과정은
원하는 표본크기에 필요한 블록들의 수만큼 반복된다.

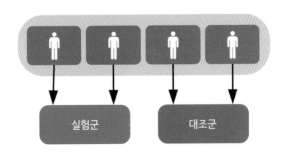

그림 17. 블록이 채워지면 대상자들은 각 그룹에 똑 같은 수로 배정된다.

각 군 내에서 할당 순서는 무작위로 치환된다. 예를 들어, 4명의 대상자들은 블록내의 4개의 좌석에 무작위화로 배정될 수 있다. 어떤 논문들은 이 방법을 '치환블록 무작위화'라고 한다.

읽을거리 11 참고

층화 무작위화(Stratified randomination)

블록 무작위화는 대상자를 각군에 동등한 수로 배정한다. 때때로 연구자는 교란요인들도 각 군에 동등하게 분배되길 원한다. 예를 들어, 연구자들은 각각의 그룹에 다른 중증도의 환자를 배정하여 각 그룹간 비교가 어렵게 되는 문제가 발생하게 하는 대신, 같은 중증도의 환자를 배정하길 원할 수 있다. 블록 무작위화의 연장선에 있는 층화 무작위화가 이런 문제점에 도움이 될 수 있다.

층화 무작위화에서는 동등하게 배정되어야 할 하위그룹 블록이 존재한다. 예를 들어, 연구자가 두 그룹에 같은 수의 대상자를 배정하는 것뿐만 아니라 같은 중증도를 가진 대상자를 배정하길 원한다고 가정해 보자. 연구자는 중증도에 대한 블록을 포함한 블록 무작위화 방법을 쓸 수 있다(그림 18). 대상자가 모집되었을 때 각 대상자에 대한 중증도를 평가한 후 대상자를 적절한 블록에 배정한다. 이렇게 각 그룹을 채워나가면 대상자들은 각 블록에 동등하게 배정되게 된다. 이런 방법은 각 그룹에 동등한 수의 대상자를 배정할 뿐만 아니라 동등한 수의 중한 대상자와 경한 대상자를 가질 수 있게 한다.

읽을거리 12 참고

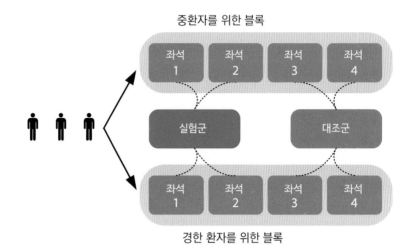

그림 18. 질환의 중증도에 따른 층화 무작위화 방법.

층화 무작위화는 종종 알려진 교란요인을 동등하게 그룹에 배정할 때 쓰인다. 예를 들어 흡연이 교란요인이며 제거 되기 힘든 요소인 경우, 연구자는 흡연자에 대한 블록을 생성하여 각 그룹에 흡연자들이 동등하게 배정될 수 있도록 할 수 있다.

다른 수준으로 층화할 수 있다. 예를 들어, 질환의 중증도로 우선 층화한 후 흡연여부에 대해 층화할 수 있다. 하지만 작은 규모의 연구에서는 하나 이상의 인자에 대하여 층화 하는 것은 그 특징에 맞는 대상자를 블록에 채워 넣기 힘들 위험성이 있기 때문에 바람직하지 않다. 최소화하는 것이 각 군의 유사성을 이루기 위한 대안이 될 수 있다.

다른 형태의 무작위화

준무작위화 할당(Quasi-random allocation) : 서로 다른 군에 연구대상자들을 진정한 무작위화로 배정하지 않는 방법이다. 예를 들어, 연구대상자들을 생일, 요일, 차트번호, 연구에 들어온 순서(교대) 등의 기준으로 배정할 수 있다. 이 방법은 배정이 적절하게 은폐되지 않기 때문에, 적절한 할당 은폐를 한

무작위 비교 임상시험에 비하여 선택 비뚤림의 위험성이 크다. 읽을거리 13 참조

집락 무작위화(Cluster randomisation) : 연구대상자들은 개인별로 무작위화 되지 않는다. 그 대신, 연구 대상자들의 집단 혹은 집락이 무작위화한다. 이런 연구에서 분석의 단위는 군의 개개인이 아닌 집락이다. 각 집락별로 요약된 통계가 주로 계산되고 비교된다. 이러한 집락 무작위화는 공중보건연구와 일차의료 연구에서 가장 흔히 볼 수 있다. 예를 들면, 요통의 치료 선택에 대한 연구를 위해 한 일차 진료소가 무작위로 배정되어 모든 환자가 물리치료에 배정 되고, 다른 진료소는 무작위로 배정되어 모든 환자들이 약물치료에 배정 될 수 있다. 읽을거리 14 참조

한편 집락 무작위화에는 문제가 있다. 첫째, 크기가 다른 집단이 분석에서 동일한 가중치를 얻을 수 있다. 둘째, 개인을 분석하는 것보다 집락을 분석하는 것이 정보의 수가 적으므로 검정력이 작아진다. 셋째, 한 집락내의 개인들은 다른 집락 내의 또 다른 개인들보다 더 비슷한 경향이 있어 중재에 의해 달라진 군 간의 차이점이 과대평가 될 수 있다.

요인 무작위화(Factorial randomisation) : 요인 무작위화 연구는 하나 이상의 중재의 영향을 평가하며 연구자에게 각기 다른 중재들이 어떻게 상호 작용하는지 보여준다. 읽을거리 15 참조

무작위화 후에 동의를 받는 방법(Post-randomised consent design, Zelen's design) : 이 방법은 대상자들이 무작위화 되고 각 그룹에 배정된 이후 동의를 받는 방법이다. 이 방법은 대상자가 본인이 어떤 그룹에 있는지 알아, 모집을 쉽게 하여 동의 절차를 간단하게 할 수 있으나, 대상자와 연구자가 어떤 그룹의 대상자가 진척되는지를 아는 것과, 교차율이 높은 것이 문제가 될 수 있다.

중도수정 무작위화(Adaptive randomisation)

중도수정 무작위화에서는 연구의 군 간에 유사성을 유지하기 위해 대상자가 특정 군에 할당 될 가능성을 조정한다. 어떤 특징을 가진 대상자가 한쪽 군에서 불균형해지면, 차후에 비슷한 연구대상자들이 같은 군에 할당될 가능성을 줄인다.

최소화는 가장 많이 사용되는 중도수정 무작위화 방법이다. 연구자는 먼저 각 군에 동일하게 분포해야 할 변수를 정한다. 처음에 할당되는 연구대상자는 무작위로 군에 배정되며 이후에 할당되는 대상자는 처음에 정한 변수가 각 군에 비슷하게 분포하도록 배정한다. 그러므로 연구대상자의 배정은 이미 먼저 배정된 연구대상자의 특징에 좌우된다. 소규모 연구에서 최소화는 무작위화보다 서로 다른 군이 더 효과적으로 비슷해지게 만들 수 있다. 최소화는 또한 여러 변수들이 비슷하게 분포하게 만드는 데 유용하다.

읽을거리 16 참조

읽을 거리 11

Peters-Veluthamaningal C et al. Randomised controlled trial of local corticosteroid injection for carpal tunnel syndrome in general practice. BMC Family Practice 2010; 11:54 로부터 발췌

이 연구는 carpal tunnel syndrome에서 수근골내 corticosteroid 주사의 효과에 대해 검증 하였다.

무작위화를 위하여 온라인 전산화 무작위화 방법을 사용하였다. 블록 무작위화를 위해 10블록크기로 7개의 블록을 생성하였다. 짝수는 실제 약물치료를 받는 군으로, 홀수는 위약치료를 받는 군으로 설정하여 약물치료와 위약치료를 받는 군의 대상자 수를 동등하게 하였다.

해설 : 블록 무작위화의 예이다. 70명을 대상으로 10크기의 블록 7개가 사용되었다. 각각의 블록이 채워지면 5명은 중재군으로 5명은 대조군으로 이동했다. 대상자의 배정은 블록내의 무작위 번호에 의해 결정되었으며, 블록내에는 5개의 짝수와 5개의 홀수를 할당하였다.

읽을 거리 12

Lin A T-L et al. Duloxentine versus placebo for the treatment of women with stress predominant urinary incontinence in Taiwan : a double-blind, randomized, placebo-controlled trial. BMC Urology 2008; 8:2로부터 발췌

연구자는 스트레스성 요실금에서 위약치료와 duloxetine의 효능을 비교하였다. 치료성공은 요실금의 발생 횟수가 50%이상 감소하는 것을 기준으로 하였다.

무작위화는 모든 연구 기관에 대해 중앙의 컴퓨터 상호 음성 반응시스템으로 운영되었다. 요실금의 중증도로 인한 잠재적인 불균형을 예방하기 위하여 환자의 일지로부터 요실금 기저발생 횟수를 얻어 일주일에 14번을 기준으로 층화 무작위화 방법을 사용하였다.

해설 : 층화 무작위화 방법의 예이다. 각군에 대상자를 동등하게 할당하기 위하여 블록 무작위화가 사용되었다. 또한 환자의 중증도에 따라 동등하게 할당하기 위하여 중증 블록과 경증 블록을 사용하였다.

읽을 거리 13

Foo CL et al. Risk stratification and rapid geriatric screening in an emergency department- a quasi-ramdonmised controlled trail. BMC Geriatrics 2014; 14: 98로부터 발췌

연구자는 응급실에서 환자를 위험도에 따른 분류하는것이 예후에 미치는 영향에 대하여 조사하였다.

환자는 주민등록상 마지막 번호에 따라 무작위화 되었다. 홀수가 대조군으로 배정 되고 짝수는 중재군으로 할당되었다.

해설 : 준무작위화 할당(quasi-randomination)의 예이다. 논문의 discussion에서 연구자는 이 방법이 바쁜 응급실내에서 진료에 덜 방해 될 것이라고 생각하여 사용했다고 하였다. 저자는 대상자가 근무시간 간호사에 의해 편의적으로 선정될 수 있는 것을 인정하였다. 이것은 선택치우침의 원인이 될 수 있다.

읽을 거리 14

Bonnel C et al. Initiating change locally in bullying and aggression through the school environment (INCLUSIVE) : study protocol for a cluster randomized controlled trail. Trials 2014; 15: 381로부터 발췌

이 연구는 중학교 학생들의 공격성과 또래 괴롭힘에 대한 INCLUSIVE 중재 효과에 대하여 측정하였다. INCLUSIVE는 학교 주도아래 학생들의 사회성 기술과 정서 기술을 증진 시키기 위해 학교 환경을 변화시키는 방법이다.

Greater London과 그 주변에 있는 중학교를 모집하였다. 대상 학교들은 중재군과 대조군 1:1 비율로 할당되었다. 일파평가 결과는 학생 조사 자기보고를 통해 2개의 척도를 이용하여 36개월 시점에 교내 폭력과 또래 괴롭힘 경험에 대한 평가이다.

해설 : 학생 개개인이 무작위화 되지 않았다. 대신, 학생들이 포함된 각 학교가 중재군과 대조군으로 무작위화 되었다. 이 결과로 도래할 수 있는 문제점은 특정 집락의 학교 내의 학생이 다른 집락 내의 학생들보다 더 일반적인 특징을 보일 수 있다는 것이다.

읽을 거리 15

Parekh S, et al. Improving diet, physical activity and other lifestyle behaviours using computer-tailored advice in general practice : a randomized controlled trial. International Journal of Behavioral Nutrition and Physical Activity 2012; 9 : 108로부터 발췌.

이 연구는 다양한 생활 습관 요소들에 대한 일차진료 중재의 효과를 측정하였다.

치환블록 무작위화 방법으로 환자를 무작위화 하였다. 2×2 요인 설계로 대상자를 중재군과 대조군, 그리고 조기(3개월)와 후기(12개월) 추적 군으로 무작위화 하였다. 4개의 연구 군에 적합하도록 각각의 일차진료의 마다 블록 크기를 4의 배수인 4, 8 또는 12로 다양하게 하였다. 따라서 환자는 다음과 같이 4개 군으로 그룹 무작위화 되었다 : 3+12개월 추적에 대한 중재군, 12개월만 추적한 중재군, 3+12개월 추적한 대조군, 12개월만 추적한 대조군.

해설 : 이것은 요인 무작위화의 예이다. 2개의 다른 수준의 중재를 측정하였다. 우선, 환자는 중재군 또는 대조군으로 배정되었다. 중재군의 환자는 컴퓨터로 조정된 인쇄된 안내를 받았다. 그리고 각 군에 두개의 추적관찰기간의 영향에 대하여 평가하였다. 각 조합에 환자의 수를 동등하게 배정하기 위하여, 4의 배수로 블록 크기를 이용한 블록 무작위화가 이용되었다.

읽을 거리 16

Cuthbertson BH, et al. A pragmatic multi-centre randomized controlled trial of fluid loading in high-risk patient undergoing major elective surgery – the FOCCUS study. Critical Care 2011; 15 : R296로부터 발췌

이 연구의 목적은 정규 대수술을 받을 고위험 환자에서 수술 전 수액 보충의 효과를 결정하는데 있다.

대상자는 자동 전화 무작위화를 통한 상호 응답 서비스를 이용하여 수술 하루 전날 무작위화 하였다. 나이, 성별과 수술의 종류를 이용하여 최소화 알고리즘을 사용하였다.

해설 : 최소화(Minimisation) 방법이 사용되었다. 환자는 각 군에 가능한 대칭이 되도록 정해진 특징에 따라 배정되었다.

시나리오 8 재검토

한달 뒤, Dr. Gilbert가 진료소에서 일하고 있을 때, 접수담당자가 그에게 연구는 잘 되고 있는지 물었다. 그는 연구가 잘 되고 있다며, 그녀에게 관심을 가져줘서 고맙다고 하였다. 그는 그녀에게 어떻게 중재군과 대조군을 나누었는지 설명해줬다. 이야기를 들은 후 접수담당자는 생각에 잠긴 듯한 표정을 지었다. 그는 그녀에게 무슨 문제가 있는지 물었다. 접수담당자가 대답했다. "대기실 왼편에는 항상 스포츠채널이 틀어져 있는 텔레비전이 있어요. 남자환자들은 주로 왼쪽에 앉아 텔레비전을 보고 싶어 하고 여자환자들은 주로

오른쪽에 앉아요. 난 당신이 환자들을 어떻게 나누었는지 설명하는 것을 듣고 혼자 웃었어요. 당신은 무작위화 연구를 한다고 말했던 것 같은데, 왼쪽 그룹은 남자들이 그리고 스포츠에 관심있어 하는 사람들이 더 많을 거에요."

요약하면, 좋은 연구란...

무작위 번호가 어떻게, 누가 만들었는지 기술한다.

무작위화가 어떻게 적용되었는지 기술한다.

무작위화가 효과적이었는지 알 수 있도록 서로 다른 군들의 기본 인구학적, 예후의 특징을 비교하는 표를 제공한다.

할당 은폐가 어떻게 이루어지고 감시되었는지 고찰한다.

할당 은폐(Concealed allocation)

시나리오 9

Dr. Robertson은 호흡곤란이 있는 할머니를 진찰하고 병원 치료가 필요할 것으로 판단하였다. 그는 할머니를 호흡기 병동에 입원시켰다. 병동 간호사는 그 환자가 새로운 분무 치료의 효과에 대한 연구 대상자로 적절한지 물었다. Dr. Robertson는 다음 대상자는 새로운 치료군으로 할당되어야 하는데, 몸이 안 좋은 이 환자가 포함기준에 해당되더라도 연구대상이 되어 새로운 치료를 받게 할 수는 없다고 생각했다. 그는 간호사에게 환자를 연구에 포함시키지 말라고 말했다.

대상자를 모집할 때, 연구자는 그 대상자가 어느 그룹에 할당될지 모르게 하는 것이 이상적이다. 새로운 대상자는 무작위적으로 한 그룹에 할당되어야 한다. 선택 비뚤림은 대상자가 모든 그룹에 채워질 때까지 피해야 하는 것이다.

하지만, 연구자는 그들의 연구가 인증되는 것에 대해 압박을 받는다는 사실을 명심해야 한다. 치료연구에 대한 이상적인 결과는 치료군과 위약대조군의 현저한 차이가 나타나며, 새로운 치료군이 더 좋은 결과를 보여주는 것이다. 이러한 치료군과 위약대조군간의 차이는 부도덕한 연구자가 "최상"의 환자를 치료군에, "최악"의 환자를 위약대조군에 모집함으로써 더 커질 수 있다.

이러한 현상은 무작위화로 환자를 할당하더라도 생길 수 있다. 이것은 믿기 어려워 보일 수도 있다. – 어떻게 연구자가 무작위 할당을 예측할 수 있을까?

답은 무작위화 스케줄이 종종 공표되는 경우가 있고, 연구자는 이 스케줄을 미리 접근할 수 있다는 점에 있다. 만약에 다음 대상자가 무작위화 스케줄에 새로운 치료군에 포함될 차례인데, 그 대상자가 적절하지 못하다고 판단되면 연구자는 그 대상자를 연구에서 배제할 수도 있다. 대신, 연구자는 적절한 대상자가 나타날 때까지 기다릴 수 있다. 이렇게 되면 그 연구는 표적모집단을 대표하지 못하는 선택 비뚤림이 나타나게 된다.

할당 은폐

은폐란 연구자가 다음 대상자를 어느 그룹에 할당될지 정확하게 예측되지 않게 하는 것이다. 할당 은폐는 무작위화 방법의 핵심이다. 은폐 방법에 대한 언급이 없다면, 누군가는 무작위화가 제대로 이루어지지 않았다고 의심하게 된다.

최악의 시나리오는 대상자의 할당이 연구자에게 명백하게 보여지는 단순 무작위화 방법이다.

할당 은폐가 이루어질 수 있는 몇 가지 방법이 있다. 예를들면, 은폐계획을 중앙에서 관리하는 다기관 연구에서, 의사가 환자의 적합성을 검토하고, 동의서를 획득하여 연구에 포함실지 여부를 결정하면, 무작위화 부서에서 할당을 하게 하는 것이다. 이 접촉은 전화나 인터넷으로 이루어 질 수 있다.

원격 무작위화가 어려운 상황이라면, 똑같이 생긴 봉투들을 열어보면, 흔적이 남게 되는 봉투들을 각 연구기관에 보낼 수 있다. 이 봉투들은 불투명하고 밀폐되어 있으며, 봉투를 여는 순서는 정기적으로 감시되어야 한다(읽을거리 17 참조).

다른 방법은 치료 번호가 붙은 병이 들어있는 비슷하게 생긴 암호화 된 상자를 순서대로 적용하는 것이다(읽을거리 18 참조).

이러한 할당 은폐의 결과로, 환자가 어느 군에 할당되어 어떤 중재가 행해질지 모르는 연구자에 의해 그 환자가 연구에 포함되는 것에 동의를 받는 것이다. 이것은 의식적으로, 그리고 무의식적으로 환자를 연구에 포함시키는 것을 방지한다. 할당 은폐는 무작위화에 중요한 부분이며 선택 비뚤림을 방지한다.

좋은 연구는 대상자를 모집하는 사람과 무작위화 하는 사람을 같은 사람으로 두지 않는다.

할당 은폐와 눈가림

이 두 용어는 둘 다 중재를 비밀로 하기 때문에 종종 혼돈되곤 한다. 할당 은폐는 무작위화의 일부이며 할당하는 절차이다. 이는 선택 비뚤림을 제거하기 위한 것이 다. 눈가림은 무작위화 후의 과정이며 관찰 비뚤림을 감소시키는 것이 목적이다(65−67페이지 참조).

읽을 거리 17

Coleman S et al. A randomized controlled trial of a self-management education program for osteoarthritis of the knee delivered by health care professional. Arthritis Research & Thearpy 2012; 14: R21로부터 발췌

연구자는 무릎 관절염 환자에게 의료인에 의해 시행된 자기관리 프로그램(the Osteoarthritis of the Knee Self-Management Programme (OKA))이 대조군과 비교했을 때 임상적으로 효과가 있는지를 조사하였다.

대상자는 모집된 24명을 단순 무작위화 방법으로 할당하였다. 24명이 모집 되었을 때, 그들은 OKA군과 대조군으로 무작위화 되었다. 미리 만들어진 24장의 카드는(12개의 중재군과 12개의 대조군) 봉인된 봉투에 각각 넣어 박스에 속에 보관했다.

해설 : 할당은 봉인된 불투명 봉투를 박스에 섞어 넣어 진행되었다. 연구자는 다음 대상자가 박스 속에서 어떤 봉투에 선택될 지 예측할 수 없었다. 명심해야 할 것은 눈가림(Blinding)은 이 연구에서 가능하지 않았다는 것이다 – 눈가림과 할당 은폐는 서로 다르다.

읽을 거리 18

Kurt O et al. Treatment of head lice with dimeticone 4% lotion : comparison of two formulation in a randomized controlled trial in rural Turkey : BMC Public Health 2009 ; 9: 441로부터 발췌

머릿니에 관한 이 논문은 dimenticone 4% 로션에 nerolidol 2%의 추가여부에 따른 유효성을 비교하였다.

치료할당은 컴퓨터에 의해 미리 만들어진 리스트에 의해 12개의 블록 내에서 균형 맞춰졌다. 할당은 조사자에게 지시문이 들어있는 연속된 숫자가 적힌 봉인된 불투명한 봉투를 주어 이루어졌다.

각 참가자가 등록되었을 때 연구자는 숫자가 적힌 봉투를 꺼낸 다음 기호화된 두 개의 약병 중 하나의 치료군에 환자가 배정되었다.

해설 : 무작위화는 숫자화 방법으로 유지되었다. 대상자는 12개의 블록 안에 할당되었다. 블록 내 각 대상자에게는 연속된 숫자가 적힌 봉인된 불투명한 봉투가 주어졌고, 기호화된 약병으로 배정됐다. 어떤 중재인지는 병을 열었을 때에만 알 수 있게 했다. 이 방법으로 연구자는 대상자가 모집되었을 때는 이 대상자가 앞으로 어떤 중재를 받게 될 것인지 예측할 수 없었다.

시나리오 9 재검토

Dr. Robertson의 연구는 새로운 분무 치료가 호흡곤란이 있는 환자에게 아주 유익 하며 일차치료로 제공 된다면 생명을 구할 수 있는 것으로 결론을 내렸다. 그는 이 결과를 병원의 학술모임에서 발표하고 기립박수를 받았다. 그 때 병동 간호사가 관중에 있었다. 발표의 말미에 Dr. Robertson이 질문을 받을 때 그녀는 말했다. '당신은 각 군에 행해지는 치료의 내용과 할당순서를 알았고 환자의 선택은 왜곡되어 군 간에 큰 차이를 만들었습니다. 당신의 결과는 선택 비뚤림에 의해 무효가 아닐까요?'

요약하면, 좋은 연구란…
무작위화 과정에 할당 은페를 포함한다. 환자를 모집하고 할당하는 역할을 담당한 연구자를 기술한다. 어떻게 할당 은페를 실행하고 감시했는지 고찰한다.

성향점수 (Propensity scoring)

중재의 효과를 조사하기 위해서는 주로 무작위 대조 시험을 사용한다. 실험군 대상자는 새로운 치료를 받고, 대조군 대상자는 제한된 치료를 받는다. 할당 은폐를 통한 무작위화는 두 그룹이 전체적으로 유사하다는 것을 보장하여, 그룹 간의 비교를 정당화 시킨다.

그러나, 어떤 상황에서는 대상자를 두 그룹으로 나누는 것이 비윤리적 일 수 있다. 예를 들어 우리는 어떤 중재에 대하여 흡연자와 비흡연자에 대한 비교를 원할 수 있다. 이를 위해 한 그룹은 흡연을 하게 만들고, 또 다른 그룹은 금연을 하게 하는 것은 비윤리적이다.

이러한 전통적인 무작위화 방법이 가능하지 않는 상황일 때 , 관찰 분석적 연구 방법을 사용하게 된다. 우리는 이미 흡연을 하고 있는 사람들과 흡연을 하지 않던 사람을 그룹으로 모아 비교하는 것이다.

관찰 연구에서는 두 그룹간의 비교를 정당화 하기 위해 주로 짝짓기 방법을 사용한다. 짝짓기 방법을 통해 두 그룹이 비슷하다는 것을 가정하고(주로 같은 표적집단에서 추출된다), 한 개 이상의 변수를 짝짓기한다.

어떤 상황에서는 두 그룹이 매우 닮지 않아 몇가지 변수를 짝짓기하는 것이 불만족스러울 수 있다. 예를 들어, 사람들의 흡연을 결정하는 데는 여러 가지 요인이 있을 수 있고, 이러한 요인들은 비흡연자들에서는 나타나지 않을 수 있다. 이러한 상황에서는 성향점수가 이 두 그룹간의 비교를 정당화 시켜 줄 수 있다.

성향점수는 어떻게 작용할까? 성향(Propensity)은 대상자가 어떤 그룹에 할당될 확률을 측정하는 것이다. 예를 들어 단순 무작위화를 사용한 무작위화 대조 시험에서는 각 대상자가 실험군에 들어갈 성향은 0.5(50%)이고, 대조군에 대상자가 포함될 성향도 0.5(50%)이다.

흡연자와 비흡연자에 대한 예로 돌아가보자. 만약에 과도하게 음주를 하고, 실직한 상태에서 빈곤하게 살고 있는 대상자가 흡연을 하게 될 성향이 0.75로 계산되었다고 하자. 그러면 우리는 성향점수가 0.75로 같은, 실제로는 비흡연자인 대상자를 찾으면 된다. 이렇게 되면 대상자는 비슷한 변수를 갖고 있어, 두 그룹 간의 비교가 정당화될 수 있다. 우리는 이것을 모든 대상자에 반복적으로 실행하여, 두 그룹 간의 성향점수 짝짓기를 할 수 있다. 이 짝짓기에 맞지 않는 대상자는 실험에서 제외된다.

논문의 저자는 성향점수를 계산하기 위해 어떤 변수가 사용되었는지, 그리고 두 군간의 성향 점수 짝짓기를 어떻게 잘 수행했는지를 설명한다.

읽을거리 19 참조

읽을 거리 19

Yu P-J et al. Propensity-matched analysis of the effect of preoperative intraaortic ballon pump in coronary artery bypass grafting after recent acute myocardial infarction on postoperative outcomes. Critical Care 2014; 18: 531로부터 발췌

심근경색 환자에서 관상동맥 우회술 전 대동맥 내 풍선 펌프(intra-aortic ballon pump)의 사용에는 지속적인 다양성이 있다. 이 연구는 수술 전 대동맥 내 풍선 펌프가 수술 후 결과에 미치는 효과에 대하여 결정하기 위해 진행되었다.

수술 전 대동맥 내 풍선 펌프를 사용한 환자와 대조군(수술 전 대동맥 내 풍선 펌프를 사용하지 않은 환자)에 대하여 몇가지 교란 변수에 대한 성향점수 짝짓기가 이용되었다. 수술 전 대동맥 내 풍선 펌프를 받을 환자에 대한 가능성(즉, 성향점수)이 계산되었다. 모델에는 나이, 성별, BMI, 좌심실박출률(LVEF), 수술 전 크레아티닌, 합병증(뇌혈관질환, 당뇨, 고혈압, 흡연, 고지혈증, 말초혈관질환, 투석, 울혈성 심부전, 만성폐쇄성 폐질환), 수술 전 항혈소판 그리고/또는 헤파린을 포함한 항응고제 사용 여부, 니트로글리세린의 정맥투여, 재수술, 심근경색과 CABG 사이의 시간, 관상동맥질환의 범위(70% 이상 협착이 온 혈관의 개수와 50% 이상 협착이 온 좌주간지), 판막질환 유무, 수술 전 혈역학적 불안정성 등이 요인으로 포함됐다. 각 환자는 성향점수를 기반으로 단순 대조군으로 짝짓기 되었다.

해설 : 연구자는 실험군과 대조군을 짝짓기 하기 위해 성향점수를 사용하였으며, 실험군에 포함될 대상자에 대한 성향점수를 계산하는 데 필요한 요인들을 목록화했다.

요약하면, 좋은 연구란...

무작위 대조 시험을 사용할 수 없었던 이유를 설명한다.

관찰 분석적 연구 방법의 목적과 대상자에 대하여 설명한다.

성향점수를 결정하는 데 사용된 요인에 대하여 목록화해야 한다.

성향점수를 생성하는 데 쓰인 층화방법을 묘사한다.

성향점수가 효과적이었다는 것을 보여주기 위해 서로 다른 군의 기본 인구학적, 예후특성을 비교하는 표를 제공한다.

시나리오 10

Dr. Green은 편지를 받고 미소를 지었다. 봉투에 찍힌 학술지의 로고는 그녀의 논문이 게시된 것을 의미하는 것 같았다. 그녀는 협심증 치료에 대한 무작위 대조 시험을 통해 기존의 치료방법보다 훨씬 더 좋은 새로운 치료방법을 제시하였다. 그녀의 Head-to-head trial은 세계적 의료행위를 바꿀 것이다. 그녀는 조심스레 봉투를 열며, 올해의 논문상에 자신의 이름이 있으면, 그보다 좋을 수는 없을 거라고 생각했다.

대상자가 모집되고, 각 그룹에 할당되면 연구자는 대상자에 대한 정보를 알수 있다. 세부적으로 나이나 성별, 흡연여부 등 인구 특성이 포함될 수 있다. 기저 특성은 보통 그룹의 구성들을 비교하는 표로 제시된다. 읽을거리 20 참조

기저 특성은 연구에 내적, 외적 타당성에 대한 귀중한 정보를 제공해 준다.

- 표본집단(sample population)은 표적집단(target population)을 대표해야 한다. 두 집단의 불일치는 대상모집의 결점이 있는 것을 의미하고 이는 선택 비뚤림으로 이어질 수 있다.
- 각 그룹은 서로 비슷해야 한다. 어떤 명확한 차이가 존재하면 이는 조합이나 무작위화가 잘못된 것을 의미하게 되어 선택 비뚤림으로 이어질 수 있다.
- 그룹 간의 어떤 차이점들은 연구자가 유의한 결과를 내기 위해 할당을 조작한 것을 의미할 수 있다.
- 표본이 임상가의 치료집단과 유사할수록, 연구 결과를 환자에게 더 많이 적용할 수 있다.

Yacoub R, et al. Association between smoking and chronic kidney disease : a case control study. BMC Public Health 2010; 10 : 731로부터 발췌

이 연구는 환자-대조군 연구 설계를 통해 흡연과 만성 신부전의 연과성에 대하여 조사하였다. 환자군은 만성 신부전이었고, 대조군인 정상인과 비교하였다.

	Cases (n = 198)		Control (n = 371)		P value
	n	%*	n	%**	
Gender					0.57
Male	102	51.5	182	49	
Female	96	48.5	189	51	
Age (yr)					0.96
18–24	30	15.2	59	15.9	
25–34	28	14.1	48	12.9	
35–44	34	17.2	55	14.8	
45–54	44	22.2	92	24.7	
55–64	40	20.2	74	19.9	
≥65	22	11.1	43	11.5	
Medications					
Any HTN medication	91	45.9	149	40.1	0.18
ACEi	83	41.9	127	34.2	0.07
ARBs	15	7.6	26	7	0.81
Beta blockers	72	36.4	105	28.3	0.04
Analgesic	40	20.2	70	18.9	0.70
BMI					0.14
Underweight	7	3.5	26	7	
Normal weight	104	52.5	163	43.9	
Overweight	56	28.3	115	30.9	
Obesity	31	15.6	67	18	
HTN	58	29.3	92	24.8	0.25
Diabetes Mellitus	56	28.3	99	26.7	0.68

*Of cases (n = 198). **Of control (n = 371).

해설 : 표는 두 그룹 간의 기저 특성을 보여준다. 두 그룹은 비슷하게 매칭되어 있으며 세번째 열은 P value를 보여준다. 유일한 중재군과 대조군의 차이점은 베타 차단제 약물의 사용 여부이다.

시나리오 10 재검토

Dr. Green은 소스라치게 놀랐다. 학술지로부터 그녀의 논문은 게재불가를 받은 것이다. 그녀는 편지를 훑어보았으나 집중되지 않아 제대로 읽지 못했

다. 굴욕감을 감당할 수 없던 그녀는 화가 난 채 편집자에게 전화를 걸어 설명을 요구했다. 편집자는 차분한 목소리로 대답했다. "표 1의 기저 특성 때문이에요. 두 그룹에서 질환의 중증도에 큰 차이점이 있지 않나요? 대조군에 비해 중재군의 중증도가 훨씬 낮아요 – 무작위화가 조작되었다는 것을 의미하죠. 저는 두 약물 간 불공평하게 비교된 연구를 우리 학술지에 게재할 수 없네요. 어쨌든 전화해줘서 고마워요"

요약하면, 좋은 연구란...

표본의 기저 특성을 제공해야 한다.
두 그룹 간의 확연한 차이점을 명시해야 한다.
두 그룹 간의 차이가 중요한지 설명해야 한다.

SECTION E

대상군 관찰

대상군을 그룹에 할당한 후에 연구자는 실험을 시작한다. 연구자는 각 그룹의 환자에게 서로 다른 위험인자 또는 중재를 노출시킨다. 노출의 영향을 평가하기 위해 연구자는 연구가 진행되는 동안 변수를 측정하고 연구 종료시점에 각 그룹에서 하나이상의 결과에 얼마나 달성되었는지 평가한다.

기대효과는 결과를 망칠 수 있다. 연구자는 기대가 결과에 미치는 영향을 막기 위해 눈가림법 및 신뢰성 있는 측정방법과 같은 다양한 수단을 사용한다. 제대로 시행된다면 결과는 진실을 반영하고 실패한다면 관찰 비뚤림이 나타난다.

기대효과(The effects of expectation)

시나리오 11

류마티스 전문의인 싱 박사는 그의 첫 번째 증례 보고를 작성하였다. 그는 관절염이 있는 환자를 보았다. 그 환자는 그의 주치의가 실수로 컴퓨터의 자판을 잘못 눌러 진통제인 co-codamol 대신 파킨슨병 치료제인 co-careldopa를 처방받았다. 그 환자는 한 달간 잘못된 치료를 받았는데 효과가 없기는커녕 증상이 아주 호전되었다. 싱 박사는 Lancet에 증례보고를 투고하여 항파킨슨 제제의 진통효과가 새로운 치료법이 될 수 있음을 처음으로 보여주었다고 주장하였다.

기대는 연구자나 환자에게 강력한 영향을 줄 수 있다. 사람은 특정 경험을 기대하면 그 기대를 충족하기 위해 행동과 태도에 의식적, 잠재의식적 또는 무의식적인 변화가 생길 수 있다.

연구자는 두 그룹 간에 차이를 발견한 연구가 그렇지 않은 연구에 비해 더 잘 출간되는 것을 알게 될것이다(출간 오류). 임상적 질문은 열린마음으로 접근해야 하나 연구자는 비교군에 비해 실험군의 환자가 잘 반응할 거라고 기대할 수 있다. 강력한 동기와 기대 때문에 연구자는 연구가 수행되는 방법과 자료수집 방법을 바꾸기도 한다.

환자 또한 기대를 갖는다. 예를 들어 신약을 받으면 더 좋아질거라고 기대한다. 반대로 이전 약을 받았다면 덜 좋아질것이라 생각한다. 환자도 인간이고 인간은 남을 기쁘게 하기를 원한다. 환자는 연구자를 기쁘게 하고 싶어서 연구자가 실망하는 실제 답변보다 연구자가 원하는 답변을 하기도 한다. 한편, 환자가 치료에 효과가 있을 것이라고 기대하면 쉽게 좋아질 수 있다. 이 효과는 강력하기 때문에 환자가 위약이나 가짜 치료를 받았다는 사실을 모른다면 환자는 좋아질 수 있다. 위약은 치료를 받아야 하는 상태에는 아무 치료 효과가 없는 것이다.

위약효과

위약 효과는 위약으로 치료받는 환자가 좋아지는 현상을 일컫는다. 위약은 하나보다는 여러개를 처방받을때, 작은 크기의 알약보다는 큰 사이즈의 알약이, 캡슐제제일 때 더 효과가 크다.

대부분 임상시험의 한쪽 치료군은 실제 치료를 시행하고 다른 쪽은 위약 치료를 시행한다. 위약은 결과의 차이가 실제 치료에 의한 것인지 아니면 기대효과에 의한 것인지 검증할 때 사용한다.
  • 만일 실제 치료군의 호전이 위약 치료군의 효과와 비슷하면, 실제 치료군의 효과는 위약 효과에 의한 것이다.
  • 만일 실제 치료군의 호전이 더 크면 실제 치료군은 위약 효과에 의한 것보다 더 좋은 효과를 가진 것이다.

사람들은 위약군에 할당될것이라는 기대를 하며 임상시험에 지원하지 않는다. 그러나 임상시험에서는 위약효과를 측정하기 위해 위약군의 대상자를 필요로 한다. 위약 치료는 가능한 한 실제 치료와 비슷해야 한다. 위약은 외견, 느낌, 냄새, 맛이 비슷해야 하고 투여 경로도 같아야 한다. 위약은 치료효과만 제외하고 가능한 한 실제 약과 비슷하게 만들기 위해 실제 약의 제조사에서 만들어야한다. 위약군에 배정되었는지 알수 있는 가능성이 낮고 임상시험에 지속적으로 참여 할 가능성이 높아진다. 읽을거리 21 참조

어떤 단체들은 새로운 치료법이 현저히 좋은 것인지 알기 위해서는 기존의 표준 혹은 최선의 치료와 직접 비교해야 한다고 주장한다. 한편, 실제 치료가 위약 치료와 비교되지 않으면 위약 효과가 참여자들이 좋아진 정도에 얼마만큼 기여했는지 알 수 없게 된다.

모조 치료는 약이 아닌 기계 혹은 정신적 치료 혹은 신체적 중재에 의해 행해지는 비약물학 연구에서 사용되는 용어이다.

대리인에 의한 위약 효과

위약 치료를 받는 환자만이 위약 효과에 의한 이점이 생기는 것은 아니다. 환자 주변의 인물, 즉 친척, 친구 그리고 좋은 효과를 기대하는 의료진도 환자가 좋아 진다고 믿고 실제로 호전되지 않음에도 불구하고 좋게 보고하기도 한다.

윤리적 고려

위약 치료가 윤리적이지 않을 수도 있다. 예를 들어, 위약을 투여할 경우 환자의 병세가 악화될 수도 있다.

세계의사회의 헬싱키 선언은 새로운 중재의 이득, 위험, 부담과 효과는 다음의 경우를 제외하고 현재 가장 좋다고 증명된 중재와 비교 시험되어야 한다고 명시하고 있다.

- 효과가 있다고 증명된 중재가 없을 경우 – 이 경우 위약(혹은 치료하지 않음)이 적절하다.
- 설득력 있고 과학적으로 타당한 방법론적인 이유로 위약을 사용해야 중재의 효과나 안전성을 검증할 수 있고, 위약을 투여 받거나 치료를 받지 않는 것이 환자에게 심각하거나 비가역적인 위해를 가하지 않아야 한다.

유해 반응

위약 효과가 가짜 치료를 받는 환자가 호전되는 경험을 일컫는 것이라면, 유해 반응은 그 반대로 특정 중재가 환자의 불신과 가짜 치료에 대한 의심으로 부정적 효과를 나타내는 것이다. 이 것은 생화학적 효과에 의한 것이 아니다. 이것은 왜 동종 요법 치료법을 포함한 가짜 치료가 부작용을 일으킬 수 있는지 설명해 준다.

진짜 치료를 받는 환자의 부작용은 약의 약리학적 작용에 의한 부작용과 유해 반응에 의한 부작용의 조합으로 고려해볼 수 있다.

읽을거리 21

Chon RYP et al. The effects of two Chinese herbal medicinal formulae vs. placebo controls for treatment of allergic rhinitis: a randomized controlled trial. Trials 2014;15:261로부터 발췌

이 연구는 위약 치료군과 비교해서 중국의 두 가지 한방약이 3개월 후 추적조사에서 알레르기성 비염에 미치는 영향을 연구하였다.

연구자가 두 종류의 한방약을 준비하여 병에 담았고, 사용하기 전 진료실 냉장고에 보관하였다. 한방약과 위약은 보다 좋은 맛과 흡수 그리고 대상자 편의성을 위해 시럽형태로 준비되었다. 알레르기성 비염에 치료효과는 없으나 짜릿한 맛과 냄새를 위해 극소량의 생강이 위약에 첨가되었다. 한방약에 설탕과 밀가루를 섞어 모두 세 그룹에 사용되는 세 종류 시럽의 맛과 질감은 매우 유사하였다. 각 그룹에서 사용되는 약물의 유사한 형태, 색감 및 복용법은 만성 알레르기성 비염이 있는 대상자들에게 상당수준의 편리와 기호를 제공할 뿐만 아니라 약물치료 연구에서 일관성 있고 표준화된 방식을 제공한다.

해설 : 연구자들은 한방약의 형태, 맛, 질감 및 상태와 유사하게 위약을 준비하였다.

시나리오 11 재검토

Lancet의 편집자는 싱 박사에게 답장을 보냈다. 그는 싱 박사에게 증례 보고를 투고한 것에 감사했으나 다음과 같이 말했다. "Co-careldopa의 위약 효과를 조사하면 그 좋은 효과를 설명할 수 있을 것입니다. 정말로 co-careldopa가 통증에 효과가 있음을 보여주려면, 위약 대조 이중 눈가림 연구가 적절할 것입니다. 이 결과가 더 나은 연구에서 재현된다면 저는 기쁘게 채택할 것입니다."

요약하면, 좋은 연구란...

연구 중 어떠한 관련성에서도 위약 효과와 유해 반응의 역할을 설명한다.
사용된 위약 치료에 대해 기술한다.
사용된 위약이 실제 치료와 비슷하다는 걸 기술할 때 어떻게 눈가림이 유지되었는지 고찰한다.
위약 치료의 사용이 윤리적으로 허가받았는지 확인한다.

시나리오 12

정신과 자문의사인 토마스 박사는 불안 장애의 치료에 꾸준히 관심을 가졌다. 그녀의 과장은 불안 장애 환자를 위한 전문 클리닉을 만들기 원했으나 병원 이사회에 소요 비용을 납득시켜야 했다. 토마스 박사는 정신과의 500명의 환자에게 질문 엽서를 보내어 그들이 신경증적 장애가 있다는 얘기를 들었는지 물었고 만일 그 대답이 '예'인 경우 그들이 받은 치료를 기술하고, 전문 클리닉의 설립을 지지할 것인지 여부를 물었다.

시나리오 13

스미스 간호사는 소화기 내과 병동 환자에게 제공하는 간호의 질적 수준을 조사하기를 원했다. 그녀는 퇴원하는 날 환자를 직접 찾아가 입원기간 동안 받았던 간호의 질에 대해 평가하는 설문을 하였다. 그녀는 수간호사에게 거의 완벽한 결과를 발표하였고 임금 인상을 요청하였다.

'정보 비뚤림'이라고도 알려져 있는 관찰 비뚤림은 노출이나 결과를 정확하게 측정하거나 분류하는 데 실패할 때 발생한다. 어떤 점에서는 취합된 자료가 잘못되었다. 어떤 치료군이 어느 정도할 것이라는 정보나 기대를 갖고 있는 연구자나 참가자에 의해 오류가 잘 발생한다.
관찰 비뚤림은 연구자나 대상자에 의해 발생할 수 있다.

관찰 비뚤림의 예로는 다음과 같다.

- **면담진행자(확인) 비뚤림** : 이것은 연구자가 연구대상자의 그룹배정에 눈 가림되지 않아 대상자에 대한 접근과 결과 기록에 변화를 초래하게 되는 것을 말한다. 예를 들어, 연구자가 어느 군이 중재군인지 안다면 치료 중재에 좋은 결과를 모으기 위해 대상자에게 질문하는 방식

을 바꿀 수도 있다.

- **반응 비뚤림** : 이것은 연구대상자가 그들의 진정한 신념을 말하지 않고 연구자가 원할 것 같은 내용으로 답변할 때 발생한다. 치료 중재군인 지 알고 있는 연구 대상자는 대조군에 속한 대상자보다 호의적인 반응을 보인다.
- **호손 효과** : 이것은 연구대상자가 그들이 연구에서 관찰되고 있음을 알고 있기에 그들의 행동을 긍정적으로 변화시킬 때 발생한다.
- **회상 비뚤림** : 이것은 연구대상자가 과거 기억의 세부사항을 일부만 기억할 때 발생한다. 이는 특히 환자–대조군 연구와 단면조사 연구에서 문제시된다.

연구자는 관찰 비뚤림의 위험을 줄이도록 조치를 취해야 한다. 방법으로는 눈가림이나 신뢰성있고 타당한 측정법 그리고 객관적인 결과 평가방법 등이 있다.

시나리오 12 재검토

토마스 박사의 조사는 표본의 1%만 신경증적 장애를 진단받았다는 놀라운 결과를 얻었다. Clinical director는 다음과 같이 말했다. "어쩌면 많은 환자들은 '신경증적'이란 말에 익숙하지 않은지도 모릅니다. '불안'이라는 용어를 쓰면 관찰 비뚤림을 제거하여 다른 결과를 얻을지도 모르니 다시 조사해보세요."

시나리오 13 재검토

수간호사는 별로 감흥을 받지 않았다. 그녀는 다음과 같이 말했다. "결과는 좋지만 만일 당신이 환자에게 묻는다면 어떤 답변이 나올 것으로 기대했나요? 그들은 부정적인 얘기를 거의 하지 않을 겁니다. 아마도 설문조사와 독립적인 기관에서 환자의 집에 가서 조사해야 할 것 같네요. 그러면 반응 비뚤림이 제거될 겁니다. 지금은 봉급 인상을 얘기할 때가 아니네요. 이제 가서 일이나 하세요!"

시나리오 14

조셉 박사는 만성 통증에 고통받는 환자에게 심리치료 중재가 유용한지 시험하는 연구의 결과를 분석했다. 연구에서 중재군의 환자는 심리사에게 20회기 심리치료를 받았고 통증의 자각에 대해 조사하였다. 대조군의 환자는 간호사와 그들의 일상에 관해 면담하도록 하였다. 정신과 의사들은 '위약'중재에 비해 통증 점수를 현저히 감소시켰다. 조셉 박사는 병원 이사회에 그의 환자에게 비용 효과적인 중재임을 설명하였고 통증 클리닉 예약의 필요성을 줄일 수 있다고 하였다.

시나리오 15

웹 박사는 양극성 장애 환자의 감정을 안정화시키는 새로운 약의 임상시험 결과에 놀랐다. 리튬을 먹는 환자와 비교하면, 새로운 치료를 받는 환자는 증상이 적었고 혈중 농도를 확인하기 위해 더이상 정기적 혈액검사를 하지 않아도 된다는 점에 만족해 했다. 그녀는 British Journal of Psychiatry에 이 결과를 투고하여 더이상 양극성 장애 환자의 가장 좋은 치료로 리튬을 줄 필요가 없다고 주장하였다. 그녀는 그 결과가 저널의 사설에 주요 주제로 선정되기를 기대했다.

연구자나 연구대상자의 행동은 그들이 알고 있는 것이나 믿는 것에 영향을 받아 관찰 비뚤림을 초래할 수 있다. 만일 임상시험참여자가 그들이 위약이나 실제 치료를 받고 있음을 안다면, 그들의 답변은 이 지식에 영향을 받을 수 있다. 유사하게, 연구자들도 어떤 환자가 어떤 중재를 받고 있는지 안다면 영향을 받을 수 있다. 연구 참여자와 연구자의 행동은 주관적인 대답과 평가로 진실을 반영하지 않으므로 비뚤림을 유발할 수 있다. 이런 비뚤림은 종종 잠재의식 단계에서 발생한다.

눈가림, 혹은 은폐가 이 문제를 극복할 수 있다. 연구대상자나 연구자가 어떤 치료가 시행되는지 모를 때 눈가림이 이루어진다고 할 수 있다. 눈가림은 관찰 비뚤림을 제거하는 것이 목적이다. 임상시험은 다음을 포함하여 설계해야 한다.

- **눈가림 없음** : 개방 표지 연구에서 발생한다. 관찰 비뚤림이 이런 연구 디자인에서 문제시 된다. 읽을거리 22 참조
- **단일 눈가림** : 연구자 또는 연구대상자가 할당에 눈가림된다. 읽을거리 23 참조
- **이중 눈가림** : 연구자와 연구대상자 둘 다 무슨 치료를 받는지 모른다. 중재는 각 군에 모두 비슷하게 보여야 한다.
- **삼중 눈가림** : 연구자, 연구대상자, 결과를 처리하는 분석자(예: 자료 분석, 생검 검사, 평가척도 사용 등) 모두 치료의 내용을 모른다.

눈가림 과정은 연구의 방법을 기술하는 부분에서 명시되어야 한다.

다른 중재 비교하기

만일 중재가 매우 다르다면, 누가 어느 군에 속해 있는지 알 수 있다. 눈가림을 위해 연구대상자들이 두 가지의 중재를 모두 받은 것처럼 보이는 이중모조 처리기법이 사용될 수 있다. 즉, 각 군에서 받은 두 가지의 중재 중 하나는 위약이다. 읽을거리 24 참조

눈가림이 바람직하기는 하나, 항상 가능하지는 않다. 예를 들어 개방 시험이나 단순 눈가림 연구는 침습적이나 심리적 중재를 연구할 때 적용하기도 한다.

눈가림에는 헛점이 있을 수 있다.

눈가림을 사용했다고 해서 눈가림이 완벽하다고 말할 수는 없다.

연구 내의 각 군들은 눈가림의 결과로 모두 동일하게 치료받아야 한다. 피검사와 같은 모니터링 요건들을 포함하여 한 군에 시행된 모든 행위는 다른

모든 군에 시행되어야 한다. 만약 다르게 적용된다면 눈가림은 깨질 수 있다. 호기심 때문에 연구자와 연구대상자들은 모두 어느 군이 치료군인지 추리하려고 한다. 예를 들자면, 부작용의 발생률의 차이점은 연구자와 참여자에게 연구대상자가 받는 치료의 내용을 바르게 추리하는 힌트가 된다. 이것은 관찰 비뚤림을 초래하고 연구대상자가 위약 치료군에서 이탈하게 한다.

위약도 만약 부작용이 없다면 알아챌 수 있다. 연구대상자가 위약군인지 모르도록 일시적인 부작용이 발생하도록 특별히 제조된 위약을 사용함으로써 위험을 최소화할 수 있다.

읽을거리 22

Chew KS et al. A randomized open-label trial on the use of budesonide/formoterol (Symbiocort®) as an alternative reliever medication for mild to moderate asthmatic attacks. International Jouranl of Emergency Medicine 2012;5:16에서 발췌

연구자는 급성 천식에서 Symbicort® 흡입기와 salbutamol 분무기 사용을 비교하였다.

2011년 3월에서 8월까지 시행된 본 연구에서, 우리는 Symbicort® (한 흡입당 160/4.5 mcg)와 분무된 salbutamol의 효과를 비교하였다. 연구 참여에 동의한 환자들은 두 번 흡입의 Symbicort®이나 분무된 salbutamol에 무작위 배정되었다. Symbicort®를 투여받은 환자들은 모조 turbuhaler 도구를 이용하여 흡입기 사용법에 대해 적절한 교육을 받았다.

해설 : 개방 표지 연구의 예. 흡입기를 분무기와 비교하였다. 연구자와 연구대상자는 적용된 중재에 대해 모두 알고 있었다. 분무기는 보다 효과있는 치료로 간주되어 결과 보고에 영향을 주었을 것이다.

읽을거리 23

Shantz JAS et al. Sutures versus staples for wound closure in orthaedic surgery; a pilot randomized controlled trial. Patient Safety in Surgery 2013;7:6.로부터 발췌

연구자는 봉합사와 스테이플러의 상처 합병증 발생률을 비교하였다.

상처 봉합에 배정된 환자는 일차 외과의사가 선택한 봉합사로 꿰멨다. 외과의사는 가장 적합한 봉합 방법을 결정하였다. 스테이플러에 배정된 환자는 구입이 가능한 스테이플러를 이용하여 봉합하였다. 봉합 재료를 제거하거나 상처를 확인하기 위해 수술 후 첫 방문 시까지 접착성 밴드나 반창고를 이용하여 할당 배정을 눈가림하였다. 눈가림을 깨기 직전, 환자에게 100밀리미터 시각아날로그 통증척도와 합병증 발생을 묻는 설문조사를 포함한 결과 평가 조사가 이루어졌다.

해설 : 단일 눈가림의 예. 환자는 봉합사나 스테이플러 중 어느 것으로 봉합했는지 알지 못했다. 외과의사는 각각의 환자에게 어떤 중재를 했는지 알았다.

읽을거리 24

Sticker K et al. A 6-week, multicenter, randomized, double-blind, double dummy, active-controlled,clinical safety study of lumiracoxib and rofecoxib in osteoarthritis patients. BMC Musculoskeletal Disorders 2008;9:118로 부터 발췌

연구자는 골관절염 치료에 있어 lumiracoxib와 rofecoxib를 비교하였다.

환자는 하루에 lumiracoxib 400mg나 rofecoxib 25mg를 받는 군에 1:1 비율로 무작위 배정되었다. 위약과 일치하도록 lumiracoxib는 200mg 정제 두 알로, rofecoxib는 25mg 캡슐로 제공되었다.

해설 : 두 중재는 서로 다르다 – 하나는 두 개의 정제이고, 나머지 하나는 캡슐이다. 눈가림을 유지하기 위해 이중 모조 처리기법이 사용되었다. 각 군의 환자들은 두 가지 약을 받았다. 그 중 한 가지는 위약이었다.

시나리오 14 재검토

병원의 의료 감독은 조셉 박사에게 다음과 같이 답변을 보냈다. "심리 치료가 환자를 호전시키는 것이 별로 놀랍지 않습니다. 환자들은 그들이 새로운 중재를 받는 것을 알아차렸을 것입니다. 대화 치료법은 눈가림이 어렵다는 것을 감안하면, 이런 시험을 근거로 비용에 관련된 결정을 성급히 해서는 안됩니다."

시나리오 15 재검토

불행하게도 검증과정에서 그 연구논문은 게재 거부되었다. British Journal of Psychiatry의 편집자는 웹 박사에게 다음과 같이 썼다. "불행하게도 리튬을 먹는 환자들은 정기적인 피검사를 받았기 때문에 당신 연구의 눈가림에는 헛점이 있었습니다. 누가 리튬을 먹고 누가 새로운 정신 안정제를 먹었는지 명확했습니다. 눈가림을 유지하고 관찰 비뚤림을 제거하기 위해서는 모든 환자들이 동일한 피검사를 받아야 했습니다. 리튬을 먹지 않는 환자에게도 모조 결과를 보고했어야 합니다. 저는 이런 점 때문에 당신의 논문을 채택할 수 없습니다."

요약하면, 좋은 연구란...

어떻게 눈가림이 수행되었는지 기술한다.
눈가림을 유지하기 위해 위약과 모조 중재의 사용을 고찰한다.
눈가림에 헛점이 있는지 여부를 고찰한다.

시나리오 16

지역 감사 모임은 즐거운 분위기였다. 심장계 중환자실(coronary care unit)에서 퇴원한 환자의 생존률이 곧 발표될 예정이었다. 청중 속에서 테일러 박사는 발표를 간절히 기다리고 있었다. 그녀가 새로운 약제로 바꾼 것이 그녀가 일하는 병원이 처음으로 최고 서열이 되도록 하였다. 약제를 바꾸기 전에 그녀는 새로운 약제가 좋은 결과를 보인다는 연구를 검토했었다. 그녀가 아는 한 그 병원은 그녀의 제안으로 새로운 약제 치료에 대해 기금을 받은 유일한 병원이었다. 그녀의 임상적 우수성에 수여하는 보너스로 카리브 지역에서 지낼 휴가를 생각하며 그녀는 미소 짓고 있었다.

연구들은 측정된 평가변수로 결과를 보고한다. 연구들에서는 사망률, 질병 악화, 장애, 증상호전 및 삶의 질과 같은 많은 평가변수들이 사용될 수 있다. 이상적으로, 평가변수 측정치 변화는 의사가 보다 좋은 결정을 내릴 수 있도록 도움이 되어야 하고 임상적으로 유의해야 한다.

연구들에서 이용되는 종료점에는 다음의 3가지가 있다.
임상적 평가변수 : 사망률, 이환률 또는 생존률과 같은 직접적인 임상 결과를 측정. 임상적 평가변수는 객관적이고 기술하기 용이하다.

대리평가변수 : 생물표지자는 임상적평가변수의 대리지표로 사용된다. 대리평가변수는 역학적, 치료적, 병태생리적 또는 다른 과학적 근거를 바탕으로 임상적 이득이나 위해 또는 이득이나 위해의 결여를 예측하는 것으로 간주된다. 대리 평가변수는 반드시 임상적 평가변수에 대한 중재의 효과를 포함하고 있어야 한다. 대리 평가변수의 주요 임상적 결과를 예측한다고 생각될지라도 그 관계를 장담할 수는 없다. 대리 평가변수는 일반적으로 효과를 보

다 빨리 측정할 수 있기에 사용된다. 읽을거리 25 참조

예를 들어 저밀도 지질단백질 콜레스테롤 수치는 심혈관 질환의 대리 평가변수로 사용될 수 있다. 증가된 수치는 심혈관 질환의 위험을 높이고 감소된 수치는 위험을 낮춘다. 대리지표로서 대부분의 환자에서 이로운 변화를 보이지만 임상적 사건에 대한 잇점은 소수에만 보인다는 사실에도 불구하고 저밀도 지질단백질은 유용한 대리지표이다.

대리 평가변수는 신약개발 초기 즉, 1상 또는 2상 임상연구에서 사용된다. 3상 연구에서도 사용될 수 있으나 이러한 대리지표가 임상 결과를 얼마나 잘 반영하는지, 얼마나 정확하고 신뢰할 수 있는지 주의깊은 고려가 필요하다. 일반적으로 대리 평가변수를 이용한 연구들의 표본 크기는 보다 적고, 임상적인 사건이 발생하기 전 대리 종료점의 변화가 생기므로 연구기간이 짧다.

복합 평가변수 : 임상적 사건들의 조합이 집합적으로 복합 종료점을 구성한다. 이런한 사건들 중 하나라도 발생하면 종료점에 도달한다. 이상적으로, 복합 종료점을 구성하는 모든 사건들은 환자에게 비슷한 중요성을 보이고 비슷한 빈도로 발생해야 한다. 읽을거리 26 참조

개개인의 임상적 사건들이 드물게 발생할 때 복합 평가변수가 사용된다. 복합 평가변수를 사용함으로써 부족한 검정력 문제를 극복할 수 있다.

그러나 하나의 임상적 사건으로 복합 평가변수가 달성됐는데 모든 임상적 사건에 대해 이로운 효과를 보인 것으로 결론을 내는 것이 복합 평가변수를 이용한 연구를 읽는데 조심해야할 점이다. 이상적으로 복합평가연수를 구성하는 모든 이벤트는 환자에게 중요도가 비슷해야하고 그 발생빈도도 비슷해야 한다.

이차 평가변수는 치료의 효과를 설명하는 데 도움이 될 수 있는 모든 연구 참여자에게서 측정된 다른 지표들이다.

결과변수 측정하기 - 타당도 및 신뢰도

어떤 결과변수를 이용할 것인지 정하는 것뿐만 아니라, 어떻게 그 결과변수를 측정하거나 확인할 것인지 정해야 한다. 임상 결과변수는 객관적이며 환

자가 죽었는지, 살았는지 또는 치료됐는지 등이 쉽게 측정되는 경향이 있다. 대리 평가변수는 보다 널리 이용되지만 주관적인 평가와 다양한 견해가 발생하기 쉽다. 측정이 일관되지 않으면 문제가 야기될 수 있다.

연구자는 논리적으로 타당하고 믿을 수 있는 것으로 알려진 측정 방법과 도구를 이용한다. 타당도는 측정하려고 하는 것을 검사가 측정할 수 있는 정도이다. 신뢰도는 반복 측정에 검사가 일치하는 정도이다. 중요한 것은 신뢰도가 타당도를 의미하는 것은 아니다.

사격연습에 비유하면 두 개념이 보다 명확해진다(그림 19) : 과녁의 중심을 맞히는 것은 '타당도' 또는 정확도, 같은 곳을 반복해서 맞히는 것은 '신뢰도' 또는 일치도.

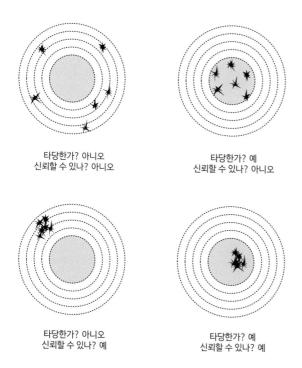

타당한가? 아니오
신뢰할 수 있나? 아니오

타당한가? 예
신뢰할 수 있나? 아니오

타당한가? 아니오
신뢰할 수 있나? 예

타당한가? 예
신뢰할 수 있나? 예

그림 19. 타당도와 신뢰도간의 관계

읽을거리 25

Gardener H et al. Lipids and carotid plaque in the Northern Manhattan Study (NOMAS). BMC Cardiovascular Disorders 2009;9:55로 부터 발췌

지질은 관상동맥경화증으로 인한 뇌졸중과 심혈관 질환의 높은 위험성과 관련 있다. 뇌졸중의 발생률과 위험인자를 확인하는 연구로써 혈중 지질과 목동맥 죽상판과의 연관성을 조사하는데 단면조사 분석이 시행되었다.

저밀도 지질단백질은 목동맥 죽상판과 강한 연관성이 있다. 두껍고 불규칙한 죽상판은 뇌졸중을 포함한 혈관성 사건의 위험인자로 보여진다. 죽상경화판 형성에 대한 기여로 지질은 심혈관 질환과 뇌졸중의 위험에 영향을 주기 때문에 목동맥 죽상판이 지질 치료의 역학적, 약리적 연구의 대리 종료점으로 사용된다.

해설 : 연구에서 저자는 대리 종료점으로 목동맥 죽상판 사용을 고찰하고 있다. 심혈관 질환과 뇌졸중 발생을 기다리는 대신에 대리 종료점의 사용은 연구를 더 짧게 해준다.

읽을거리 26

MacHaalany J et al. Predictors ansprognosis of early ischemic mitral regurgitation in the era of primary percutaneous coronary revascularization. Cardiovascular Ultrasound 2014;12:14로 부터 발췌

본 연구에서 연구자는 ST 분절 상승 심근경색증에서 일차 관상동맥 중재술 후 발생하는 조기 허혈성 승모판 역류의 예측 인자와 예후를 밝히고자 하였다.

주요 심장성 유해 사례의 비율은 사망, 심근경색, 뇌졸중과 울혈성 심부전, 관상동맥중재술 및 관상동맥 우회로 수술을 위한 재입원 그리고 승모판 재건술 및 치환술로 구성된다.

해설 : 주요 심장성 유해 사례로 표시된 결과는 여섯 가지 다양한 사건으로 구성된 복합 종료점이다.

시나리오 16 재검토

테일러 박사는 발표에 당혹스러웠다. 병원의 사망률 결과는 주변의 다른 병원보다 좋지 않았다. 그녀는 자료 표를 세심히 살폈으나 실수를 찾을 수 없었다. 비싸고 새로운 치료는 그녀가 일하는 병원의 역량을 향상시키지 못했다. 그녀는 이유를 알고자 보고서 저자에 메일을 보냈다. 대답은 직설적이고 간결했다. "당신이 언급한 연구는 대리 종료점을 사용했다. 새로운 치료 후에 얼마나 많은 사람들이 사망하는지 조사하는 대신에 해당 연구자는 단순히 얼마나 많은 사람들이 관상동맥폐쇄를 갖는지 조사하였다. 비록 새로운 치료에 보다 적은 사람들이 진행성 경과를 보였지만, 심근 경색증 후 임

상 결과변수으로써 사망과 대리 결과변수로써 관상동맥 폐쇄와의 관련성은 그리 단순하지 않다"

요약하면, 좋은 연구란...
관심있는 종료점을 명확히 기술한다.
임상적 질문에 결부지어 종료점을 언급한다.
어떻게 종료점을 알아내고 측정할 것인지 기술한다.
대리 종료점과 복합 종료점 사용 시 결점을 인지한다.

시나리오 17

해리슨 박사는 윤리 심의를 위해 제출된 다음과 같은 연구 제안서를 보고 있다. 한 젊은 의사가 갑상선 기능저하증이 있는 성인에게서 티록신(thyroxine) 정제보다는 새로운 티록신 주사의 효능을 알고자 하였다. 갑상선 기능저하 환자들이 항상 피곤한 경향이 있어 집에서 참가자들이 텔레비전을 보는 시간으로 증상의 중증도를 평가하는 코호트 연구를 제안하였다. 그 의사는 티록신 치료가 증상을 호전시켜 텔레비전을 보는 시간을 줄일 것이라 가정하였다.

타당도는 측정하려는 것을 검사가 측정하는 정도이다. 다양하게 분류되나 여기에서의 타당도의 의미를 내적 및 외적 타당도와 혼동하지 말아야 한다 (5쪽 보기).

타당도의 종류

안면 타당도(face validity)

측정하려는 것을 표면적인 관점에서 검사가 측정하는 정도. 예를 들어 환자의 운동 내성을 측정하는 검사를 호흡기 질환의 중등도와 연관시키는 것은 안면타당도가 있다고 할 수 있다. 읽을거리 28 참조

내용 타당도(content validity)

검사를 통해 측정해야만 하는 모수와 관련된 측정변수를 측정하는 정도. 예를 들어, 협심증의 중증도를 평가하는 설문지의 질문들이 심장에 부하를 줄 수 있는 일상적인 업무에 초점이 맞춰있다면 내용 타당도가 있다고 할 수 있다.

기준 타당도(criterion validity)

기존에 논리적으로 타당하다고 알려진 측정이나 방법과 비교하여 새로운 측정이나 방법의 정확도를 설명하는 데 사용되며 공인 타당도와 예측 타당도로 나눌 수 있다.

- 공인 타당도(concurrent validity) : 기존의 타당한 검사와 해당 검사의 연관 정도. 예를 들어 새로운 통증에 대한 평가척도의 점수가 기존의 타당한 평가척도와 일치한다면 공인타당도가 있다고 한다.
- 예측 타당도(predictive validity) : 검사가 이론적으로 측정할 수 있는 것을 실제 측정하는 정도. 예를 들어 필기 시험이 중학교에서의 수행을 예측하고 성인 시기에 고용상태를 성공적으로 예측할 수 있다면 예측 타당도가 있다고 할 수 있다.

구성 타당도(construct validity)

특정한 측정 도구나 방법으로 검사가 이론적인 개념을 측정하는 정도. 예를 들어 IQ 검사의 결과가 이론적인 지능의 개념을 반영했다면 구성 타당도가 있다고 할 수 있다. 구성 타당도는 수렴 타당도와 확산 타당도로 나눌 수 있다.

- 수렴 타당도(convergent validity) : 동일한 구성을 측정하는 검사 결과와 해당 검사 결과의 유사한 정도. 예를 들어 전자 체온계가 수은 체온계의 측정값과 유사하다면 수렴 타당도가 있다고 할 수 있다(읽을거리 28 참조).
- 판별 타당도(Divergent or discriminant validity) : 다른 구성을 측정하는 검사 결과와 해당 검사 결과가 서로 다른 정도. 예를 들어 의사의 비평 기술을 알아보는 대학원 평가가 질환에 대한 지식을 평가하는 선다형 문제 시험 결과와 다르다면 판별 타당도가 있다고 할 수 있다.

증분 타당도(incremental validity)

다른 방법을 추가함으로써 검사가 의미있는 향상을 보이는 정도. 검사가 사용되지 않을 때보다 사용될 때 도움이 된다면 그 검사는 충분 타당도가 있다. 예를 들어 초음파 주사(scanning)는 임상적인 진찰만 하는 것보다 태아 임신 주수 예측에 더 도움이 된다.

시나리오 17 재검토

해리슨 박사는 젊은 연구자에게 다음과 같이 답장을 썼다. "환자들이 텔레비전을 보는 습관으로 그들을 평가하는 것은 부적절한 것 같습니다. 갑상선 기능저하 환자들이 텔레비전을 많이 보는 것(이것마저도 확신하지 않지만) 외에도 많은 것들을 하기에 보다 타당한 평가방법이 필요하다고 생각합니다."

요약하면, 좋은 연구란...

무엇을 측정했고 어떻게 평가변수에 관련되는지 기술한다.

시나리오 18

놀란 박사는 의과대학 1학년생 수업을 지도하고 있었다. 모든 학생들은 혈압계로 측정한 혈압이 비슷할 때까지 서로 혈압을 재보도록 실습하고 있었다. 수업 중간 즈음, 일부 학생들이 어정쩡한 모습을 보여 놀란 박사는 한 학생에게 왜 그런지 물었다. "이 혈압계 때문에요. 같은 수치가 나오지 않아요." 라고 학생이 대답했다. 수업 후 놀란 박사는 실습 담당 교수에게 좀 더 좋은 장비를 구해달라고 메일을 보냈다.

거의 모든 연구가 하나 이상의 변수를 측정한다. 좋은 연구 방법은 측정 방법의 우수성을 논평하는 것이다. 연구자는 측정 오류와 신뢰성을 고찰할 수 있다.

왜 중요할까? 연구 대상자가 치료나 위험요인에 노출되었다면 호전 또는 악화될지 궁금하다. 만약 연구에서 측정이 잘못되면 그렇지 않음에도 연구대상자가 호전되거나 악화된 것으로 보일 수 있다. 잘못된 결론이 날 수 있고, 임상행위를 틀리게 바꿀 수도 있다.

측정 오류(measurement error)

측정 오류는 참값과 측정값 사이의 차이로, 독립변수에 의해 설명할 수 없는 변동성의 모든 근원을 나타낸다. 측정 오류는 계통 오류와 무작위 오류로 나뉜다.

계통 오류(systematic error)

계통 오류는 일련의 반복적인 검사에서 보여지는 일관성 있는 오류이다. 예를 들어 만약 전자 체중계가 잘 보정되지 않았다면 정상 체중보다 일관되게 낮은 체중을 보여줄 수 있다. 얼마나 많이 체중 측정을 반복하든 계통 오류는 일정하다. 계통 오류는 측정 도구를 보정하고 측정도구를 사용하는 연구자를 훈련시키며 측정절차를 표준화함으로써 줄일 수 있다.

계통 오류는 측정치가 얼마나 참값에 가까운지를 나타내는 정확도를 떨어뜨린다. 정량적으로 계통 오류는 오류의 평균값과 같다.

무작위 오류(random error)

무작위 오류는 일련의 반복적인 검사에서 발생하는 변동있는 오류이다. 예를 들어 물건 하나를 반복적으로 한 체중계로 측정하면 체중 값들의 차이는 무작위 오류를 의미한다. 만약 체중 값들을 일련의 검사로 평균을 내면 무작위 오류의 효과를 줄일 수 있다.

무작위 오류는 동일한 양의 반복 측정 시 얼마나 일치하는지 나타내는 정밀도를 떨어뜨린다. 정량적으로 무작위 오류는 평균값에서 전체 오류의 편차이다.

신뢰도

신뢰도는 측정의 일관성이다. 측정은 한 명의 평가자가 여러 번 할 수 있고, 한 명 이상의 평가자가 동시에 또는 여러 번 할 수도 있다. 신뢰도는 정확도와 정밀도 즉, 계통 오류와 무작위 오류의 측정이다. 신뢰도는 얼마나 많은 측정의 변동이 측정 오류와 실제 변화에 의한 것이 나타내는 것이다.

신뢰도는 다양한 방법으로 정량화할 수 있다.

검사-재검사 신뢰도(평가자 내 신뢰도)

검사-재검사 신뢰도는 동일 표본을 평가자 한 명이 다양한 시기에 측정한 값들에 대해 일치도 수준을 평가하는 것이다. 많이 일치할수록 도구의 검사-재검사 신뢰도는 증가한다. 읽을거리 27, 28 참조

정량적으로 검사-재검사 신뢰도는 상관계수로 나타낸다. 완벽한 값은 1.0이나 0.7-0.8 이상의 상관계수 값이 좋은 것으로 간주된다. 설문조사에서 검사-재검사 신뢰도는 학습효과에 의해 영향을 받을 수 있다. 표본에 있는

연구 대상자가 동일 질문에 답하면서 학습한다면 반복적인 검사가 보다 높은 점수를 낼 수 있다.

유사 형태 신뢰도(대안 형태 신뢰도)

유사 형태 신뢰도는 동일 표본을 대상으로 측정된 검사 결과와 이후에 측정된 동등한 대안 형태 검사의 결과 사이의 일치도 수준을 평가하는 것이다. 많이 일치할수록 도구의 유사 형태 신뢰도는 증가한다.
유사 형태 신뢰도는 상관계수를 이용해 정량화할 수 있다.

유사 형태 신뢰도는 비록 검사들에 대한 반응에 일부 변화가 있을 수 있지만 검사-재검사 신뢰도는 고유 문제인 학습효과를 반박한다. 유사 형태 신뢰도를 사용하는 데 가장 큰 걸림돌은 동등한 점수를 나타낼 수 있는 대안 형태의 검사를 만드는 것이다.

내적 일관성 신뢰도

만약 설문 도구가 같은 개념을 다루는 몇 개의 항목을 가지고 있다면 일반적으로 각 연구 대상자에게 유사한 점수를 받을 것이라고 예상한다. 내적 일관성 신뢰도는 한 사람에게 한 번 사용됐을 때 해당 도구 안에 같은 개념을 반영하는 항목들이 얼마나 잘 동일 결과를 보이는지 측정함으로써 도구의 신뢰도를 평가한다.

반분 신뢰도(split-half reliability)

반분 신뢰도에서 도구는 유사한 개념을 검사하는 서로 대칭적인 항목들로 구성된 두 부분으로 나누어 진다. 도구는 한 번에 표본 연구 대상자에게 시행된다. 두 부분의 일치도가 클수록 도구의 반분 신뢰도는 증가한다. 이 것이 대안 형태의 검사를 만들어야 하는 유사 형태 신뢰도의 문제를 해결할 수 있다.

Cronbach 알파

도구 안에서 반분 신뢰도를 측정하기 위해 도구를 세분화하는 다양한 방법들이 있다. Cronbach 알파는 내적 일관성의 측정으로 모든 가능한 반분 계수의 평균으로써 기술된다. 관례상 Cronbach 알파가 0.7-0.8 이상이면 허용할 수 있는 일치이다. 읽을거리 28 참조

평가자간 신뢰도(관찰자간 신뢰도)

평가자간 신뢰도는 두 명 이상의 평가자가 동일 표본에 동시간대에 같은 검사를 시행한 측정값들의 일치도 수준을 평가하는 것이다. 평가자 간 신뢰도는 다기관 연구처럼 한 명 이상의 연구자가 연구 대상자를 평가할 때 중요하다. 연구대상자의 반응이 범주화될 때, 평가자간 신뢰도는 Cohen의 통계량이나 우연-보정 비례 일치 통계량으로 알려진 카파 통계값으로 정량화한다. 카파 통계값은 우연에 의해 예상되는 값보다 얼마나 더 일치하는지에 대한 정보를 준다. 만약 일치가 우연에 의한 것보다 크지 않으면 카파는 0이다. 완벽하게 일치하면 카파는 1이다. 카파 단위는 내재적으로 모든 불일치의 심각성이 동등하다고 가정한다. 연구자가 각각의 불일치의 상대적인 심각성을 명시할 수 있다면 가중 카파를 사용할 수 있다. 읽을거리 29 참조

Intraclass comelation (ICC)는 양적측정치의 신뢰도 측정에 사용된다. 서로 다른 사람에 의해 측정된 두 개의 연속형 측정값이나 서로 다른 상황에서 같은 사람에 의해 측정된 두 개의 측정값 사이의 연관성 정도를 표시한다. 그러나 절대적인 차이에 대한 정보를 제공하지는 않는다.

만약 반복 측정들 사이에 차이의 크기가 흥미롭다면 Bland-Altman 일치의 한계값이 사용된다. 각쌍의 점수차이를 Y축에 각쌍의 점수평균을 X축에 놓는다. 완벽한 일치는 수직축의 0값에 놓인 수평선 위의 점들도 표시된다. 불량한 수준의 일치는 수평선으로부터 멀리 떨어진 점으로 표시된다. 계통 오류의 존재는 0값을 통과하지 않는 수평선으로 보인다. 각 쌍의 점수차이의 평균과 표준편차가 계산되고 일치의 95% 한계값(점수차이의 평균 ± 2x점

수차이의 표준편차)과 일치 한계값들에 대한 95% 신뢰구간도 나타낼 수 있다. 일치의 95% 한계값은 임상적 수용과 관련이 있는 오류 범위를 제공한다.

읽을거리 27

Bjelland M et al. Development of family and dietary habits questionnaires: the assessment of family processes, dietary habits and adolescents' impulsiveness in Norwegian adolescents and their parents. International Journal of Behavioral Nutrition and Physical Activity 2014;11:130로 부터 발췌

연구의 목적은 가족 과정을 확인하고 청소년과 부모의 식습관을 측정하기 위한 타당하고 신뢰할만한 설문지를 개발하는 것이다.

검사와 재검사는 10-14일 간격으로 시행되었다. 섭취, 식사 횟수, 일-가족 스트레스 및 소통을 측정하는 대부분의 항목에 대해 검사와 재검사 신뢰도는 양호하거나 (급내 상관계수 > 0.61) 매우 양호하였다(급내 상관계수 > 0.81).

해설 : 설문지의 다양한 측면에 대한 검사-재검사 신뢰도는 연구자에 의해 수량화된다.

읽을거리 28

Blum-Fowler C et al. Translation and validation of the German version of the Bournemouth questionnaire for low back pain. Chiropractic & Manual Therapies 2013;21:32로 부터 발췌

본 연구의 목적은 아래 허리통증에 대한 Bournemough Questionnaire (BQ)를 독일어로 번역하고 입증하기 위함이다. 번역된 설문지의 안면 타당도, 검사-재검사 신뢰도, 구성 타당도 및 내적 일관성이 검토되었다.

설문지는 30명에게 조사되었다. 각각은 설문지를 모두 마쳤고 각 설문조사 항목의 의미와 설문지의 구성방식, 배치, 설명 또는 반응 척도에 문제는 없었는지 물었다. 안면 타당도 검사결과를 바탕으로 한 최종수정본에 제안된 변경사항을 포함하여 인터뷰한 사람들이 쓴 상세 보고내용이 전문가 위원회에 제출되었다.

해설 : 연구자는 독일어판 설문지의 안면 타당도 검사를 했고 최종본에 질문들을 수정하였다.

설문지의 검사-재검사 신뢰도를 평가하였다. 두번 시행 사이에 변화나 치료가 발생하지 않는 것이 필수적이었다. 두 가지 버전이 두 시간 전후로 제공되었다. 검사-재검사 신뢰도는 급내 상관계수로 평가했다. 급내 상관계수는 0.91 이상이었고, 모든 일곱개 영역에서 상당히 유의하여 모든 척도와 전체 점수가 허용할 수 있는 일치를 보였다.

해설 : 연구자는 두 시간 간격으로 설문조사를 시행함으로써 검사-재검사 신뢰도를 평가하였다. 신뢰도는 상관계수로 정량화하였고 허용할 수 있는 수준이었다.

다섯 곳의 지압 치료소에서 지압 시행 전 108명의 아래허리통증 환자에게 독일어판 Oswestry Disability Index (ODI)와 SF-36 건강설문조사 그리고 새 독일어 버전의 BQ를 시행하였다. 4주 후에 모든 환자는 3개의 설문조사를 다시 시행하였다. 서로 유사한 하위척도를 가지고 있어 BQ 설문조사와 비교하기 위해 ODI와 SF-36를 선택하였다. 개념에 대한 동일한 이론적인 가설을 측정하는 외적 구성 타당도는 BQ 점수범위가 다른 도구들의 점수범위와 일치하는지 보여준다. 피어슨 상관계수를 이용하여 초기와 치료 4주 후의 BQ 7가지 척도와 전체 점수를 ODI 및 SF-36과 비교하였다. 하나를 제외하고 모두 통계적으로 유의한 상관을 보였다.

해설 : 연구자는 BQ와 다른 두 가지 도구를 이용하여 설문결과를 비교함으로써 구성 타당도를 평가하였다.

전체 점수를 구성하는 각 항목들이 모두 유사한 기저 속성을 평가하는지를 반영하는 BQ의 내적 일치도는 Cronbach's α를 이용하여 평가하였다. Cronbach's α는 치료전 전체 기저점수에서 0.86이었고, 치료 후 전체 점수에서 0.94로 허용할만한 일치도를 보였다.

해설 : 독일어판 설문지는 Cronbach's α로 내적 일치도가 평가되었고 허용할 만하다.

읽을거리 29

Wright B et al. Examiner and simulated patient ratings of empathy in medical student final yearclinical examination: are they useful? BMC Medical Education 2014;14:199로 부터 발췌

연구자는 모의환자를 활용한 시험에서 임상 채점관과 비교한 평가자간 신뢰도와 전반적인 시험점수와의 연관성을 통해 공감 정도를 평가하였다.

평가자간 신뢰도는 임상 채점관과 모의 환자에서 각 OSCE 항목별로 개인 공감점수를 이용하여 측정되었다. 급내상관계수에 의해 측정된 전체적인 신뢰도는 0.645였고 잠정적인 일치도를 보였다. '동료의 행동에 대해 우려를 표명하기' 항목에서 0.754라는 높은 신뢰도는 보였고, '자살 위험 평가하기' 항목에서 0.502라는 낮은 신뢰도를 보였다. 그 밖의 급내상관계수는 '암으로 진단된 것 설명하기' 항목에서 0.603이었고, '퇴원 계획 시 고려할 점' 항목에서 0.658 이었다.

해설 : 비록 항목마다 신뢰도가 다양했지만 연구자는 임상 채점관과 모의 환자의 공감 점수에 대해 평가자간 신뢰도를 평가하였다.

시나리오 18 재검토

실습 담당 교수는 놀란 박사에게 의견을 줘서 고맙다고 답장했다. 더불어 "신뢰도의 문제는 혈압 측정에 있어 정말 중요한 부분입니다. 그러나 누가 측정을 하던지 혈압 측정의 일치도가 완전할 수 없기에 새로운 혈압계가 더 나을 거라 생각하지 않습니다!" 라고 덧붙였다.

요약하면, 좋은 연구란...

일반적으로 이전의 연구에서 사용된 측정 도구를 이용함으로써 이를 신뢰할 수 있다는 근거를 제공한다.

상관계수 값을 제시하여 신뢰도를 정량화한다.

훈련과 표준화를 통해 신뢰도가 어떻게 향상되었는지를 기술한다.

비뚤림 재검토 (Bias revisited)

비뚤림은 연구의 어느 시점에서도 발생할 수 있다. 모집과 배정부터 관찰과 측정까지 연구자가 조심하지 않으면 비뚤림이 문제가 될 수 있다. 최종 결과가 잘못된 방식으로 생성될 수 있고, 틀린 결론이 도출될 수 있다.

우리는 몇 가지의 비뚤림을 거론했다. 일부는 다른 것보다 알아차리기 쉽다. 예를 들어 기저 특성표는 선택 비뚤림의 문제를 제공한다. 문제 발생에 대한 다른 실마리는 얼마나 많은 연구자가 연구 방법의 다양한 부분들을 기술하였나이다. 우리는 연구자가 목표 모집단에서 어떻게 표본추출하였는지, 연구 대상자를 서로 다른 군으로 어떻게 배정하였는지 그리고 중재와 결과 측정을 어떻게 하였는지 등 세부 사항에 대해 궁금하다. '우리는 사람들을 두 군으로 무작위화했다.' 또는 '우리는 사람들을 눈가림했다.'로 기술하는 것처럼 세부내용이 빠지면 문제가 될 위험성이 있다. 이러한 집필과정은 잘 수행될 때 상당히 노동집약적이나 짧은 서술은 독자가 연구의 다른 부분에 주의를 기울일 수 있다.

실수가 발생하면 연구자는 논문의 고찰부분에 실수를 인정하고 그 영향에 대해 고찰하는 것 밖에 없는 것 같다.

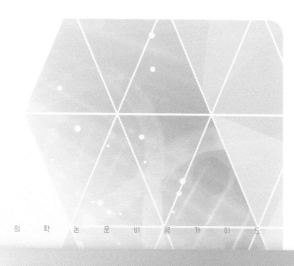

SECTION F

결과 해석

결과 부분에서는 이 연구에서 무슨일이 일어났는가를 분석한다. 결론에 도달하기 위해 모아진 자료를 요약, 비교 및 다룬다.

크게 결과 부분을 크게 4개로 나누어서 볼 수 있다.

1. 표본집단에서 결과의 기술. 각 군의 자료를 단순히 하나 하나 나열하기보다는 최빈값(mode), 중간값과 평균을 이용하여 요약을 하게 된다. 정확한 기술을 위해서는 관찰 비뚤림을 최소로 해야 한다.

2. 표적 집단에서 참값(true results)을 예측. 연구는 표본 집단에서 이루어지며, 신뢰구간과 표준 오차를 이용하여 전체 모집단에 대한 실험 없이도 표적 집단의 결과를 추론할 수 있다. 결과를 표적 집단에 일반화하는 경우에는 선택 비뚤림을 최소화해야만 한다.

3. 표본 결과를 비교하여 어느 군의 결과가 좋은지 또는 나쁜지 판단. 2 × 2 표를 만들고 위험도, 절대 위험도 감소, 상대 위험도, 상대 위험도 감소, 오즈, 오즈비와 치료가 필요한 수(numbers needed to treat) 등을 필요에 따라 처리한다

4. 표본 결과가 우연(chance)으로 설명이 되는지 안되는지 계산. 자료를 분석하고 통계적인 검사를 거쳐서 확률치(P value)를 계산하여 통계학적으로 귀무 가설을 받아들일 것인지를 결정한다.

몇몇의 결과는 그래프 또는 표로서 잘 표현이 되어 있다. 결과 부분에서 잘 요약되어 있는 표를 먼저 한 번 훑어 보는 것은 좋은 생각이다.
이 장에서는 위에 언급한 4 단계를 따라서 중요 용어를 명확히 하는 것부터 시작하겠다.

통계는 자료를 수집, 조직화, 분석, 발표 및 해석하는 수리 과학이다.

기술 vs 추리 통계학

기술 통계학(descriptive statistics)

표본 집단에서 모아진 자료를 조직화하거나 요약하는 데 사용된다. 예를 들어, 임상논문의 결과란에 보면 각기 다른 치료군에 속한 대상들의 기저특성을 요약한 표가 여기에 속한다.

추리 통계학(inferential statistics)

표본 집단에서 모아진 자료를 이용하여 표본이 추출된 표적 집단에 대한 일반화를 한다.

변수, 속성 및 모수

변수

각기 다른 값을 가질 수 있는 어떠한 개체이며, 예로는 샘플의 크기, 성별, 나이, 약 용량 등이 있다. 변수는 양적, 질적 변수가 있다.

관계에 따라서 두 가지로 나뉜다.
- 독립변수는 연구에서 조정된 변수이며 실험변수로도 불린다.
- 종속변수는 독립변수의 변화에 영향을 받는 변수이며, 결과변수로도 불린다.

속성(attributes)

변수의 특정한 값. 예를 들어 성별에는 남자, 여자 두 개의 속성이 있다.

모수(Parameter)

집단을 특징을 나타내는 숫자로 표현되는 양. 예를 들어 평균과 표준편차는 정규 분포를 나타내는 두 개의 모수이다.

정확도(Accuracy) vs **정밀도**(Precision)

- 정확도 : 측정값이 참값에 얼마나 가까운가
- 정밀도 : 반복 측정된 값들이 서로 얼마나 가까운가

이상적으로는 측정한 값이 정확하고 정밀하면 좋겠지만 항상 그러한 것은 아니다. 결과는 정확할 수 있지만 정밀하지 않은 경우도 있고 물론 반대의 경우도 존재한다.

역학이란 집단 내에서 질병의 분포, 원인 및 관리에 대해 연구하는 과학적인 학문이다. 연구에서는 관심이 있는 집단 또는 질병을 설명하기 위하여 이러한 역학자료를 자주 제시한다.

두 가지 질병의 발생 빈도를 보는 방법이 있는데, 발생률(incidence)과 유병률(prevalence)이다.

발생률

특정 집단에서 일정한 기간 동안 새로이 발생한 증례의 비율(그림 20). 질병의 위험도에 대한 측정치이다.

$$발생률 = \frac{일정한\ 기간동안\ 새로이\ 발생한\ 증례\ 수}{집단의\ 크기}$$

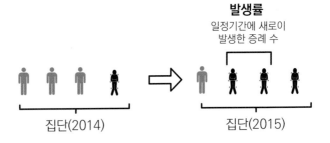

그림 20. **발생률**

발생률은 어떠한 보정 없이 전체 집단에 적용되는 **조발생률(crude rate)**으로 제시할 수 있다. 읽을거리 30 참조

특정발생률(specific rate)도 주어질 수 있는데, 해당 집단의 하위 군에 적용

된다.

- **사망률** : 집단 내에서 일정 기간 동안 사망하는 위험을 표시한 발생률의 하나

$$발생률 = \frac{일정한\ 기간동안\ 새로이\ 발생한\ 증례\ 수}{집단의\ 크기}$$

- **표준화 사망률(standardized moratlity rate)** : 교란 변수를 보정한 사망률(예를 들면 나이) 읽을 거리 31 참고
- **표준화 사망비(standardized mortality ratio)** : (연구 집단에서) 관찰된 표준화 사망률 대 (표준 인구에서의) 예상되는 표준화 사망률의 비. 참고치는 100이며 사망률을 비로 변화하게 되면 다른 집단 간의 비교가 쉬워진다. 비가 낮으면 낮을수록 좋다.
- **병원 표준화 사망비(hostpial standardized mortality ratio; HSMR)** : 병원의 전체 사망률을 구하는 방법으로 질을 평가하는 데 쓰인다. HSMR은 다른 여러 가지 인자(성별, 나이, 사회경제적 결핍, 진단 및 입원 방법)로 보정된다. 읽을거리 32 참조

2009년 영국 의료보건위원회는 보고서에서 특이하게 높은 병원 내 사망률이 드러나 적발된 중부 스태퍼드셔 국민의료보험 재단 신임(NHS Foundation Trust)의 여러 결점 사항들을 상세히 알렸다. 해당 병원의 2005년과 2006년에 HSMR은 127이었고, 이것은 예상보다 27%나 많은 환자들이 사망한 것을 의미한다. 2005년과 2008년 사이에는 예상보다 400명이나 많은 환자들이 사망하였다고 추정되었다. 신임 회장은 사임하였고, 최고 경영자는 정직되었으며 독립적인 조사가 시행되었다.

- **이환율(morbidity rate)** : 일정한 기간동안 특정 위험집단에서 해당 질병(치명적이지 않은)에 대해 새롭게 발생한 환자의 비율이다.

$$이환율 = \frac{일정한\ 기간동안\ 새롭게\ 발생한\ 이환자\ 수}{위험\ 집단의\ 인구수}$$

- 표준화 이환율(standardised morbidity rate) : 교란요인을 통제하기 위해 보정된 이환율
- 표준화 이환비(standardised morbidity ratio) : (연구 집단에서) 관찰된 표준화 이환율 대 (표준 인구에서) 예측된 표준화 이환율의 비

유병률(Prevalence)

시점 유병률(point prevalence) : 주어진 특정한 시점에서 해당 질병을 가지고 있는 인구의 비율(그림 21)

$$시점\ 유병률 = \frac{주어진\ 특정한\ 시점에\ 해당\ 질병을\ 가지고\ 있는\ 인구\ 수}{같은\ 시간에\ 집단의\ 인구\ 수}$$

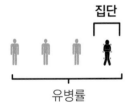

그림 21. 유병률

발생률과 유병률은 다음 공식에 의해서 연관되어진다.

어느 시점에서의 유병률 = 발생율 × 해당 질병의 평균 기간

유병율은 단지 질병에 대해서 뿐만 아니라 다른 인자들(예를 들면 위험 인자)에 대해서도 유병율을 계산할 수 있다. **읽을거리 33 참조**

기간 유병률(period prevalence) : 어떠한 기간동안 해당 질병을 가지고 있는 인구의 비율(예를 들면 연간 유병률)

$$기간\ 유병률 = \frac{일정\ 기간\ 동안\ 질병을\ 가지고\ 있거나\ 새롭게\ 발병한\ 환자의\ 수}{같은\ 기간동안\ 집단의\ 인구\ 수}$$

평생 유병률(lifetime prevalence) : 주어진 기간동안 질병을 이미 앓았거나 질병이 있는 인구의 비율

읽을 거리 30

Linard ATS et al. Epidemiology of bee stings in Campina Grande, Paraiba state, Northeastern Brazil. Journal of Venomous Animals and Toxins including Tropical Disease 2014;20:13로부터 발췌

이 연구는 브라질의 Campina Grande에서 2007년부터 2012년까지 벌에 쏘인 환자들의 기록을 분석한 연구이다.

2007년 1월에서 2012년 12월까지 Campina Grande시에서 총 459명의 벌에 쏘인 환자가 등록이 되었다. 평균 발생율은 2007년에 10만 명당 28명이었고, 2008년에는 10만 명당 27명, 2009년에는 10만 명당 24명, 2010년에는 10만 명당 10명, 2011년에는 10만 명당 13명, 2012년에는 10만 명당 14명이었다. 벌에 쏘인 환자는 매년마다 모든 달에 등록이 되었으며, 특히 3사분기에 발생율이 높았다.

해설 : 발생률 자료의 예이다. 연구자들은 매년마다 새로운 벌에 쏘인 환자의 수를 10만 명당으로 계산하여 제시하고 있다.

읽을 거리 31

Rous T et al. Epidemiology of breast cancer in French Guiana 2003-2006. Springer plus 2013;2:471로부터 발췌

2003년에서 2006년 까지 French Guiana의 암 등록자료에서 얻어진 자료를 바탕으로 하였다. 유방암의 발생률과 사망률이 연구자들에 의해서 측정되었다.

2003년에서 2006년에 147건의 새로운 유방암 환자가 발생하였다. 조 발생률(crude incidence)은 여성 10만 명당 36.7이었고, 표준화 발생률은 여성 10만 명당 47.1명이었다. 유방암에 의한 조 사망률은 여성 10만 명당 8명이었다. 표준화 사망률은 여성 10만 명당. 11.0명이었다.

해설 : 조(crude) 그리고 나이-표준화(age-standardised) 발생률과 사망률의 예이다. 나이- 표준화 사망률은 표본집단에서 나이의 구조를 고려하여 계산된다. 이것은 여성 10만명당 사망한 유방암 환자의 수이며 표본집단의 나이의 구조가 표준 인구와 같아 표본집단의 연령별 사망률이 적용된 것이다.

읽을 거리 32

Heijink et al, measuring and explain Dutch hospitals; Hospital Standardized Mortality Rate between 2003 and 2005. BMC health service research 2008;8:73로부터 발췌

병원 질을 평가하고 향상시키기 위해 병원 표준화 사망률(HSMR) 같은 병원 질 지표가 점점 더 많이 사용되고 있다. 이 연구의 목적은 네덜란드의 새로운 HSMR의 변화를 평가하고 설명하는 것이다.

2003년에서 2005년 사이에 총 병원 내 사망자의 수는 감소하였다. 매 해에 걸쳐서 가장 높은HSMR의 병원은 평균 HSMR보다 1.5배 그리고 가장 낮은 HSMR보다 2배 가까이 높게 기록되었다.

	2003	2004	2005
총 사망	34391	32408	31808
HSMR 평균(모든 병원)	100	90	83
HSMR 평균(7개 대학병원)	117	103	94
HSMR(최소-최대)	74-151	62-140	57-120

2003에서 2005년 사이의 HSMR(평균 2003=100)

해설 : 2003년에서 2005년 사이의 HSMR를 나타내는 표이다. 최소-최대 HSMR의 열은 병원간의 상당한 차이가 있음을 보여준다. 7개 대학병원에서 비교적 높은 HSMR을 보였으며, 연구자들은 이것을 양질의 고위험 시술과 낮은 의료의 질 또는 부적절한 질병 구성의 조정에 의한 것으로 보았다.

읽을 거리 33

Epidemiology of smoking Malaysian adult male: prevalence and associated factors BMC public health 2013;13:8로부터 발췌

연구자들은 국가 조사에 의해서 얻어진 자료에서 말레이시아 흡연의 유병률을 서술하였다.

15639명의 인터뷰 응답자 중 총 7113명이 현재 흡연자였다(46.4%), 흡연의 유병률은 나이에 따라서 감소하였으며 21-30세에서는 59.3%, 31-40세는 56.8%, 41-50세는 48.5%, 61세 이상은 35.0%였다. 교육 수준이 높을수록(31.4%), 매달 수입(최소 3000RM)이 높을수록(39.2%), 전문직일수록(32.3%) 흡연자가 적었다. 흡연율은 말레이시아인(55.9%), 다른 토착 민족(53.8%), 중국인(36.0%) 및 인도인(35.0%)에서 높았다.

자료는 양적 또는 질적 자료 중에 하나로 분류된다.

질적 자료
질적 자료는 범주형 자료(categorical) 또는 **불가산 자료(non-numerical)**라고도 한다.
질적 자료의 예;

- 성별 : 남자, 여자
- 결혼상태 : 미혼, 기혼, 이혼, 사별
- 색깔 : 적색, 황색, 청색, 은색, 녹색
- 결과 : 치료됨, 치료되지 않음

만약 범주형 자료에 두 개의 속성만이 있다면 **이분형 자료(binary data)**라고 한다. 세 개 이상의 범주가 있다면 **다범주형 자료(multi categorical data)**라고 한다.

양적 자료
양적 자료는 숫자로 표현될 수 있어 **수치(numerical) 자료**라고도 하며, 연속형 또는 이산형으로 나뉜다.
이산형 자료(discrete data)는 가능한 값들의 한정된 정수로 표현되며, 숫자들이 대표적인 예이다.

- 학교에서 매일 결석하는 학생 수 : 7,3,13,14,4
- 매일 의사를 보기위해 기다리는 시간 : 2,1,3,2,4,2,1

연속형 자료(continuous data)는 다양한 가능성이 있으며 소수점을 포함할 수 있다.

- 종양의 지름 : 1.23cm, 1.78cm, 2.25cm
- 환자의 체중 : 67.234kg, 89.935kg, 101.563kg

측정 도구 및 자료의 수집

자료를 측정하는 측정 도구는 모아질 자료의 유형을 결정한다.

- 재미있는 체중계 – 결과가 마른, 정상, 비만, 매우 비만으로 표시된다(질적 자료).
- 디지털 체중계 – 결과가 소수점 두 자리 kg로 표시된다(양적 연속형 자료).

양적 자료를 질적 자료로 변환

양적 자료는 분할점(cut-off point)을 이용하여 범주형 자료로 변환할 수 있다(표 6 참조). 예를 들어 생물학적인 측정 또는 평가 척도에 의한 결과가 종종 질병 있음/없음 또는 치료됨/치료되지 않음의 범주로 변환될 수 있다. 읽을거리 34와 35 참조

이것은 범주형 자료가 분류표를 만들고 분석하기가 쉽기 때문이다. 하지만 이러한 변환은 몇몇의 자료가 버려지고 통계적인 차이를 얻기가 더 어려울 수 있음을 의미한다. 또한 양측의 분할점 주변에 있는 두 개체가 매우 다른 정도의 위험도로 해석될 수도 있다.

혈압(양적자료)		혈압(범주형자료)
80/30 mmHg		저혈압
120/70 mmHg		정상혈압
145/85 mmHg		정상혈압
160/85 mmHg	⇨	정상혈압
150/100 mmHg		고혈압
165/105 mmHg		고혈압

표 6. 양적 자료를 질적 자료로 전환

읽을 거리 34

Association and predictive value analysis for metabolic syndrome on systolic and diastolic heart failure in high-risk patterns, BMC Cardiovascular Disorders 2014;14:124로부터 발췌

이 연구의 목적은 대사증후군과 심부전의 상관관계를 조사하는 것이다.

우리는 347명의 환자를 등록시켰다. 수축기 혈압과 이완기 혈압은 앉은 자세에서 좌측 팔에서 두 명의 의사가 측정한 값의 평균이다. 고혈압은 140/90 이상일 때로 정의하였으며 환자는 현재 고혈압약을 먹고 있을 수도 있다.

해설 : 혈압은 양적 자료지만 분할점(140/90 mmHg)을 기준으로 하여 질적 자료로 변환되었다(고혈압/비고혈압).

읽을 거리 35

Kajeepeta S, et al. Sleep duration, vital exhaustion, and odds of spontaneous preterm birth: a case-control study. BMC Pregnancy and Childbirth 2014;14:337.로부터 발췌

연구자들은 산모의 수면 시간과 임신 첫 6개월과 조산에서 탈진(vital exhaustion)과의 상관관계를 연구하고자 하였다.

임신 초기 탈진에 관한 보고는 설문 조사로 확인하였다. 임신 첫 6개월 동안 당신은 얼마나 탈진을 느꼈습니까? (운동 후를 제외하고) 답변의 선택은 다음과 같다. (1) 전혀, (2) 한 달에 한번, (3) 한 달에 2-3번, (4) 한 달에 4번, (5) 매 주마다, (6) 매 일. 다변량 분석을 위해서 우리는 답변을 "전혀"와 "한 번이라도"의 이분형 자료로 나누었다.

해설 : 통계 분석을 목적으로, 연구자들은 탈진을 느끼는지에 대한 답변을 두 개의 범주로 나누었다.

변수의 값을 매길 때에는 측정 척도를 이용하게 된다. 4가지의 측정 척도가 있으며 아래에 복잡함의 순서대로 나열되어 있다. 측정 척도는 자료를 분석하는데 사용되는 통계의 종류를 결정한다.

명목척도(nominal scales)
서로 간에 순위도 없고 수학적인 관계도 가지지 않는 범주로 구분된다(그림 22). 명목 척도는 대상을 간단하게 분류하는 것과 같다.
- 성별 : 남자, 여자
- 결혼상태 : 미혼, 기혼, 이혼, 사별

그림 22. 명목 척도는 순위가 없다.

순위척도 (ordinal scales)
순위 척도는 고유 순서 또는 등급을 가지는 범주로 구분된다(그림 23). 범주는 수치값으로 주어지지 않아 범주 간의 차이는 의미가 없다.
- 사회 계층 : I, II, III, IV
- 병의 중증도 : 경증, 중등도, 중증,

그림 23. 순위 척도는 범주에 순위가 있다.

간격척도(interval scales)

간격척도는 의미 있는 방법으로 체계화되는데, 척도 간에 같은 숫자 간격으로 차이가 있다. 간격척도는 특별히 시작점이 있는 것은 아니다. 즉, 0이라고 해서 특별한 의미가 있는 것은 아니다.

- 섭씨 온도가 간격척도의 예이다. 0도는 온도가 없다는 것을 의미하지는 않으며 영하 또한 마찬가지이다. 0도와 40도가 다른 만큼 40도와 80도가 다르긴 하지만 0도에서 시작하는 것이 아니기 때문에 80도라는 것이 40도의 두 배의 온도를 의미하지는 않는다.

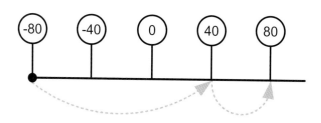

그림 24. 간격척도는 0에서 시작하지는 않는다.

비 척도(ratio scales)

비 척도는 간격척도와 비슷하지만 실제로 0이라는 값이 존재한다. 0 이하에는 어떠한 값도 없다.

켈빈온도(Kelvin temperature)가 비 척도의 한 예이다. 0K는 모든 물리적 열 운동이 멈추는 온도가 없는 상태를 의미하며 80K가 40K가 다른 만큼 40K와 0K가 다르고, 80K는 40K의 두 배의 온도이다.

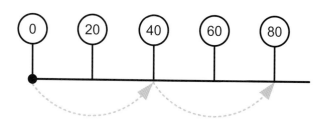

그림 25. 비 척도는 0에서 시작한다.

척도의 사용

질적 자료는 명목척도 또는 순위척도로 측정되며, 양적 자료는 간격척도나 비 척도로 측정된다.

명목과 순위척도는 비모수 통계법으로 분석될 수 있으며, 간격 및 비척도는 모수 통계법을 이용하여 분석될 수 있다.

	명목	순위	간격	비
차이	예	예	예	예
차이의 방향성		예	예	예
차이의 크기			예	예
절대영점 존재				예

표 7. 측정 척도들. http://www.webster.edu/~woolflm/statwhatis.html 참조

자료를 모은 후, 정보를 체계화하고 요약한다. 이로서 어떠한 패턴 또는 경향이 나타나게 되고 이것은 자료에 대한 통계적 분석을 결정하는 데 도움을 준다.

확률 분포(probability distribution)는 모든 무작위 변수의 값을 그 값이 일어날 수 있는 확률과 연관 시킨 것이다.

- 동전을 한 번 던질 때 결과는 앞면 또는 뒷면이다. 앞면이 안 나올 확률은 0.5이며, 앞 면이 나올 확률도 0.5이다. 이 정보를 확률 분포를 표현한 표로 나타내면 다음과 같다.

앞면의 수	확률
0	0.5
1	0.5

- 동전이 두 번 던질 때, 각 회마다 동전의 결과는 앞면 또는 뒷면이다. 앞면이 한 번도 안 나올 확률은 0.25이고, 한 번 나올 확률은 0.5이다. 앞 면이 두 번 나올 확률은 0.25이다. 이것을 확률 분포를 나타내는 표로 만들면 다음과 같다.

앞면의 수	확률
0	0.25
1	0.5
2	0.25

각 무작위 변수가 이산형인지 연속형인지에 따라 확률 분포 또한 이산형 또

는 연속형이 된다.

동전을 던지는 것은 **이산확률분포(discrete probability distribution)**에 해당한다. 앞면의 숫자는 정수로 얻어지게 되며 1.3의 앞면을 얻을 수는 없다. 이산형 확률 분포는 표 형태로서 제시할 수 있다. 각 표의 열은 변수에서 하나의 이산형 값과 함께 제시된다.

연속 변수는 **연속확률분포(continuous probability distribution)**를 생성한다. 이러한 종류의 분포는 그래프나 방정식 또는 공식으로 잘 표현된다. 다음은 고려해야하는 세 가지의 흔한 확률 분포이다.

- 이항(Binomial) (이산형)
- 포아송(Poisson) (이산형)
- 정규(Normal) (연속형)

이항분포(Binomial distribution)

이항 실험(binomial experiment)에서는 무작위 변수가 가질 수 있는 결과는 두 개로 고정되어 있다. 각각의 확률은 같으며 서로 독립적이다. 하나의 결과가 다른 결과에 영향을 미치지 않는다.

이항 분포(binomial distribution)는 이항 무작위 변수의 확률 분포이다. 동전을 다섯 번 던졌을 때 동전의 앞면이 0번부터 5번 까지 나올 수 있는 확률을 계산하는 것이 이항 분포의 예이다.

베르누이 분포(Bernoulli distribution)은 이항 분포의 특수한 경우로서 두 개의 결과를 가지는 실험을 단 한 번만 시행하는 것이다. 동전을 한 번만 던져서 앞면의 수를 세는 것이 베르누이 분포의 예가 된다.

포아송 분포(Poisson distribution)

포아송 실험(Poisson experiment)에서는 두 개의 결과 값을 가질 수 있는 무작위 변수를 반복하여 측정하게 된다. 특정한 시간 또는 기간 동안에 일어나는 결과의 평균이 알려지게 된다. 몇 번을 시행하느냐는 정해져 있지 않다.

포아송 분포(Poisson distribution)는 포아송 실험에서 결과의 확률을 결정하는 데 사용된다. 예를 들면, 산과 병동에서 평균적으로 매일 다섯 명의 아기가 태어난다고 가정했을 때, 내일 6명이 태어날 확률을 측정하거나, 내일 세 명 이하의 아이가 태어날 확률을 측정하는 데 사용된다.

정규분포(Normal distribution)

정규확률분포는 **연속적인** 변수의 분포이다. 생물학적인 측정 대부분이 정규분포를 따르게 된다. 정규분포는 매우 편리한 수학적인 특성을 가지고 있다. 종 모양의 분포를 가지고 있으며, 평균값에서 서로 대칭을 이루고 있다. 이것은 평균이 중앙값과 최빈값과 같다는 것을 의미한다. 정규분포는 평균과 표준편차로 완벽하게 표현될 수 있다.

중심극한정리(Central limit theorem)

이 정리는 무작위 변수 값의 합이 충분히 클 경우에는 분포가 원래 변수의 확률 분포에 관계없이 정규분포에 가까워진다는 것을 의미한다. 이 정리는 정규분포를 이용하여 신뢰구간을 만들 수 있고 가설검정을 할 수 있게 한다. 또한 단일 표본에서 표준오차를 가늠할 수 있게 한다(151쪽 참조).

참고 범위(reference ranges)

대부분의 정상인에서 얻어진 변수 값들이 속하는 구간 또는 범위를 의미한다. 정규분포는 고유의 특성으로 인해 참고범위를 계산하는 데 상당히 유용하다.

범주형 자료(최빈값, 빈도)

최빈값(mode)은 가장 흔한 값이다.

단봉형 분포(unimodal distribution)은 하나의 정점을 갖는다(그림 26).

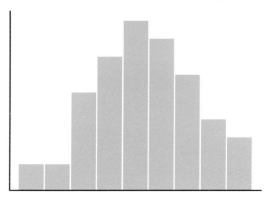

그림 26. 단봉형 분포

쌍봉형 분포(bimodal distribution)은 두 개의 정점을 갖는다. 이러한 분포는 두 종류의 자료가 혼합되어 졌을 때 나타날 수 있다.

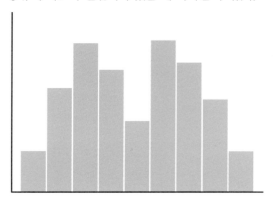

그림 27. 쌍봉형 분포

다봉형 분포(multimodal distribution)은 3개 이상의 정점이 있는 경우이다

빈도(Frequency)는 각 범주에서 보여지는 값의 개수이다. 예를 들어 130쪽의 표 6에서 최빈값은 정상혈압이고, 빈도는 다음과 같다.

- 저혈압(1번 관찰)
- 정상혈압(3번 관찰)
- 고혈압(2번 관찰)

각 범주에서 빈도를 단순히 절대 수치로만 제시하는 것보다 비율로 표현하는 것이 보다 효율적이다. 예를 들어 '50%가 정상혈압이다'라고 표현하는 것이 '3명이 정상혈압으로 관찰되었다.'라고 하는 것보다 유용하다. 이상적으로 절대 수치가 통계적 분석에 필요하기 때문에 절대 수치와 비율이 같이 제시되어야 한다. 읽을거리 36 참조

읽을 거리 36

Citywide trauma experience in Mwanza, Tanzania: a need for urgent intervention. Journal of Trauma Management and outcome 2013;7:9로부터 발췌

탄자니아에서 외상치료를 연구하는 전향적 기술연구

연구가 진행되는 동안 총 5672명의 외상환자가 등록되었다. 총 3952명의 남자(69.7%)와 1720명의 여자(30.3%) 환자였고 남녀비는 2.3:1이었다. 나이는 2개월에서 76세까지 였으며, 중간값은 28세였다. 최빈 나이군은 21-30세 였으며 약 52.6%의 환자가 속해 있었다.

해설 : 최빈값을 사용한 예이다. 외상환자에서 가장 흔한 나이 범주는 21-30세였으며 빈도는 52.6% 였다.

정규 분포된 자료(평균, 표준편차)

정규 분포는 '**가우스 분포(Gaussian distribution)**'로 알려져 있으며, 그림 28 처럼 완벽한 대칭에 종 모양의 곡선이다. 변수는 X-축에 있고, 각기 다른 변 수들의 빈도는 Y-축에 있다. X-축의 가운데에있는 변수는 가장 흔하게 일 어난다. X-축에서 양극에 있는 변수는 잘 일어나지 않는다.

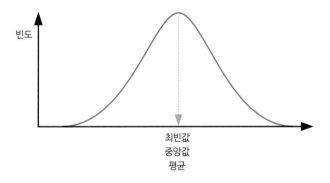

그림 28. 정규분포

평균(mean): 모든 값의 총합을 값의 갯수로 나눈 값이다.

$$평균 = \frac{모든\ 값의\ 총합}{값의\ 개수}$$

$$x = \frac{\sum x}{n}$$

평균값은 모든 자료에서 사용되며 계산하기도 쉽다. 하지만 이상분포 자료에 서 신뢰성이 떨어지고 해석이 어려울 수 있다.

평균은 **산술평균(arithmetic mean)**으로도 불린다.

완벽한 정규 분포에서는 평균값, 중앙값, 최빈값이 모두 같은 값을 가지며 분포의 중앙에 위치하게 된다.

가중평균(weighted mean) : 변수의 특정 값이 다른 값들보다 중요한 상황에서 각 값들의 상대적인 중요성을 고려하여 각각의 값에 가중치를 반영할 수 있다. 만약 모든 값들의 가중치가 동일하다면, 가중평균은 산술평균과 동일하다.

분산(variance) : 평균을 기준으로 값들의 퍼짐 정도를 나타내는 것이다. 이것은 평균을 기준으로 관찰된 각 측정치들까지의 거리에 대한 평균과 같다. 분산은 평균과 각 값의 차이를 제곱하여 모두 더한 후 값의 개수에서 1(자유도)을 뺀 값으로 나눈 것을 말한다.

$$\text{variance (v)} = \frac{\Sigma(x - \bar{x})^2}{n - 1}$$

표준편차(Standard Deviation, SD) : 평균에서 자료가 퍼져 있는 정도 즉, 벗어난 정도를 나타내는 통계적인 측정값이다. 이것은 정밀도를 나타내며 관찰값과 같은 단위를 갖는다.

표준편차는 분산에 제곱근을 씌워서 계산된다.

$$\text{standard deviation} = \sqrt{v} = \sqrt{\frac{\Sigma(x - \bar{x})^2}{n - 1}}$$

정규분포에서 종 모양의 퍼짐 정도는 표준편차에 따라 달라진다. 정규분포 자료의 특성상 평균과 표준편차만 알면 관찰 값들이 어떤 비율로 분포하는지 계산할 수 있다.

만약 관찰 값이 정규분포를 따른다면 표준편차가 관찰 값의 퍼짐 정도를 알

수 있는 유용한 척도가 된다.

- 평균을 포함한 좌우 1SD 범위는 관찰 값의 68%를 포함한다.
- 평균을 포함한 좌우 2SD(실제 1.96) 범위는 관찰값의 95%를 포함 한다.
- 평균을 포함한 좌우 3SD(실제 2.58) 범위는 관찰값의 99.7%를 포함한다.

읽을 거리 37 참조

표준 편차가 클수록 평균에서 관찰값의 퍼짐 정도는 커진다.

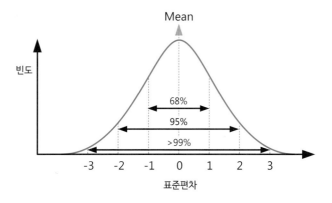

그림 29. 1SD, 2SD, 3SD를 나타내는 정규분포 곡선

Z값(z score) : 관찰값이 평균에서 얼마나 떨어져 있는지 표준편차의 수로 나타낸 것이다. Z값은 관찰값에서 평균을 빼고 이 차이를 표준 편차로 나는 것을 말한다. 이것은 무한한 값이다. 예를 들어 Z값이 1.2라고 하면 자료값과 평균의 차이가 해당 집단의 표준편차의 1.2배라는 것을 뜻한다. 그 값이 음수일 경우 자료값이 평균보다 적다는 것을 의미한다. 읽을거리 38 참조

변동계수(coefficient of variation) : 서로 다른 측정단위를 사용하여 직접 비교하기 어려운 연구들을 비교하기 위해 사용된다. 이것은 측정단위와 무

관하게 퍼짐의 정도를 표현하는 것이다. 변동계수는 표준편차와 평균의 비로, %로 표현한다.

$$변동계수 = \frac{표준편차}{평균} \times 100$$

표준정규분포(standard normal distribution) : 특수한 정규 분포로 평균은 0, 분산은 1로 정규분포곡선 아래 면적도 1인 경우이다. 정규분포는 표준 정규분포로 바꿀 수 있다. 이런 변환을 통해서 서로 다른 평균을 가지는 분포를 동일한 척도로 표현하므로 서로 비교가 가능하다.

효과크기(effect size)

효과크기는 다양한 결과 측정이 이루어진 연구들의 결과를 비교하는 데 사용된다. 아래의 공식을 통해 각 연구의 효과크기를 계산한다.

$$효과크기 = \frac{실험군\ 평균\ -\ 대조군\ 평균}{대조군의\ 표준편차\ 또는\ 두\ 군의\ 합동표준편차}$$

이것은 **표준화평균차이(standardized mean difference)**라고도 알려져 있으며, 효과 크기가 클수록 중재의 영향이 크다.

분포가 정상이라는 것을 보여주기

정규분포를 이루는 자료에서만 사용되는 어떠한 통계적 방법이 필요할 경우가 있다. 이런 경우 분포가 정상이라는 것을 여러가지 방법으로 보여줄 수있다.

- 육안검사 : 만약에 자료가 그래프로 그려져 있다면, 보기에 종모양의 분포를 할 것이다.
- 중심극한정리에 의하면 고유 변수의 분포 확률이 어찌되었 건 간에, 많은 수의 임의 변수의 전체 합은 정규분포를 이룬다. 그러므로, 표본

크기가 클수록 정규분포의 가능성이 높다.

- 기본 통계검정 : 완벽한 정규분포에서는 최빈값, 중앙값, 평균은 같다.
- 고급 통계검정 : Shapiro–Wilk 검정, Anderson–Darling 검사, Kolmogorov–Smirnov (K–S) 검사, Lilliefors corrected K–S 검사, Cramer–von Mises 검사, D'Agostino skewness 검사, Anscombe–Glynn kurtosis 검사, D'Agostino–Pearson omnibus 검사, Jarque–Bera 검사. 이 검사들은 표본의 점수를 정규분포의 점수와 평균 표준편차에 대해서 비교한다. '표본의 분포는 정규분포이다'가 귀무가설이다. 만약에 검사가 통계학적으로 유의하면 정규분포가 아니다.[1]

읽을 거리 37

Heron N, Cupples ME. The health profile of football/soccer players in Northern Ireland – a review of the UEFA pre-participation medical screening procedure. BMC Sports Science. Medicine and Rehabilitation 2014;6:5로부터 발췌

이 연구는 북아일랜드 축구선수가 UEFA에 참여 전 선별검사로서 기술된 건강 프로필을 리뷰한 것이다.

모두 89건의 참여 전 선별검사가 47명(골키퍼 6명, 수비스 11명, 미드필더 22명, 공격수 8명)의 선수에게 이루어졌다. 평균 나이는 25세(SD 4.86)였다. 선별검사 전 선수들은 한 시즌에 평균 38경기를 뛰었다. 24명의 선수가 왼발잡이 였고 양발잡이는 없었다.

선수 측정치	평균(표준편차)
나이(살)	25.0(4.09)
신장(cm)	179.3(5.9)
몸무게(kg)	77.6(10.5)
BMI(kg/m²)	24.1(2.5)
수축기 혈압(mmHg)	122.5(7.1)
이완기 혈압(mmHg)	77.7(6.9)
전 시즌에 경기 횟수	38(11.3)

해설 : 선수 측정치들은 표에 평균과 표준편차로 주어졌으며, 평균 주변으로 얼마나 넓게 퍼져있는가를 보여준다.

---

1) Ghasemi A, Zahedias S. Normality tests for statistical analysis: a guide for non-statisticians. International Journal of Endocrinology and Metabolism 2012;10(2):486-89.

읽을거리 38

Kelly GA, et al. Reduction in BMI z-score and improvement in cardiometabolic risk factors in obese children and adolescents. The Oslo Adiposity Intervention Study – a hospital/public health nurse combined treatment. BMC Pediatrics 2011;11:47.로부터 발췌

연구자들은 병원/공공 병합 건강 간호모델로 치료된 과체중 및 비만 아이와 청소년을 대상으로 심대사(cardiometabolic)의 위험인자의 향상과 연관된 BMI의 Z값 감소를 연구하였다.

230명(75%)이 이 연구에 포함되었다. 전체적으로 평균(표준편차) BMI z값은 2.18(0.30)에서 2.05(0.39)로 감소하였다(p < 0.001).

해설 : z 값은 사용한 예이다. 평균 BMI는 평균 이상의 2.18 표준편차에서 평균 이상의 2.05 표준편차로 변화하였다.

비정규분포 자료(중앙값, 범위, 사분위수 범위)

그림 30에서처럼 비정규분포 자료에서 자료 값들은 비대칭적으로 분포된다. 비정규분포 자료는 중앙값과 사분위수(범위)로 요약된다.

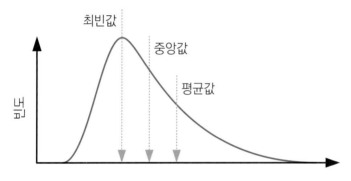

그림 30. 비정규분포 – 양으로 치우침

중앙값(Median) : 'middle' 을 의미하는 라틴어에서 유래된 말로 순서대로 배열한 관찰값들 중 가운데에 있는 값을 말한다. 만약 관찰된 자료값이 짝수일 경우 중앙의 양쪽에 놓인 두 값의 평균값을 중앙값으로 결정한다(표 8).

중앙값의 장점은 외딴값(outlier)을 가진 자료에 대해서도 신뢰성을 가질 수 있다는 점이다. 즉, 평균값과는 달리 분포에서 많이 벗어난 관찰값들에 영향을 받지 않는다. 그러나 중앙값의 단점은 중앙값의 결정에 모든 자료를 사용하지 않는다는 것이다. 읽을거리 39 참조

기하학적 평균(Geometric mean) : 자료가 양성으로 치우쳐 분포된 경우 사용된다. 분포 내에서 각 값들은 지수로 하는 로그 함수로 계산되고, 이 결과

로 로그 정규분포(log normal distribution)를 나타낸다. 주어진 평균값은 지수변환을 통해서 산술 평균으로 계산되고 변환한다. 만약 로그 자료의 분포가 좌우 대칭적이면 기하 평균은 중앙값에 근사하고 원자료의 평균보다는 작은 값을 갖게 된다.

범위(Range) : 자료값 중에서 가장 작은 값과 가장 큰값의 차이를 말한다. 이것은 분포가 왜곡된 자료에서 유용하지만 외딴값(outlier)들에 의해 영향을 받는다.

자료원	중앙값	범위
1, 2, 3, 3, 5	3	5 - 1 = 4
1, 2, 3, 3, 5, 7, 8, 10	(3 + 5 / 2) = 4	10 - 1 = 9

표 8. 중앙값과 범위의 예

사분위수 범위(interquartile range) : 이것은 분포된 자료중 중간 50%의 퍼짐에 중점을 두는 '작은' 범위이다. 이것은 보통 자료의 중앙값과 같이 보고된다.

모든 자료를 값에 상관없이 순서대로 나열한 후 4등분한다. 분포의 25%, 50%, 75% 지점을 표시한다. 이들은 분위수라고 하며, 두번째 분위수는 중앙값이다. 사분위수 범위는 첫번째 사분위수와 세번째 사분위수 사이를 말한다(그림 31).

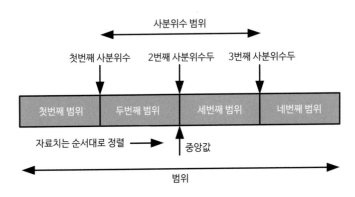

그림 31. 범위와 사분위수의 비교

범위와 달리 사분위수 범위는 외딴값에 영향을 받지 않고 비교적 쉽게 계산할 수 있다. 그러나 사분위수 범위는 모든 자료를 포함하지는 않는다.

만약 자료를 4등분 할 수 없다면, 먼저 중앙값을 구하고 중앙값과 범위의 양쪽 말단 값의 중앙에 있는 값을 구해 각각 첫 번째 사분위수와 세 번째 사분위수를 구한다.

백분위수(Percentiles or centiles) : 자료를 100등분하는 것을 말한다. 이것은 자주 임상 측정 치의 정상 범위를 표현할 때 사용한다.
- 값들의 10%는 10번째 백분위수에 위치한다.
- 값들의 20%는 20번째 백분위수에 위치한다.
- 값들의 50%는 50번째 백분위수(중앙값)에 위치한다.

분포모양의 평가(Measures of Shape)
왜도(skewness) : 히스토그램이나 산포도를 보면 명확히 알 수 있다.
왜도 계수(coefficient of skewness) : 자료 분포의 대칭을 측정한 것이다.
첨도 계수(coefficient of kurtosis) : 분포의 뾰족함을 측정한 것이다.
양성 왜곡분포(positively skewed distribution) : 분포곡선의 꼬리가 오른쪽으로 길어진, 양성 왜도 계수를 가지는 분포형태를 의미한다. 평균은 중앙값보다 크고 중앙값은 최빈값보다 크다(그림 30).

음성 왜곡분포(negatively skewed distribution) : 분포곡선의 꼬리가 왼쪽으로 길어진, 음성 왜도 계수를 가지는 분포형태를 의미한다. 평균은 중앙값보다 작고, 중앙값은 최빈값보다 작다.

대칭 분포(symmetrical distribution) : 왜도 계수가 0을 나타낸다.

자료변환(Transforming data)

자료가 정규분포를 따르지 않더라도 통계적 검정을 할 수 있도록 자료를 변환할 수 있다. 예를 들어 분포가 왜곡된 자료는 정규분포로 변환할 수 있으며 곡선형 관계는 직선형 관계로 변환할 수 있다. 변환 방법의 예로써 자료에 로그, 역수와 제곱근 등을 적용할 수 있다.

읽을거리 39

Etter J-F. Electronic cigarettes: a survey of users. BMC Public Health 2010; 10: 231.로부터 발췌

이 연구의 목적은 전자 담배의 사용 현황, 사용 이유, 이 제품에 대한 사용자들의 의견을 수집하기 위함이다.

응답자들은 대체로 젊은 사람들이었다(중앙값 37세). 그리고 대부분(77%) 남자였다. 거의 대부분(63%)은 이전에 흡연력이 있고 비교적 최근에 금연을 한적이 있었다(금연 지속 시간 중앙값 : 100일). 응답자 대부분은 3개월보다 다소 긴 시간 동안 전자 담배를 이용해왔고 매일 175 모금(중앙값)을 전자담배로 흡연하였다. 16가지 다른 종류의 상품이 있으며 모두 니코틴을 주입하는데, 1단위당 니코틴 용량의 중앙값은 14mg 이었다.

해설 : 이 연구의 결과는 중앙값으로 제시되고 있다.

표본으로 부터 모집단 결과 추론하기(Inferring population results from samples)

연구자들은 표적집단을 대표하는 부분으로서, 표본집단에 대해 실험을 진행한다. 연구자가 진정으로 알고 싶은 것은 표적 집단의 결과이다. 그러나 전체 모집단을 연구에 참여 시키지 못한다면 표본집단에서 추출된 결과로부터 표적 집단의 결과를 추론하는 것이 유일한 방법이다.

표본집단에서의 결과를 표적 집단으로 일반화하기 위해서는 아래의 개념에 대한 이해가 필요하다.

- 중심극한정리(Central limit theorem)
- 표준 오차(Standard Error, SE)
- 신뢰구간(Confidence Interval, CI)

중심 극한정리(Central limit threorem)

연구자들이 어떤 표적 집단의 평균 키를 구하고자 한다고 가정해보자. 표적 집단에서 연구에 참여할 표본집단을 무작위로 선택하였다. 표본집단의 평균 키와 표준편차가 계산되었다.

만약 연구가 무작위로 새로운 표본집단을 추출해서 두 번째 표본집단을 구하게 되면 평균 키는 다른 사람으로 구성되어 있기 때문에 첫 번째 추출된 표본집단의 평균 키와 다르게 된다. 이런 연구가 여러 번 반복된다면 서로 다른 평균 키와 표준 편차가 나오게 될 것이다(표 9).

만약 이 표본평균들을 점으로 찍어서 그래프로 표현하면 중심극한정리에 따라 표본평균들의 분포도 정규 분포를 따르게 될 것이다(그림 32).

중심극한정리는 원래 변수들의 확률 분포에 상관없이 무작위 추출을 여러 번, 아주 많이 시행하여 총합(또는 평균)을 구하게 될 경우 그 분포는 정규

	평균키	표준편차
표본 1	1.65	0.12
표본 2	1.58	0.07
표본 3	1.63	0.10
표본 4	1.88	0.05
표본 5	1.59	0.09
표본 6	1.72	0.14
표본 7	1.63	0.08
표본 8	1.49	0.21

표 9 서로다른 표본으로 부터 얻은 표준키와 표준편차

분포에 가깝게 분포한다는 것을 의미한다. 그래서 표적집단내 키의 분포가 정규분포 또는 정규분포가 아니든 상관없이 표본이 아주 많아질 때까지 추출을 계속하게 되면 표본집단의 평균 키는 정규분포를 따르게 될 것이다.

평균의 표준 오차(Standard error of the mean, SE)
평균의 분포가 정규분포라면 그 분포는 정규분포가 가지는 특성을 가지게 될 것이다.
- 중심극한 정리에 따르면 충분한 수의 표본 추출을 시행하면 모든 표본평균의 평균은 모평균(u)과 같다(그림 32).
- 표본평균의 표준편차는 평균의 표준오차(standard error of the mean)라는 고유의 이름을 갖게 되며 표준오차(standard error, SE)로 줄여서 부른다(그림 32).

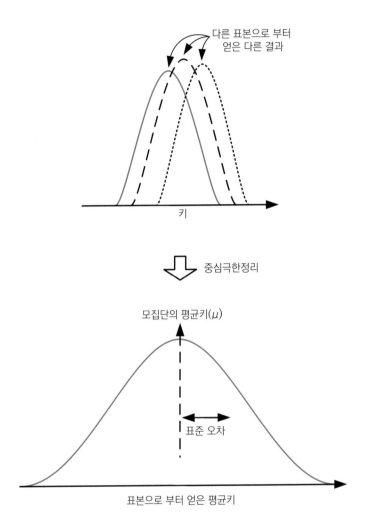

그림 32. 모집단 평균과 표준오차

95% 신뢰구간(95% confidence interval)

1단계

모든 정규분포에서 표본평균들의 95%는 모평균의 1.96 표준오차 위와 아래 사이에 놓여있다(그림 29).

표본평균은 모평균 ±1.96SE 범위 안에 95%의 신뢰수준으로 놓이게 된다.

2단계
위에 있는 공식은 모평균을 좌측으로 옮겨서 재배치할 수 있다.

모평균은 표본평균 ±1.96SE 범위 안에 95%의 신뢰수준으로 놓이게 된다.

이것은 그 시점에서 95%의 신뢰수준에서 모평균이 놓여 있는 예상 범위를 알려준다. 만약 우리가 표본평균과 그 평균의 표준오차를 알게 되면 이 범위를 계산해 낼 수 있다.

3단계
표본평균은 쉽게 계산할 수 있다.
그리고, 표준오차는 아래의 공식에 의해 계산할 수 있다.

$$\text{표준오차} = \frac{\text{모집단의 표준편차}}{\sqrt{\text{표본크기}}}$$

우리는 이런 가정을 할 수 있다. 만약 표본크기가 이 충분히 크다면 표본평균의 표준편차가 모집단의 표준편차와 유사하다는 가정이다. 그러면 표준오차를 다음 공식으로 변경할 수 있다.

$$\text{표준오차} = \frac{\text{표본집단의 표준편차}}{\sqrt{\text{표본크기}}}$$

4단계
이제 우리의 공식을 새로 업데이트 할 수 있다.

모평균은 표본평균 ±1.96 SD/√N 범위 안에 95%의 신뢰수준으로 놓이게 된다.

우리는 표본평균, 표본의 표준편차 그리고 표본크기의 제곱근을 계산함으로써 95% 신뢰수준에서 모평균이 놓이게 될 구간의 범위를 구할 수 있게 되었다.

이것은 95% 신뢰구간의 기원이다 – 이 범위는 모집단의 결과가 이 안에 놓일 가능성이 95% 라는 뜻이다. 신뢰구간은 표본의 결과값을 모집단에 인용할 때, 결과의 불확실한 정도를 보여주는 값의 구간범위이다.

꼭 95%일 필요는 없다. 신뢰 구간에 대한 일반적인 공식은 아래와 같다.

$$신뢰구간 = Z \frac{표준편차}{\sqrt{전체 개수}}$$

상수 z는 정규분포에서 특정한 백분율 값을 나타내는 표준편차에서의 수을 나타낸 것이다. 예를 들면 95%에서 z=1.96이다.

신뢰구간 이해하기

학교에 출석한 500명 학생의 평균 키를 알고자 한다고 가정해 보자

- 만약 500명이 전부 우리의 표본이라면, 우리가 측정한 모든 결과값으로부터 평균 키를 정확히 계산할 수 있다고 100% 확신한다.
- 만약 499명이 우리의 표본이라면, 표본에서 계산된 평균 키가 모집단의 평균 키와 매우 유사하다는 사실은 여전히 신뢰할 수 있다. 500명 모든 학생의 정확한 평균 키보다 표본의 평균 키는 다소 크거나 작을 수 있지만 그 차이는 매우 적을 것이다.
- 만약 우리의 표본이 400명이라면, 계산된 평균 키가 모든 학생의 평균과 유사하다고 아주 확신할 수는 없지만 어느 정도 신뢰할 수 있다. 만

약 우리가 실제 평균이 어디에 있을지 범위를 추정한다면 우리가 계산한 양측 값의 범위가 비교적 좁다고 말할 수 있을 것이다.

- 만약 우리의 표본 단지 50명에 불과하다면, 우리가 측정한 결과에 대해 충분히 신뢰하지 못할 것이다. 만약 결과가 정확하다 할지라도 그 결과가 정확한지 알 수 없어 신뢰하지 못한다. 실제 평균 키가 있을 것이라고 생각되는 범위도 보다 넓어질 것이다.

연구자가 표본에서 결과를 나타낼 경우 범위 값인 신뢰구간(confidence interval)을 표현함으로써 결과값에 대한 연구자의 신뢰도를 표현할 수 있다. 관습적으로 95%의 신뢰 구간이 주어지면 이것은 95% 신뢰수준에서 모평균의 결과가 놓여있을 범위이다.

- 만약 표본의 평균키가 1.4m + 0.1m라고 주어지면 이것은 표본의 평균키는 1.4m라는 것을 의미한다. 95% 신뢰 구간이 +0.1m라는 것은 모집단 평균키의 참값이 95% 신뢰수준에서 1.3m와 1.5m 사이 어딘가 있다는 것을 말한다. 우리는 모집단 평균키의 참값은 모른다. 다만 참값이 놓여있을 만한 구간을 알 수 있는 것이다. 이것은 또한 2.5%의 신뢰구간에서 모집단의 평균키는 이 범위보다 아래에, 2.5%의 신뢰구간에서 이 범위보다 위에 놓여 있을 수 있음을 의미한다.
- 만약 표본의 평균 키가 1.4m + 0.2m이면 95% 신뢰 구간은 1.2m에서 1.6m이다.
- 만약 표본의 평균 키가 1.4m + 0.3m이면 95% 신뢰 구간은 1.1m에서 1.7m이다.

연구자의 표본 결과에 대한 신뢰도가 떨어지면 떨어질수록 신뢰구간은 점점 넓어지고 모집단에 대한 참값의 신뢰성도 떨어지게 된다. 신뢰 구간의 크기는 표본의 크기와 반비례한다. 표본의 크기가 적어질수록 신뢰구간도 넓어지고 그 결과에 대한 확신도 떨어지게 된다.

어떻게 신뢰구간이 주어질까?

신뢰 구간은 여러 다른 방법의 숫자로 표현될 수 있다.

플러스/마이너스의 명명법을 표본의 결과값에 표현

- 평균키는 1.4m + 0.1m

표본의 결과값에다가 처음 값과 끝값을 삽입어구로 표현.

- 평균키는 1.4m (1.3m, 1.5m) 또는 1.4m (1.3m−1.5m). 읽을거리 40 참조

오차막대(error bars)를 이용한 도표로 표현

- 그림 33의 두 가지 그래프에서 보이는 오차막대는 신뢰한계(confidence limits)를 표시해 준다. 읽을거리 41 참조

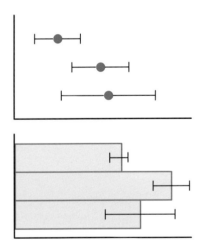

그림 33. 오차막대로 보여지는 신뢰구간

신뢰구간 해석하기(Interpreting confidence intervals)

신뢰구간은 모집단의 참값이 구간 안에 있다고 95% 신뢰할 수 있는 범위이다.

만약 어떤 연구에서 두 군 간에 표본 결과값에 절대적인 차이, 예를 들면 키

의 차이가 있다고 한다면, 이 값이 zero(0)가 되게 되면 이것은 효과가 전혀 없다는 뜻이다. 신뢰구간에서 zero(0)를 포함하면 그 결과는 통계적으로 의미가 없다.

• 두 군의 키의 차이가 3cm + 1cm. – 이것은 통계적으로 의미가 있다. 95%의 신뢰수준에서 모집단 내 키 차이의 참값은 2cm와 4cm에 사이에 있다는 의미로 두 군 간 차이가 있다는 뜻이다.

• 두 군의 차이가 3cm + 4cm. – 이것은 통계적으로 의미가 없다. 95%의 신뢰수준에서 모집단 내 키 차이의 참값은 –1cm와 7cm 사이에 있다. 이 결과는 zero(0)cm를 포함하게 되며 두 군 간에 차이는 없다는 뜻이다.

만약 어떤 연구에서 표본의 결과가 두 군 간의 비율로 나오게 될 때(예. 비교위험도, 오즈비) 1의 값을 포함하게 되면 효과가 없게 된다. 신뢰구간 안에 1을 포함하게 되면 그 결과 값은 통계적으로 의미가 없다.

• 비교위험도가 1.6(1.4, 1.7) – 이 결과는 통계적으로 의미가 있다. 95%의 신뢰수준에서 모집단의 비교위험도는 1.4 와 1.7 사이에 놓여있다. 즉 어느 한 군의 위험도가 다른 군에 비해 높다.

• 비교위험도가 1.6(0.6, 2.0) – 이 결과는 통계적으로 의미가 없다. 95% 신뢰수준에서 모집단의 비교위험도는 0.9와 2.0 사이에 놓여있다. 이것은 비교 위험도 1의 값을 포함하여 두 군 간에 차이가 없다는 것을 의미한다.

신뢰구간이 비교위험도나 오즈비와 같은 비(ratio)로 표현되는 경우는 일반적으로 비대칭이며 + 또는 – 형식을 사용하지는 않는다. 비대칭 신뢰구간의 경우 log 척도를 이용하여 대칭 신뢰구간으로 변환시킬 수 있다.

읽을거리 40

Turner C et al. Changes in the body weight of term infants, born in the tropics, during the first seven days of life. BMC Pediatrics 2013; 13: 93.로부터 발췌

이 분석의 목적은 개발도상국에서 모유 수유를 하는 신생아의 첫 1주일 동안 몸무게 변화를 분석하는 것이다.

모든 신생아에서 체중 감소 비율의 평균 최대값은 4.4%(95% CI = 4.1-4.6%)이다. 그리고 이것은 3일째에 발생했다. 저체중이 아닌 신생아에서 체중 감소 비율의 평균 최대값 4.5%(95% CI = 4.2-4.8%), 저체중아에서는 4.1%(95% CI = 3.5-4.7%) 이었다. 신생아는 3일과 4일째 사이에 체중이 불어나기 시작하였고 평균 13g/kg/day(95% CI= 9-17g/kg/day) 증가하였다. 체중 증가는 이후 7일째까지 지속된다.

해설 : 표본의 체중 변화는 모집단의 값을 추정할 수 있도록 95%의 신뢰구간으로 표현된다.

읽을거리 41

Abese SM et al. Diabetes mellitus in North West Ethiopia : A community based study. BMC Public Health 2014; 14: 97.로부터 발췌

이 연구는 북서부 이디오피아에서 도심과 시골에 거주하는 성인들의 당뇨 관련 위험도와 그 정도를 비교하는 데 목적을 두고 있다.

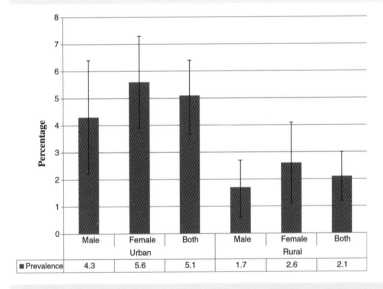

	Urban			Rural		
	Male	Female	Both	Male	Female	Both
■Prevalence	4.3	5.6	5.1	1.7	2.6	2.1

해설 : 이 그래프는 표본집단의 거주지(도심, 시골)와 성별에 따른 유병률의 차이를 95% 신뢰구간으로 보여주고 있다. 어느 항목의 모집단의 유병율 참값은 95% 신뢰수준으로 오차막대 안에 놓여 있다.

시나리오 19

윌슨 박사는 점심을 먹으면서 활기를 되찾았다. 그는 귀의 감염(ear infection)에 대한 치료 연구 결과를 읽었다. 500명의 소아에게는 새로운 항생제인 zapitillin을 사용하였고 이를 보통 처방되는 amoxicillin을 사용한 500명의 소아와 비교하였다. zapitillin군에서는 연구를 완수한 300명 중 240명의 환자가 호전되었으며(80%), amoxicillin군에서는 연구를 완수한 400명 중에 300명의 환자가 호전되었다(75%). 그는 동료에게 논문 사본 1부를 보내면서 zapitillin이 병원의 처방 지침의 일차−선택 항생제가 되어야 한다고 제안했다.

대부분의 연구에서 연구 참여자 중 일부는 연구 종료시점까지 연구를 완수하지 못하게 된다. 그러한 중도탈락(drop−out)에는 많은 이유가 있는데 사망이나 추적 소실(다른 지역으로 이사가거나 연락이 되지 않는 사람 등), 자발적으로 참여를 포기하거나 연구 지침에 따르지 않는 경우 등이 해당된다. 어떤 참여자들은 그들에게 제공된 치료를 받을 수 없는 경우도 있다.

이상적으로, 연구자들은 연구에 포함되어 연구를 시작한 모든 참여자들에 대해 설명해야 하고 연구를 완수하지 못한 숨은 이유에 대해서도 설명해야 한다. 이는 흐름도나 표로 제시되기도 한다. 그림 34에서 보여진 CONSORT 2010 흐름도는 많은 의학 저널들에 의해 채택된 경우[1] 이다. 흐름도는 연구에서 더해지는 숫자들을 확인하기 위해 주의깊게 검토되어야 한다.

---

1)   Schulz et al. CONSORT 2010 Statement: updated guidelines for reporting parallel group randomized trials. BMC Medicine 2010; 8: 18.

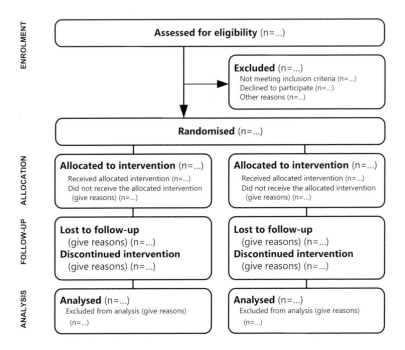

그림 34. CONSORT 2010 흐름도 - adapted from Schulz et al. BMC Medicine 2010; 8: 18

발생율, 유병율 그리고 성공률의 계산이 어떤 숫자가 사용되었는가에 따라 결과가 달라지기 때문에 연구 전반에 걸쳐 참가자의 흐름을 이해하는 것이 중요하다. 읽을거리 42 참조

계획서 순응 분석(Per-protocol (PP) analysis)

계획서 순응 또는 치료 분석(on-treatment analysis)은 프로토콜 대로 순응하여 연구를 마친 사람만을 분석대상으로 고려하는 방법이다(그림 35). 연구자들은 프로토콜을 따르지 않는, 예를 들면 지침에 순응하지 않거나, 배정군을 변경 또는 측정이 누락된 참여자들을 제외한다.[2] 읽을거리 42 참조

---

2) Gupta SK. Intention-to-treat concept: A review. Perspectives in Clinical Research 2011;2(3):109-12.

이러한 설명 방식은 치료 과정이 완료되면 결과가 어떻게 될지, 어떤 치료의 진정한 효과를 미리 보여준다는 장점이 있다. 단점으로는 분석에서 제외되는 참여자로 인하여 비뚤림이 발생할 수 있다는 점이 있다(손실 또는 제외 비뚤림). – 결과 및 결론이 잘못 도출될 수 있으며 중재의 주요 효과(예를 들면 수용 불가능한 부작용)를 놓칠 수 있다. 가끔 설명없이 제외되는 참여자는 좋은 결과를 보이지 못한 사람일 수 있다.

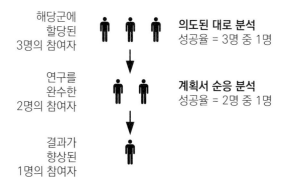

그림 35. 계획서 순응 분석(Per-protocol analysis) 대 의도된 대로 분석(intention to treat analysis)

의도된대로 분석(Intention-to-treat analysis)

의도된대로 분석(intention-to-treat analysis)에서는 참여자들이 연구의 종료 시점까지 연구를 완수했는지 아닌지 상관없이 각 군에 무작위 할당된 모든 연구 참여자들이 분석에 포함된다(그림 35).[3]

의도된대로 분석은 실용적 접근법(pragmatic approach)으로도 알려져 있다. 의도된대로 분석에 근거한 성공율은 실제 현실 결과를 반영하는 경향이 있다. 그 결과, 의도된대로 분석이 연구 분석방법으로 흔히 선택된다. 계획서 순응 분석이 연구에서 서로 다른 군간의 차이를 강화하는 경향이 있는 반

---

3) Gupta SK. Intention-to-treat concept: A review. Perspectives in Clinical Research 2011;2(3):109-12.

면에, 의도된대로 분석은 보다 보수적인 결과를 보여준다. 읽을거리 43 참조

의도된대로 분석을 이루기 위해 연구 설계 및 수행에서 여러 과정이 고려되어야 한다. 어떤 연구들에서는 시작부터 활동적인 치료전 준비 기간(run-in phase)을 도입하여 참여자 중 누가 중도 탈락할 것인지를 예측하는 데 도움을 받기도 한다. 연구중에는 지속적으로 모든 참가자들에게 임상적인 지원이 가능해야 한다. 높은 중도탈락율이 예상되는 연구에서는 중도탈락 사건 자체가 중요한 결과변수로 고려될 수도 있다.

결측치의 처리

의도된대로 분석을 이용하는 연구 중에 중도탈락이 발생하면 연구자는 이 참가자를 포함시킬지 어떻게 할지를 결정해야 한다. 운좋게 일부 자료가 중도 탈락 전에 모아졌을 수도 있지만 이들이 중도탈락 후 연구 종료 시점에 자료가 수집될 수도 있다. 이런 상황에서 결과는 대치될 수도 있다. 대치(imputation)는 자료분석을 진행할 수 있도록 결측치를 대체하는 것을 말한다. 대치는 여러 가지 방법을 이용할 수 있지만 어떤 것도 완벽하지는 않다.

- 최악의 상황 분석(Worst-case scenario analysis) : 중도탈락한 참가자는 치료실패, 가능한 최악의 결과를 보인 것으로 기록한다. 가장 신중하고 비관적인 분석이다. 이것은 그림 35의 가정으로 비록 참가자가 연구에서 탈락할 때까지는 호전되었다고 하더라도, 최종 결과가 계산될 때는 실패한 것으로 간주된다. 읽을거리 44 참조

- Hot deck 대치법(hot-deck imputation) : 측정이 완료된 유사한 참가자들의 값을 중도탈락된 사람들의 결측치를 입력하는 데 사용할 수 있다.[4]

---

4)   Andridge RR, Little RJA. A review of hot deck imputation for survey non-response. Int Stat Rev. 2010; 78(1): 40-64.

- 마지막 측정치로 결측지를 처리하는 방법(last observation carried forward, LOCF) : 중도탈락자의 마지막 측정치를 연구 종료시점으로 옮겨서 결과의 최종 분석에 포함시킨다. 읽을거리 45 참조
- 민감도 분석(sensitivity analysis) : 결측치를 대입하는 상황을 가정한다. 민감도 분석은 최선의 상황과 최악의 상황 등 여러가지 다른 시나리오의 가정하에 수행될 수도 있다. 최악의 상황 민감도 분석은 최선의 결과를 보여주는 군에 최악의 결과를 결측치로 대입하여 진행한다. 그리고 나서 이 결과를 결측치를 제외한 초기 분석과 비교한다.

중도탈락자가 더 이상 연구에 참여할 수 없는 이유가 어떤 방식이든 연구의 중재로 인한 것인지 아닌지에 대해 명확히 밝히는 것이 중요하다

LOCF의 위험성(The pitfalls of using LOCF)

'마지막 측정치로 결측치를 처리하는 방법(LOCF)'은 치료 효과를 과대평가 또는 과소평가 할 수 있다. 그림 36는 항우울제로 우울증 환자를 치료한 결과를 나타내는 그래프이다. 연구기간 동안 환자들의 우울증상이 점차 호전되어 연구 종료 시에 초기보다 덜 우울하게 되었다.

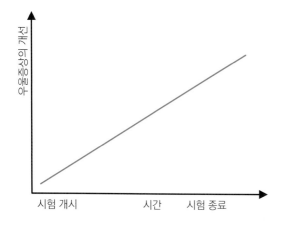

그림 36. 우울증 환자에서의 항우울제 치료 효과

만약 각기 다른 환자가 초기에 중도탈락하고 마지막 측정치로 결측치를 처리하는 방법을 사용되면 실제 연구를 완수한 참여자들에게서는 명확했던 항우울제의 실제 효과를 과소평가하는 결과를 낳을 수도 있다. 제2종 오류의 발생 위험이 증가된다(181쪽 참조).

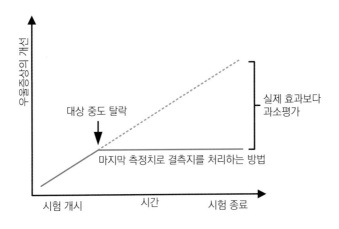

그림 37. **치료 효과의 과소평가**

정상적으로도 시간이 갈수록 악화되는 경우에서도 '마지막 측정치로 결측치를 처리하는 방법'을 사용하면 치료 효과의 과대평가가 발생할 수 있다. 그림 38은 치매약을 투여받는 치매환자의 간이정신상태검사(Mini-Mental State Examination; MMSE) 점수 결과이다. 연구기간 동안 치매는 진행될 것이고 치료하면 진행이 느려질 것이다.

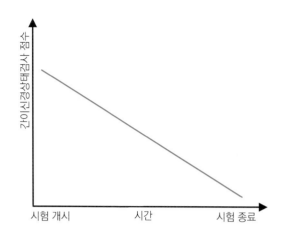

그림 38. 간이정신상태검사 점수의 감소

만약 각기 다른 환자가 초기 단계에서 중도탈락하게 되면 치매의 진행을 막는 치매약의 효과는 과대평가될 수도 있다(그림 39). 제1종 오류의 발생 위험이 증가하게 된다(180쪽 참조).

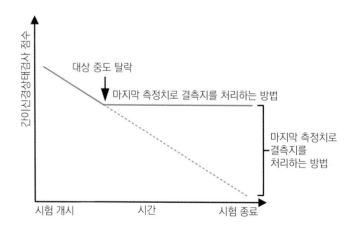

그림 39. 치료효과의 과대평가

읽을거리 42

Rusu E et al. Effects of lifestyle changes including specific dietary intervention and physical activity in the management of patients with chronic hepatitis C – a randomized trial. Nutrition Journal 2013; 12: 119.로부터 발췌

이 연구의 목적은 만성 C형 간염 환자들 중에서 정상 당질의 저칼로리 식이를 하는 사람과 저지방 식이를 하는 사람을 비교하는 것이다.

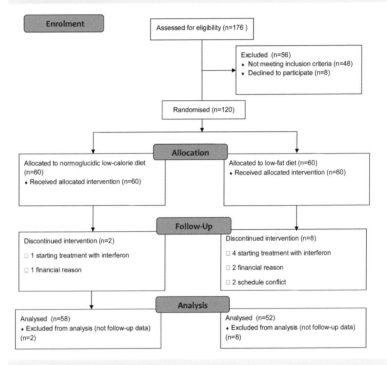

해설 : 이 CONSORT 흐름도 중 각각의 부문에서 분석에 포함된 환자수는 각 부문에 무작위 배정된 숫자보다는 적다. 연구 중 중도탈락된 환자는 분석되지 않았다-계획서 순응 분석의 예

읽을거리 43

Chen W-J et al. Employing crisis postcards with case management in Kaohsiung, Taiwan: 6-month outcomes of a randomised controlled trial for suicide attempters. BMC Psychiatry 2013; 13: 191.로부터 발췌

이 연구의 목적은 위기상황에서의 엽서(crisis postcards)를 이용하여 자살시도 환자의 사례 관리 효과를 평가하기 위함이었다. 엽서는 대처 방법에 대한 정보가 담겨있었다.

우리는 1,218명의 적합한 참여자를 선정하였고, 이들중 457명이 동의를 받는 데 실패하여 761명만 연구에 포함되었다-대조군 388명, 중재군 373명. 의도된대로 분석(ITT analysis)에서 위기상황에서의 엽서는 효과가 없는 것으로 나타났으나(HR=0.84; 95% CI=0.56-1.29), 계획서 순응 분석(per-protocol analysis)에서는 확실한 잇점이 있는 것으로 나타났다.(HR=0.39; 95% CI=0.21-0.72).

해설 : 이 읽을거리는 어떻게 성공율이 계산되는지 이해하는 것의 중요성을 설명하고 있다. 저자들이 다음과 같이 언급하였다. '비록 계획서 순응 분석을 적용했을 때 위기상황에서의 엽서(crisis postcard)가 확실한 잇점을 보여주었음에도 불구하고 의도된대로 분석에서 이 중재법이 자살시도 행위를 의미있게 감소시키지 못했다는 것이 연구의 일차 결과이다. 자살시도하지 않는 사람을 연구에서 제외하는 것은 편견을 불러올 수 있는데, 왜냐하면 치료에 순응하는 자살시도자는 치료의 효과 여부와 상관없이 더 좋은 결과를 가져올 경향이 있기 때문이다.'

읽을거리 44

Kramer JJAM et al. Effectiveness of a web-based self-help smoking cessation intervention: protocol of a randomised controlled trial. BMC Public Health 2009; 9: 32.로부터 발췌

이 연구의 목적은 StopSite라고 알려진, 금연을 위한 웹-기반의 대화형의 자조 프로그램을 온라인상의 가이드과 비교하여 그 효용성을 살펴보는 데에 있다. 두 중재방법은 모두 인지-행동 및 자가-조절 원칙에 근거하였으나 전자는 실행, 피드백, 일대일 대화방이나 사용자 포럼 같이 상호 지지와 경험 공유를 촉진할 수 있는 쌍방향성 특징을 제공한다.

우리는 모든 무작위 배정된 참가자 및 흡연자라서 후속 설문에 응답하지 않은 것으로 분류되는 사람들(최악의 상황 분석)을 대상으로 의도된대로 분석을 수행하였다. 이것은 비-응답자를 다루는 보존적인 방법이다.

해설 : 이 연구에서는 의도된대로 분석이 사용되었다. 연구를 완수하지 못한 참가자는-계속 흡연중이고 그래서 치료가 실패했다는-가능한 가장 나쁜 결과가 주어졌다.

읽을거리 45

Girlanda F et al. Effectiveness of lithium in subjects with treatment-resistant depression and suicide risk: results and lessons of an underpowered randomised clinical trials. BMC Research Notes 2014; 7: 731.로부터 발췌

연구자들은 리튬의 사용이 단극성 정동장애를 앓고 있는 성인에게 있어서 의도적인 자해의 위험성을 감소시키는 지를 조사하였다. 환자들은 초기 상태, 그리고 무작위 할당 이후에 12개월 추적이 완료될 때까지 매달 평가가 이루어졌다.

결측치가 발생하거나 추적기간에 소실된 환자도 일차 및 이차 결과 분석에 포함되었다. 우울 증상 점수의 결측치는 마지막 측정치로 결측지를 처리하는 방법(LOCF)을 사용하여 대치되었다: 우울 증상 점수는 12개월 추적평가 중에 측정이 가능했던 마지막 평가를 사용하였다. 더불어 각 부문의 환자는 항상 초기상태에 상응하는 치료군의 할당에 따라서 분석되었다.

해설 : 결측치를 대치하기 위한 마지막 측정치로 결측지를 처리하는 방법의 예. 추적 중 소실된 사람의 마지막 우울 증상 점수가 12개월 추적 평가 결과로 대치되었다.

시나리오 19 재검토

월슨 박사의 동료도 그 논문을 읽었지만 다른 결론을 내렸다. 그는 월슨에게 편지를 써서 '나는 연구자들이 내린 결론에 반대일세. 500명의 환자들이 각각의 치료군에 등록이 되었지만 결과는 양군에서 일어난 중도탈락을 고려하지 않았다는 것을 알아냈네. 의도된대로 분석에서는 amoxicillin군에서 500명 중에 300명이 개선된 더 좋은 결과를 보였으나(60%), 반대로 zapitillin군에서는 240명만이 호전되었다네(48%). 나는 소아들이 amoxicillin에 알러지가 있지 않는 한 zapitillin을 처방하지 않을 것이네. 하지만 논문에 관심을 갖게 해주어서 고맙네'라고 보냈다.

위험도(Risk) : 임상 연구에서는 위험도는 확률과 같은 의미가 있다. 위험도는 어떠한 일이 일어날 확률이다. 즉, 어떤 사건이 발생할 수 있는 횟수를 발생 가능한 모든 사건의 총 수로 나눈 값이다. P로 표시하며 0부터 1사이의 숫자나 백분율로 표현된다.

만약 6명 중에 1명이 아프게 되었다면, 아플 위험도는 1/6 = 0.167 = 16.7% 이다.

오즈(Odds) : 오즈는 가능성을 표현하는 다른 방법이다. 어떤 사건이 발생할 수 있는 횟수를 사건이 발생하지 않을 수 있는 횟수로 나눈 것이다. 이것은 비나 분율로 표현된다.

만약 6명 중에 1명이 아프게 되었다면, 아플 오즈는 1/5 = 0.2이다.

분할표(Contingency tables)

두 군 간의 위험도와 오즈를 비교할 때, 첫단계는 연구결과를 2×2 표로 알려진 분할표로 만드는 것이다(표 10). 분할표는 열과 행으로 구성되어 있다. 2×2 표 각 칸에 a, b, c, d가 존재하며 다른 칸에는 표를 이해하는 데 도움이 되도록 작성되어 있다.

분할표는 혼동을 일으키기도 하는데 왜냐하면 같은 정보를 표현하는 여러 가지 다른 방법이 있기 때문이다. 항상 일관된 방법으로 기술하는데 위험인자 또는 중재에 대한 노출을 행으로 놓고 결과 사건은 열에 표현하도록 한다. 실험군에서 '양성 노출'인 행은 항상 '음성 노출'인 대조군의 위에 위치하도록 한다. '결과 사건'은 항상 사망, 재발 또는 증상의 증가과 같은 최악의 결과를 의미한다.

		결과 사건		
		예	아니오	합계
노출	있음	a	b	a + b
	없음	c	d	c + d
합계		a + c	b + d	a + b + c + d

표 10. 일반적인 2 × 2 분할표

예 1 : 어떤 코호트 연구에서, 100명이 흡연에 노출되었고 75명은 그렇지 않았다. 연구 종료시점에서, 흡연군 중 27명에서 폐암이 발생하였으나 비흡연군에서는 단지 4명만이 폐암이 발생하였다.

2×2 표를 만드는 과정은 다음과 같다(표 11 참조).

- 행은 '흡연'(노출), 양성 또는 음성으로 표시된다.
- 열은 '암'(최악의 결과), 예 또는 아니오로 표시된다.
- 100명은 흡연에 노출되었기에, a + b = 100
- 75명은 흡연에 노출되지 않았기에, c + d = 75
- 흡연군에서 27명이 최악의 결과가 생겨서, a = 27
- 비흡연군에서는 4명이 최악의 결과가 생겨서, c = 4
- b = 100 − 27 = 73 명이 흡연군에서 최선의 결과를 얻었다.
- d = 75 − 4 = 71 명이 비흡연군에서 최선의 결과를 얻었다.

		암		
		예	아니오	합계
흡연	있음	27 (a)	73 (b)	100
	없음	4 (c)	71 (d)	75
합계		31	144	175

표 11. 예 1을 위해 작성된 2 × 2 분할표

정확한 2×2 분할표를 완성하기 위해 주의를 기울여야 한다. 일부 연구들은 b와 d의 칸에 주어진 값을 이용하여, 최선의 결과 그림으로 보고하기도 한다. 만약 잘못된 값이 칸에 쓰여지면 계산된 결과도 잘못될 수 있다 – 치료가 해로운 것으로 보이거나 위험인자가 이로운 것으로 보일 수 있다.

예 2. 진통제 무작위 대조군 연구에서, 28/37명의 환자가 새로운 치료를 통해 증상이 좋아졌으며 12/30명의 환자가 위약에 효과가 있었다.

2×2 표를 만드는 과정은 다음과 같다(표 12 참조).
- 행은 새로운 치료군(노출), 양성 또는 음성으로 표시된다.
- 열은 통증(최악의 결과), 예 또는 아니오로 표시된다.
- 37명의 환자가 새로운 치료에 노출되었으므로 a + b = 37
- 30명의 환자는 새로운 치료에 노출되지 않았으므로 c + d = 30
- 치료군에서 28명의 환자가 최선의 결과를 얻었으므로 b = 28
- 위약군에서 12명의 환자가 최선의 결과를 얻었으므로 d= 12
- 치료군에서 9 (37 − 28)명이 최악의 결과가 나와 a = 9
- 위약군에서 18 (30 − 12) 명이 최악의 결과가 나와 c = 18

		통증		
		예	아니오	합계
새로운 치료	있음	9 (a)	28 (b)	37
	없음	18 (c)	12 (d)	30
합계		27	40	67

표 12. 예 2을 위해 작성된 2 × 2 분할표

2×2 분할표에서 다른 형태의 위험도가 추론될 수 있다(표 13).

	공식
Control event rate (CER) (absolute risk of outcome in control group)	$\dfrac{c}{c+d}$
Experimental event rate (EER) (absolute risk of outcome in experimental group)	$\dfrac{a}{a+b}$
Absolute risk reduction (ARR)	$CER - EER$
Relative risk (RR)	$\dfrac{EER}{CER}$
Relative risk reduction (RRR)	$\dfrac{CER - EER}{CER}$
Numbers needed to treat (NNT)	$\dfrac{1}{ARR}$
Odds of outcome in experimental group	$\dfrac{a}{b}$
Odds of outcome in control group	$\dfrac{c}{d}$
Odds ratio	$\dfrac{a/b}{c/d} = \dfrac{ad}{bc}$

표 13. 2 × 2 분할표에서 여러 형태의 위험도 추론

절대위험도(Absolute Risk)

절대위험도는 결과의 발생율이다. 항상 결과는 최악의 결과임을 명심해야 한다.

$$\begin{matrix} \text{대조군 사건발생률} \\ \text{(Control Event Rate; CER)} \end{matrix} = \text{노출되지 않은 군의 위험도 c} = \dfrac{c}{c+d}$$

$$\begin{matrix} \text{실험군 사건발생률} \\ \text{(Experimental Event Rate; EER)} \end{matrix} = \text{노출된 군의 위험도 a} = \dfrac{a}{a+b}$$

절대위험도는 퍼센트로 표현될 수 있다.
- 만약 대조군 사건발생률이 0.8이면 대조군의 0.8 혹은 80% 참여자에

서 결과가 발생했다.

- 만약 실험군 사건발생률이 0.4이면 실험군의 0.4 혹은 40% 참여자에서 결과가 발생했다. 읽을거리 46, 48 참조

절대위험도감소율(Absolute Risk Reduction, ARR)

절대위험도감소율은 대조군에서 실험군으로 옮겼을 때 실제 위험 감소 정도를 말한다.

절대위험도감소율 = 대조군 사건 발생률 − 실험군 사건 발생률

절대위험도감소율은 또한 **절대편익증가(Absolute Benefit Increase, ABI)**로도 알려져 있다.

- 만약 대조군 사건발생률이 0.8이고 실험군 사건발생률이 0.4이면 절대위험도감소율이 0.4이다 이것은 실험군이 대조군의 결과 위험도에 비해 0.4 혹은 40% 낮은 위험도를 갖는다는 것을 의미한다.

읽을거리 46, 읽을거리 48 참조

비교위험도(Relative Risk)

비교위험도 또는 '위험도비(risk ratio)'는 대조군에서 결과 위험도에 대한 실험군에서의 결과 위험도의 비이다.

$$비교위험도 = \frac{실험군\ 사건발생률}{대조군\ 사건발생률}$$

- 비교위험도가 1이면, 두 군 간의 위험도 차이는 없다.
- 비교위험도가 1보다 크다면, 실험군에서 결과 위험도가 증가한다.
- 비교위험도가 1보다 작다면, 실험군에서 결과 위험도가 감소한다.

이런 설명은 최악의 결과를 결과 발생으로 정의하는, 표준적인 2×2표가 사

용되었다는 가정하에 설명될 수 있다.

- 만약 비교위험도가 2라면, 실험군의 결과 위험도가 대조군에 비해 두 배 높다는 뜻이며, 이는 대조군에 비해 더 악화되었음을 나타낸다.
- 만약 비교위험도가 0.5라면 실험군의 결과 위험도가 대조군에 비해 절반이란 뜻이며 대조군에 비해 나아졌다는 의미이다. 읽을거리 47 참조

절대위험도가 비교위험도보다 좀 더 유용함에 주목하자. 근본적으로 절대위험도감소율이 매우 작을 때 조차도 비교위험도 값은 좀 더 크게 인상적으로 보여질 수 있다. 그림 40의 예를 보자.

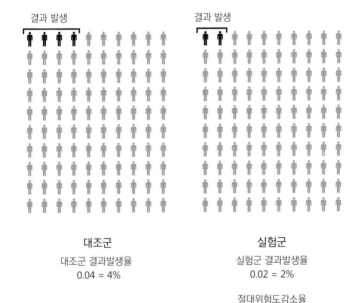

그림 40. 매우 작은 절대위험도 감소율(2%)에도 관찰되는 인상적인 비교위험도(50%)

비교위험도감소율(Relative Risk Reduction, RRR)

비교위험도감소율은 실험군에서의 결과 위험도 감소를 대조군의 위험도와의 비율로 표현한 것을말한다.

$$비교위험감소율 = \frac{대조군\ 사건발생률 - 실험군\ 사건발생률}{대조군\ 사건발생률}$$

비교위험도감소율은 비교편익증가율(Relative Benefit Increase, RBI)이라고 도 한다.

- 만약에 대조군 사건발생률 = 0.8, 실험군 사건발생률 = 0.4이면 비교위험도감소율 = 50%(대조군 사건발생률 50%의 위험도 감소)
- 만약에 대조군 사건발생률 = 0.8, 실험군 사건발생률 = 0.6이면 비교위험도감소율 = 25%(대조군 사건발생률 25%의 위험도 감소)

읽을거리 48 참조

치료가 필요한 수(Number Needed to Treat, NNT)

두 개의 중재를 비교할 때 처치가 필요한 수는 대조군에 비하여 실험군에서 한 명의 추가적인 이로운 결과를 얻기 위하여 치료받아야 하는 환자의 수를 의미한다. 중재간 절대위험도감소율의 역수이며 낮을수록 좋다. 최소값은 1 이며, 최대값은 제한이 없다. 읽을거리 46, 읽을거리 48 참조

$$처치가\ 필요한\ 숫자 = \frac{1}{절대위험도감소율}$$

- 만약 처치가 필요한 수가 8이라면, 실험군에서 매 8명의 환자를 치료할 때마다 한 명의 추가적인 환자가 좋은 결과를 얻게 된다.

처치가 필요한 수는 해석하기는 쉽지만 서로 비교하기 위해서는 초기의 기저 위험도가 같아야 한다. 참고할 특정한 한계수준(cut-off level)은 없다.

위해가 발생할 수(**Number needed to harm, NNH**)는 대조군의 중재와 비교하여 한 명의 추가적인 위해결과가 나오기 위해서 필요한 대상자 수이다. 값이 작을수록 더 나쁜 의미이다(즉, 위해가 자주 발생한다).

처치가 필요한 숫자와 위해가 발생할 숫자는 정확한 수로서 표시되어야 한다. 처치가 필요한 숫자는 올림을 하며, 위해가 발생할 숫자는 내림을 하여 맞춘다.

NNH: NNT비는 위험/편익 비의 지표이다.

오즈비(Odds Ratio, OR)

오즈비는 두 군 간 결과의 가능성을 비교하는 또 다른 방법이다.

오즈비는 대조군에서 해당 결과를 보이는 오즈에 대하여 실험군에서 해당 결과를 보이는 오즈의 비이다.

오즈비는 단면조사 연구나 환자 대조군 연구에서 주로 쓰인다. 환자 대조군 연구에서는 노출은 흔히 질병에 대한 위험 요인의 유무로 표현되며, 결과는 질병의 유무가 된다.

$$오즈비 = \frac{ad}{bc}$$

- 오즈비가 1.0이면 양 군에서 정확히 같은 결과를 갖는 것을 의미하며 효과가 없다는 것을 의미한다.
- 오즈비가 1보다 크면 추정된 결과 발생 가능성이 실험군에서 더 큰 것을 의미한다.
- 오즈비가 1보다 작으면 추정된 결과 발생 가능성이 실험군에서 더 작은 것을 의미한다.

읽을거리 49 참조

만약 임상 논문에서 '로그 오즈비(log odds ratio)'를 제시한 경우에는 1이 아니라 0의 값에서 두 군이 동일한 결과 발생율을 보임을 의미한다.

음의 결과 해석(Interpreting negative results)

만약 2×2 분할표가 위에서 권고한 대로 만들어져 있고 결과 사건이 가능한 최악의 결과가 발생한 것으로 되어 있다면 일부 결과는 음수를 보일 수도 있다.

음수의 결과는 다음과 같이 해석된다.

음수의 절대위험도감소율은 절대위험도의 증가로 해석한다.
• 절대위험도감소율 = −0.5는 절대위험도의 증가 = 0.5

음수의 비교위험도감소율은 비교위험도의 증가로 해석한다.
• 비교위험도감소율 = −0.3은 비교위험도의 증가 = 0.3

음수의 처치가 필요한 수는 위해가 발생하는 데 필요한 수로 해석한다.
• 처치가 필요한 수 = −4는 위해가 발생할 수 = 4로 해석하게 된다. 즉, 매번 네 명의 환자를 치료할 때마다 한 명의 해로운 결과가 나타나게 된다라고 해석한다.

읽을거리 46

MacPherson H et al. Acupuncture for irritable bowel syndrome: primary care based pragmatic randomized controlled trial. BMC Gastroenterology 2012; 12: 150.로부터 발췌

연구자들은 과민성 대장증후군의 일차 진료에서 일반적 치료의 보조치료로 침술을 적용하는 것의 효과를 평가하였다. 증상은 과민성 대장증후군 증상 중증도 척도(IBS Symptom Severity Scale, SSS)로 정량화하였다.

침술 치료군에서 116명의 환자중 57명(49%)이, 일반적 치료만 받은 군에서 117명 중 36명(31%)이 치료가 '성공적'(IBS SSS의 50점 이상 감소)인 것으로 간주되었고 18%의 차이를 보였다(95% CI = 6-31%). 치료가 필요한 수(NNT)는 6이었다.(95% CI = 3-17).

해설 : 결과 부분에서, 증상의 감소라는 최선의 결과를 위한 숫자를 제시하고 있다. 계산을 통해서 최악의 결과를 위한 숫자를 추정할 필요가 있다.
실험군 사건발생율(침술치료군) = 59/116 = 0.509
대조군 사건발생율(일반적 치료군) = 81/117 = 0.692
절대위험도감소율 = 0.692-0.509 = 0.183 = 18.3%
치료가 필요한 수 = 1/0.183 = 5.47 = 반올림해서 6

읽을거리 47

Bjorkenstam E et al. Associations between number of sick-leave days and future all-cause and cause-specific mortality: a population-based cohort study. BMC Public Health 2014; 14: 733.로 부터 발췌

이 연구는 남성과 여성간에 병가 일수와 향후의 사망률의 연관성을 조사하였다.

1995년의 남성과 여성간에 병가 일수가 증가함에 따라서 모든 원인을 포함한 사망률의 비교위험도(RR)도 점차 증가하는 양상을 보였다. 연령 보정 모형에서, 가장 많은 병가 일수(166-365일)의 남성과 여성은 3배 이상의 사망 위험도를 보였다; 사회보험에서 병가 일수를 변제하지 않고서 남성과 여성을 비교했을 때 각각 여성의 비교위험도는 3.48; 95% CI=3.37-3.60, 남성의 비교위험도는 3.29; 95% CI=3.20-3.39로 나타났다.

해설 : 사망률의 비교위험도는 남성과 여성에게 따로 주어진다. 그것은 가장 병가 일수가 많았던 사람들과 전혀 병가 일수가 없던 사람을 비교하여 계산된다.

읽을거리 48

Srinivasan MG et al. Zinc adjunct therapy reduces case fatality in severe childhood pneumonia: a randomized double blinded placebo-controlled trial. BMC Medicine 2012; 10: 14.로부터 발췌

연구자들은 중증 소아 폐렴의 치사율에 아연 보조 치료의 효과를 조사하였다. 이중 맹검, 무작위, 위약-대조군 임상연구에서 6세부터 59개월의 중증 폐렴을 앓고 있는 소아 352명을 항생제 치료에 추가하여 아연 사용군과 위약군으로 무작위 배정하였다.

치사율은 아연 사용군에서 7/176(4.0%), 위약군에서 21/176(11.9%)였다: 비교위험도 0.33(95% CI=0.15-0.76). 비교위험도감소율은 0.67(95% CI=0.24-0.85)였으나 치료가 필요한 수는 13이었다.

해설 : 치명율은 최악의 결과이다. 실험군 사건발생율은 7/176 = 0.04 이었고 대조군 사건발생율은 21/176 = 0.119 였다. 절대위험도감소율은 0.119-0.04 = 0.079 이었다. 비교위험도는 0.33이었는데, 아연을 복용한 아이들이 위약을 복용한 아이들에 비해 최악의 결과 위험도가 1/3이었다는 의미였다. 비교위험도감소율은 0.67 또는 67%였고 이는 실험군에서 결과의 위험도(0.119)의 감소율을 대조군에서의 위험도(0.119)와 비율로서 표시한 값이다. 치료가 필요한 수는 13인데, 위약치료를 받는 매 13명의 아이들에 비해 아연치료를 받는 매 13명의 아이들마다 한 명씩 추가적으로 이로운 결과가 발생한다는 뜻이다.

읽을거리 49

Zhou W et al. Risk of breast cancer and family history of other cancers in first-degree relatives in Chinese women: a case control study. BMC Cancer 2014; 14: 662.로부터 발췌

이 연구는 가까운 친척들 중에서 유방암의 위험도와 다른 암의 가족력 간에 관계를 밝혀내고자 설계되었다.

연령, 초경의 연령, 출산, 폐경의 상태를 보정하면, 식도암(OR: 2.70, 95% CI = 1.11-6.57), 소화기계 암(OR: 1.79, 95% CI = 1.14-2.79), 그리고 어떤 임의의 암(OR: 2.13, 95% CI = 1.49-3.04)의 가족력이 있는 사람들에서 유방암의 유의한 증가가 여전히 관찰된다. 더불어 폐암(OR: 2.49, 95% CI = 1.10-5.65)의 가족력이 있는 사람도 유방암의 위험도가 의미있게 증가했다. 다른 기관에 발생한 암의 가족력과 유방암의 증가에는 유의한 관계가 관찰되지 않았다. 그리고 다른 암의 가족력이 둘 이상인 경우에서도 유방암 위험도의 상승은 관찰되지 않았다(OR: 0.76, 95% CI = 0.24-2.47).

해설 : 위험인자를 가진 사람이 유방암에 걸리는 오즈는 위험인자가 없을때 보다 높고 그때의 오즈비는 1보다 크다. 오즈비의 신뢰구간은 효과가 없는 값(즉, 1)을 포함하지 않아야 통계학적인 의미를 갖는다.

군간 비교 – 귀무가설 (Comparing groups – the null hypothesis)

두 개 또는 그 이상 군의 연구 결과들은 흔히 서로 비교된다. 연구자는 노출, 조사 또는 치료의 효과를 증명하기 위하여 군간에 어떤 차이가 있는지 찾아내는 데 관심이 있다. 그리고 비교위험도와 오즈비가 두 군 간 비교에 도움이 된다.

그런데 어떤 한 군이 다른 군보다 나은 이유를 우연의 결과로 설명하기도 한다. 연구를 반복하다 보면 우연히 다른 군이 더 잘 하게 되어 그 결과가 뒤집힐 수도 있다. 따라서 연구자들은 연구의 결과를 제시하는 동시에, 그 결과가 우연에 의한 것은 아닌지 판단하여야 한다. 결론에 우연에 의한 결과는 제외되고 앞으로의 반복연구에서 비슷한 연구결과가 나타나게 될 것이라고 제시되어야 이상적이다.

더 복잡한 문제는 '결과의 차이가 우연에 의한 것이다' 라는 가정을 판단하는 과정이 관례적으로 연구의 앞부분에 위치한다는 점이다. 그리고 나서 연구자들은 두 군이 실제로도 매우 다르다는 것이 보여지길 기대하면서, 우연의 가능성를 계산한다.

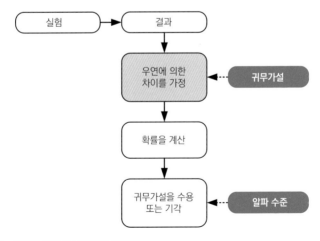

그림 41. 귀무가설이 진실이라고 가정함.

1단계 - 귀무가설 만들기(state the null hypothesis)

귀무가설은 두 군 또는 그 이상의 군에서 나타나는 차이가 우연에 의한 것이라고 표현한다. 귀무가설은 통계학적 검증의 근거가 되므로 중요하다. 그러나 임상논문에 거의 언급되지 않으며 1차가설과 혼동하여서는 안 된다.

예를 들면 연구자의 질문이 다음과 같을 수 있다. '대마초 흡연과 정신분열병 간의 연관관계가 있는가?" 이었을 때 연구자는 과거 대마초를 흡연한 정신분열증 환자군과 짝지은 대조군을 비교하는 환자—대조군 연구를 계획할 것이다. 귀무가설은 대마초흡연과 정신분열증 간에는 연관이 없다거나 어떤 차이가 발생하더라도 우연에 의하여 발생한 것이라고 가정하는 것이다.

2단계 - α수준 정하기

연구자는 어떻게 귀무가설을 기각 또는 수용할 것인지 정해야 한다. 이렇게 하기 위하여 얼마나 드물게 우연에 의하여 설명되지 않는 결과가 나타날 수 있는지 결정하여 한다. 연구자들은 α수준이라고 부르는 문턱값을 결정하게 된다(그림 42).

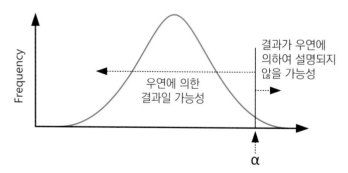

그림 42. α수준은 하나의 문턱값이다.

관례상, α값은 0.05로 설정된다. 이 α값은 귀무가설이 참일 가능성, 관찰된 결과가 우연에 의한 것일 가능성이 5% 정도라는 것이다. 이보다 작을 경우 우연에 의한 것이 아닌 것으로 판단한다.

3단계 – P value 계산

확률이란 전체 가능한 사건 수에 대한 비율로 표시되는 어떤 사건이 일어날 가능성을 말한다. 확률은 0.0(절대 발생하지 않음)과 1.0(반드시 일어남) 사이에 다양하게 나타난다.

임상논문에서 P 값은 확률값이고 통계적 방법으로 계산된다. P 값은 관찰 결과가 우연히 얻어질 확률을 나타낸다.

P 값이 작아지면 결과는 우연에 의하여 발생하였을 가능성이 낮아지고 귀무가설과 덜 부합하게 된다. 결과적으로 P 값이 너무 작아져서 α보다 작아지면 귀무가설은 기각된다(그림 43). – 통계적으로 유의한 결과 – 그렇게 되면 결과가 우연에 의한 것이 아니라는 대립가설을 받아들이게 된다.

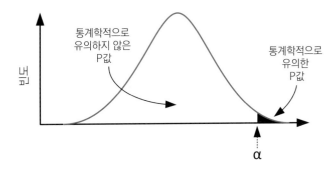

그림 43. α수준과 P 값.

α = 0.05일 때, P 값이 0.05보다 작은 경우 통계학적 유의성을 의미한다. P〈 0.05는 결과가 우연에 의하여 얻어진 것인 확률이 1/20이라는 것을 의미한다. 논문에서는 '이 결과는 5% 신뢰수준에서 유의하다'라고 표현할 수도 있다.

P 값이 0.05와 같거나 크면 통계학적으로 유의하지 않으며 귀무가설을 받아들이게 된다. 읽을거리 50 참조

이것은 표 14에 요약되어 있으며 P 값은 몇 가지 통계학적 기법으로 계산할 수 있다.

명심해야 할 것은 α=0.05로 설정하는 것이 완전히 임의적인 것이라는 점이다. P=0.049일 때는 결과가 통계학적으로 유의하고 P=0.051일 때는 통계적으로 유의하지 않다는 다른 이유는 없다.

P < 0.05	P ≥ 0.05
1/20 미만	1/20 이상
만약 α = 0.05이면, 귀무가설 기강	만약 α = 0.05이면, 귀무가설 채택
통계적으로 의미 있다.	통계적으로 의미가 없다.
변수와 결과의 연관성이 있다.	변수와 결과의 연관성이 입증되지 않았다.

표 14. p 값과 유의성 이해하기

4단계 - 제1종 오류와 제2종 오류 고려하기

1종 오류와 2종 오류는 귀무가설에 대한 각각 절못된 기각 혹은 채택을 표현한다.

- 1종 오류 - 위양성 결과' 잘못된 기각
- 2종 오류 - 위음성 결과' 잘못된 채택

제1종 오류

제1종 오류는 귀무가설이 참임에도 불구하고 기각될 때 발생한다. 위양성 결과는 차이가 존재하지 않음에도 불구하고 차이가 존재한다는 결과가 나오는 것이다.

- 연구자들이 커피를 마시는 것이 폐암을 증가시킨다는 결론을 내린다면 이는 1종 오류이다. 이는 위양성 결과이다. 관련성이 진실이 아니다.

제1종 오류는 일반적으로 비뚤림, 교란요인 또는 다중 가설 검정(자료 준설)에 의해 발생한다. 통계적으로 의미있는 모든 결과는 1종 오류 가능성을 고려해야 한다.

- 커피를 마시는 것이 폐암의 위험을 증가시키는 것처럼 보일 수 있으나 이는 교란변수인 흡연에 의해 설명될 수 있다. 흡연은 커피 마시기와 연관이 있고 또한 폐암과 독립적인 연관성이 있다. 만약 연구자들이 이러한 교란 인자를 다루었다면 그들은 커피를 마시는 것 자체가 폐암의 증가시키는 것과 연관이 없다고 결론 내렸을 것이다.

α 수준은 연구자들이 결과가 우연에 의한 것으로 설명될 수 있는 것을 받아들이는 임계수준이다. 만약 α = 0.05 라면, 연구자들은 P<0.05 인 경우 양성 결과로 말하고 있다. 하지만, 만약 귀무가설이 실제 진실로 판가름 난다면 α 미만인 결과는 위양성일 것이다(그림 44). 그러므로, 만약 귀무가설이 진실이면 1종 오류를 범할 위험이 α와 같다.

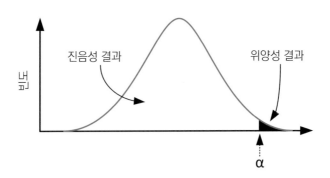

그림 44. 귀무가설이 거짓이면, 연구자는 제2종 오류를 범할 수도 있다.

제2종 오류

제 2종 오류는 귀무가설이 사실상 거짓임에도 불구하고 채택될 때 발생한다. 실제로 존재하는 그룹간 차이를 밝혀재 못해 위음성 결과를 보이는 것이다.

- 연구자가 흡연은 폐암의 위험을 증가시키지 않는다고 결론내릴는 것은 2종

오류이다. 이는 위음성 결과이다. 관련성은 있지만 연구에서 밝혀지지 않는다.

2종 오류는 표본수가 너무 작거나 또는 측정 분산(measurement variance)이 너무 클 때 흔히 발생한다. 제2종 오류가 발생할 확률은 유의하지 않는 결과에서 매번 고려되어야 한다.

α수준은 연구자들이 결과가 우연에 의한 것으로 설명될 수 있는 것을 받아들이는 임계수준이다. 만약 α = 0.05 라면, 연구자들은 P<0.05 인 경우 양성 결과로 말하고 있다. 하지만, 만약 귀무가설이 실제 거짓으로 판가름 난다면 α 미만인 결과는 옳고(진양성) 다른 모든 결과는 정확하지 않을 것이다 (위음성)(그림 45). 그러므로, 만약 귀무가설이 거짓이면 2종 오류를 범할 위험이 β, 즉 (1−α)와 같다.

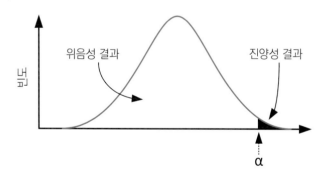

그림 45. 귀무가설이 거짓이면, 연구자는 제2종 오류를 범할 수도 있다.

연구설계 단계에서 연구자는 제2종 오류의 가능성을 최소로 하기 위해 얼마나 많은 연구대상이자 필요한지 검정력(Power) 계산을 수행하게 된다.

그림 46과 표 15에 지금까지의 내용을 요약했다.

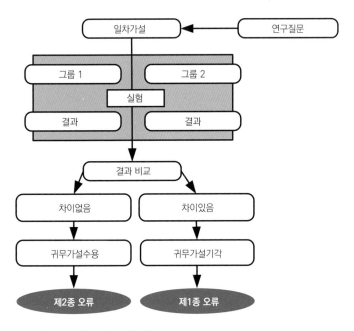

그림 46. 귀무가설, 제1종 및 제2종 오류

		귀무가설	
		참	거짓
실험결과	유의함	제1종 오류	맞음
	유의하지 않음	맞음	제2종 오류

표 15. 제 1종, 2종 오류

표본의 크기와 검정력(Sample size and power)
연구에서 필요한 표본의 크기는 검정력 계산에 의하여 결정된다.

검정력은 제2종 오류가 일어나지 않을 가능성으로 정의된다. 군 간에 차이가 존재할 때 임상적으로 의미가 있는 가장 작은 차이를 찾아낼 수 있는 연구의 능력을 측정하는 방법이다. 일반적으로 표본의 크기가 커지게 되면 연구의 검정력은 커지게 된다.

검정력은 0부터 1까지의 값이다. 0.8의 검정력은 일반적으로 대부분의 연구에서 적절하다고 받아들여지는 값이다. 검정력 0.8은 주어진 표본의 크기에서 차이가 존재할 때 통계적으로 유의한 차이를 발견할 가능성이 80%라는 것을 의미한다. 검정력 0.8을 가지는 연구는 실제 차이를 놓칠 확률 즉 제2종 오류의 가능성이 20%이다. 제2종 오류의 위험성은 높은 값의 검정력을 사용하면 되지만 그에 상응하는 표본의 크기가 필요하게 되어 표본 모집에 문제를 야기하게 된다.

반대로 부적절한 표본의 크기는 연구의 검정력이 약하다거나 치료효과가 큼에도 발견에 실패했다는 것을 의미한다. 제2종 오류를 피하기 위한 주요방법은 검정력을 적절히 설정하는 것이다. 최신 임상실험에서는 검정력을 계산하기 위하여 심험군과 대조군의 결과의 차이를 평가하기 위한 예비실험이 수행되기도 한다. 때로는 중간분석을 수행하여 이중검정을 한다.

검정력 계산은 연구의 시작시점에 이루어진다. 검정력을 결정하기 위해서는
- α수준을 정한다. α수준이 커지면 제1종 오류가 일어나기 쉬우므로 검정력은 커진다.
- 표본의 크기. 표본의 크기가 커지면 검정력은 증가한다.
- 결과측정의 가변성은 표준편차로 표시할 수 있다. 가변성이 감소하면 검정력은 증가한다.

- 임상적으로 유의한 최소차이. 검정력은 임상적인 유의한 차이가 클수록 증가하게 된다. 이런 차이는 평균 또는 비율의 차이로 나타낼 수 있다. 이 차이가 관측치의 표준편차에 대한 배수로 표현될 때 이것을 표준화 차이라고 한다.

실제 차이가 있는데 귀무가설을 기각할 확률은 1−β로 표현된다. β는 임의적으로 0.2로 설정되는데 특정 유의한 정도에서 특정 정도의 차이를 찾아내는 검정력이 80%(0.8의 가능성)임을 의미한다.

또한 검정력 계산은 주어진 표본의 수와 검정력을 이용한 연구에서 나타나는 최소 효과의 크기를 계산하기 위하여 사용될 수 있다.

주의깊은 연구자는 일부 연구 참여자가 중도탈락하여도 적절한 수를 유지하도록 검정력 계산에서 나타난 절대적인 숫자보다 많은 표본을 모집하게 될 것이다. 읽을거리 51 참조

또한 검정력 계산은 너무 많은 연구 참여자를 모집한 나머지 초과한 대상자를 효과가 없거나 열등한 치료군에 할당하려는 생각을 가진 연구자들을 막는 데 사용될 수도 있다.

단측검정 대 양측검정(One-tailed versus two-tailed tests)
연구자들은 일련의 결과가 귀무가설에 의하여 설명되지 않을 것 같은 확률이 얼마나 되는지를 규정하기 위해서 α값을 설정한다.
단측검정에서는 관심있는 한쪽 방향만을 검정한다. α수준은 한쪽 방향으로의 통계적 유의성을 검사하기 위하여 설정된다(그림 47). 반대쪽 방향으로 결과가 나올 가능성은 무시하게 된다. 읽을거리 52 참조

예를 들면 연구자들은 두 군에서 데이터를 수집한다. 단측검정에서 연구자

들은 한 군의 결과가 다른 군에 비해서 유의하게 높게 나타나거나 유의하게
낮게 나타나는지 검정하게 되지만 두 가지 모두는 아니다. α수준이 0.05로 설
정되었다면 결과가 분포의 상위 5% 또는 하위 5%(어느 쪽에 관심이 있느냐
에 따라 달라짐)에 위치해 있을 때 통계학적으로 유의하게 된다.

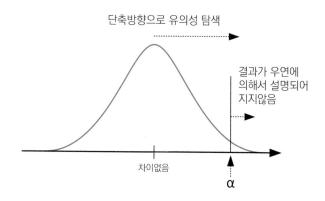

그림 47. 단측검정

양측검정에서는 관심있는 양측이 존재한다. α수준은 양측에서 통계적 유의
성을 검사하기 위하여 높은 쪽과 낮은 쪽으로 나누어지게 된다(그림 48). 어
느 쪽이든 결과의 가능성을 알 수 있다.

예를 들면 연구자들은 두 군에서 자료를 수집하게 된다. 양측검정에서 한
군의 결과가 다른 군에 비해 높거나 낮게 나타나는지 검정하게 된다. α수준
이 0.05이면 결과가 상단 2.5%, 하단 2.5%에 있는 경우 통계적으로 유의하
게 된다.

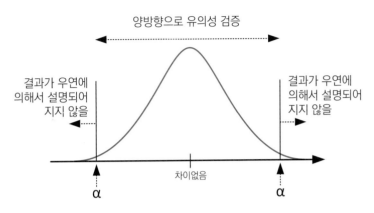

그림 48. 양측검정

양측검정에 비하여 단측검정은 다른 한 쪽은 무시하게 되므로 차이를 발견하는 검정력이 높아지게 된다. 그러나 연구자들은 결과가 어떤 방향성을 보일지 확신할 수 없기 때문에 대부분의 연구에서 양측검정을 사용한다.

한쪽 방향의 검정이 불가능하거나 고려되지 않을 수 있는 경우에만 단측검정을 사용하여야 한다. 읽을거리 52 참조

Bonferroni 교정

이 장의 앞부분에서 α를 보통 0.05로 설정한다고 하였다. 이 α값은 귀무가설이 참인 경우, 관찰 결과의 5% 또는 20분의 1이 우연에 의하여 발생할 수 있다는 것이다.

이 역치값 아래의 결과는 우연히 발생하지 않을 것으로 판단한다고 하더라도 1/20 만큼은 우연에 의하여 발생할 수 있다. 이것은 중대한 함축적 의미를 갖고 있다.

- 20건의 연구가 진행되었을 경우 한 개의 연구는 우연에 의하여 유의한 결과를 얻을 수 있다. 이 사실은 결과를 확인하기 위한 반복연구의 중요성을 내포하고 있다.

- 한 연구에서 20번의 검정을 시행하였다면 한 번의 검정에서는 우연에 의한 통계적 유의성을 보일 수 있다. 이는 더 많은 검사를 시행하면 더 많이 제1종 오류가 일어날 가능성이 생긴다는 것이다. 하나의 연구에서 시행되는 검정의 숫자를 최소화해야 하는 이유가 여기에 있다.

동일한 자료에 대하여 다중검정을 하는 경우 위양성의 가능성이 높아지는데 Bonferroni 교정이 이에 대한 보호장치가 된다. 이것은 α값을 낮춤으로서, 통계학적 유의성을 위해 필요한 P 값도 낮아지게 만드는 방법으로 이루어진다.

Bonferroni 교정은 α값을 검정의 횟수로 나누는 것으로 실시할 수 있다. 예를 들면 20회의 검정을 한 연구에서 α값은 0.05/20 = 0.0025가 된다. 이 α값은 도달하기도 어렵고, 우연에 의한 통계적 유의성을 보이기에도 더욱 어렵게 된다. 읽을거리 53 참조

만약 Bonferroni 교정이 과도해지면 제1종 오류의 위험성은 줄어들지만 제2종 오류가 생길 위험은 증가하게 된다.

임상적 유의성
P 값으로 나타내는 통계적 유의성은 임상적 유의성과 같은 것이 아니다. 통계적 유의성은 치료의 효과가 우연에 의하여 설명될 수 있는가를 판단하는 것이지만 임상적 유의성은 치료의 효과가 실제 임상에서 가치가 있는가 하는 것이다. 예를 통계적으로 유의한 작은 개선 효과는 임상적으로는 의미있는 임상적인 결과가 아닐 수도 있다.

신뢰구간과 유의성
유의한 결과는 두 군의 요약 통계값 중 신뢰구간을 비교함으로써 추론할 수 있다. 신뢰구간은 일반적으로 모집단의 요약통계값이 95%의 신뢰도로 포함되는 요약통계값의 범위를 나타낸다.

- 두 군을 비교할 때 신뢰구간이 겹치지 않는다면 통계적으로 유의한

결과로 간주한다.

- 신뢰구간은 겹치지만 한 군의 요약통계값이 다른 군의 신뢰구간 밖에 있다면 결과는 통계적으로 유의할 수도 있다.
- 신뢰구간도 중복되고 요약통계값도 다른 군의 신뢰구간 안에 있다면 결과는 통계적으로 유의하지 않다.

신뢰구간과 P 값 중 어떤 것이 더 우수할까? 양쪽 모두 통계학적 유의성을 나타낼 수 있다. P 값은 연관성의 강도를 측정하여 제공하지만 신뢰구간은 대상군(모집단)에서 실제 효과가 나타날 수 있는 범위를 제시하여 주므로 효과의 크기와 임상적인 의미를 함께 나타내게 된다.

대규모 연구에서는 일반적으로 좁은 신뢰구간과 작은 P 값을 나타내게 되고 통계분석에서 나온 결과를 해석할 때 이를 꼭 유념해야 한다.

읽을거리 50

Gou S 등. Use of probiotics in the treatment of severe acute pancreatitis: a systematic review and meta-analysis of randomized controlled trials. Critical Core 2014; 18: R57.로 부터 발췌

괴사성조직 감염은 중증 급성췌장염을 악화시킬 수 있다. 그리고 프로바이오틱스(probiotics)가 동물 실험과 제1상 임상시험에서 감염을 줄이는 데 유익한 효과가 있는 것으로 나타났다. 이 논문은 프로바이오틱스를 복용한 중증 급성췌장염 환자를 대상으로 중요한 임상결과를 다룬 무작위 대조군 연구를 체계적으로 고찰하고 정량적으로 분석하였다.

총 536명의 환자를 대상으로 한 여섯개의 임상연구를 분석하였다. 체계적 분석에서 유산균은 유의한 영향이 없었다:
췌장감염률(비교위험도 = 1.19, 95% 신뢰구간 = 0.74-1.93; P=0.47)
전체 감염률(비교위험도 = 1.09, 95% 신뢰구간 = 0.80-1.48; P=0.57)
수술율(비교위험도 = 1.42, 95% 신뢰구간 = 0.43-3.47; P=0.71)
재원기간(평균차 = 2.45, 95% 신뢰구간 = -2.71 to 760; P=0.35) 또는
사망률(비교위험도 = 0.72, 95% 신뢰구간=0.42-1.45; P=0.25)

해설 : 모든 통계분석에서 P값이 통계학적 유의성을 나타내는 역치값보다 낮게 나타나지 않았다. 모든 결과의 신뢰구간이 효과없음, 차이없음의 값을 포함하였다.

읽을거리 51

Weight loss among female health care workers-a 1-year workplace based randomized controlled trial in the FINALE-health study. BMC Public Health 2012; 12: 625.로부터 발췌

이 연구에서는 과체중 의료계 종사자 중에서 12개월간 체중감량을 목표로 하는 중재법에 대해서 평가하고자 하였다.

중재군과 대조군 참가자의 수를 확실히 하기 위해서 체중변화를 기반으로 검정력 계산을 시행하였다. 검정력은 0.8, 유의수준은 0.05로 계산하였다. 최소 3 kg의 체중감량 차이를 보이기 위해서는 각 군당 최소 30명의 참가자가 필요했다. 30%의 중도탈락율을 감안해서 각 군당 최종 43명의 참가자를 필요로 했다.

해설 : 표본수 산출을 위한 검정력 계산의 예. 유의수준은 0.05로 설정하였고 그룹간 체중감량의 차이를 3 kg으로 기대하였다. 0.8의 검정력에서 각군당 30명의 참가자가 필요하였고 30%의 예상 중도탈락율을 고려하여 참가자를 더 모집하였다.

읽을거리 52

Laiou E et al. The effects of laryngeal mask airway passage simulation training on the acquisition of undergraduate clinical skills: a randomized controlled trial. BMC Medical Education 2011;11:57로부터 발췌

이 연구의 목적은 서로 다른 기간의 시뮬레이션 훈련 중 두 종류의 후두마스크 기도유지장치(LMA) 삽입의 효과를 비교하는 것이었다. 대조군의 의과대학생들은 마네킨을 이용한 간단한 훈련을 받았으며 중재군은 능숙해질 때까지 반복하여 후두마스크를 삽입하는 보다 집중적인 마네킨 훈련을 받았다.

추가 시뮬레이션 교육을 받은 군이 간단한 시뮬레이션 군보다 서툰 숙련도를 나타내지 않을 것이라는 가설을 세웠기 때문에 단측검정이 사용되었다.

해설 : 보다 집중적인 교육을 받은 의과대학생군이 간단한 훈련을 받은 군보다 나쁘지 않을 것이라고 가정하였다. 따라서 보다 집중적인 훈련을 받은 군이 대조군에 비해서 우수하지 않을까? – 하는 한쪽 방향의 차이를 찾는 연구를 수행하였다.

읽을거리 53

Analysis of the contribution of FTO, NPC1, ENPP1, NEGR1, GNPDA2 and MC4R genes to obesity in Mexican children. BMC Medical Genetics 2013; 14: 21.로부터 발췌

이 연구에서는 FTO, NPC1, ENPP1, NEGR1, GNPDA2 and MC4R 유전자 등 6개의 유럽 비만 관련 단일 유전자 다형성(SNP)와 비만 위험도의 연관성을 검정하였다. 이러한 SNP의 신체비만지수(BMI), 공복혈당, 총콜레스테롤 그리고 중성지방(triglyceride)의 수치에 대한 효과도 검토하였다.

Bonferroni 교정을 적용하여 1.4×10^{-3}(0.05/36)보다 작은 경우 통계학적으로 유의 P 값으로 고려되었다.

해설 : 연구자들은 6가지 변수에 대하여 6개의 유전자 다형성의 효과를 검정하여 총 36가지 분석을 시행하였다. Bonferroni 교정, 즉 표준 P(0.05)를 원하는 분석 횟수(36)로 나누는 방법을 적용하여 P 값을 보정하였는데, 최종적으로 통계학적으로 유의한 P 값은 1.4×10^{-3}이 산출되었다.

표본의 비교 - 통계학적 검정(Comparing samples - statistical tests)

표본은 다양한 통계학적 검정방법을 사용하여 비교된다. 모든 통계방법이 모든 자료에 사용될 수 있는 것은 아니다. 통계방법의 결정인자는 비교하고자 하는 표본의 숫자, 표본자료의 형태, 표본의 분포형태 그리고 짝지은 자료인지 아닌지 등이 있다.

짝짓지 않은 자료는 서로 다른 구성원을 가지는 군의 자료를 말한다. 여기서 한 군의 구성원들을 선택할 때 다른 군의 구성원 선택에 의해 영향을 받거나 관련되어서는 안된다. 짝지은 자료는 동일한 개체로부터 서로 다른 시점에 얻어진 자료를 말한다.

표 16은 여러 군에서 수집된 자료의 형태가 동일할 때 사용될 수 있는 통계학적 검정을 정리하였다. 이러한 통계 검정은 통계량과 관련된 P 값을 생성하고, P 값을 통해 귀무가설을 받아들일지 기각할지 결정하게 된다.

많은 생물학적 변수들은 정규분포를 따르므로 두 군간에 통계적 분석을 할 때 t 검정이 보편적으로 이용된다.

	방추형	비정규 분포자료	정규 분포자료
가상의 자료와 비교하는 단일 표본	카이 제곱 검정	순위 검정	일표본 t 검정
	Fisher의 정확한 검정	Wilcoxon 순위 검정	
두 군 간 비교	카이 제곱 검정 (짝짓지 않은)	Mann-Whitney u검정(짝짓지 않은)	t 검정(짝지은 또는 짝짓지 않은)
	Fisher의 정확한 검정 (짝짓지 않은 작은 표본)		
	맥네마 검증(짝지은)	윌콕슨 대응 표본 검정 (짝지은)	
3군이상의 비교	카이 제곱 검정 (짝짓지 않은)	크루스칼-왈리스 분산분석(짝짓지 않은)	비대응표본에 대한 일원일차 분산분석
	맥네마 검정(짝지은)	프리드만 검정(짝지은)	짝지은 군에 대한 반복측정 분산분석

표 16. 표본을 비교하는 통계 검정에 대한 정리

범주형 자료(Categorical data)

범주형 통계 검정은 2×2 표로 알려진 분할표의 사용을 포함한다. '결과 사건 있음'의 열은 항상 사망 또는 재발과 같이 최악의 결과를 의미한다는 것을 기억하자.

		결과사고		합계
		예	아니오	
노출	있음	a	b	a + b
	없음	c	d	c + d
합계		a + c	b + d	a + b + c + d

표 17. 2×2 표 형식

범주형 자료의 통계적 검정은 카이–제곱(χ^2) 검정(짝짓지 않은 자료)과 맥네마 검정(짝지은 이항자료)을 이용한다. 읽을거리 54 참조

작은 수의 표본(어떤 칸이든 관찰수가 5보다 작은 경우)에서는 Fisher의 정확성 검정이 이용될 수 있다(그림 49). 다른 한편으로는 표본의 크기가 작을 때 Yate의 연속성 수정을 이용함으로써 카이-제곱 통계량이 Fisher의 정확성 검정과 더 잘 일치하게 할 수 있다.

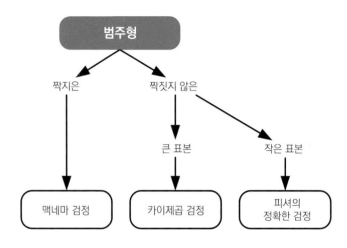

그림 49. 범주형 자료에 사용되는 통계학적 검정

자유도(Degree of freedom) : 특정한 통계 검정이나 실험에서 독립된 범주의 숫자를 나타낸다. 종속된 범주의 수는 독립된 범주의 수로부터 계산될 수 있다. 2×2 분할표의 경우, 주어진 전체 행과 열로 만들어진 표의 결과 부분에 넣을 수 있는 가짓수를 의미한다. 2×2 표의 경우 두 개의 열과 두 개의 행을 가지게 된다. 만일 행에 위치한 한 칸의 결과값이 변하게 되면 다른 행의 결과값도 계산될 수 있다. 유사하게 열에 있는 칸 하나가 변하면 다른 열의 결과값도 계산될 수 있다. 자유도는 다음과 같이 계산된다.

$$(\text{number of rows} - 1) \times (\textit{number of colums} - 1)$$

연속형 자료(Continuous data)

비모수 검정(Non-parametric test)은 '분포와 관련이 없는 통계'라고도 알려져 있으며 정규분포를 따르지 않는 자료 분석에 사용된다(표 18). 두개의 독립된 집단에 가장 흔하게 사용되는 검정은 Mann−Whitney U 검정(짝짓지 않은 자료)과 Wilcoxon's matched pairs 검정(짝지은 자료)이다. 둘 혹은 그 이상의 군에 대해서는 Kruskal−Wallis ANOVA 분석(짝짓지 않은 자료)과 Friedman 검정(짝지은 자료)(그림 50)을 이용한다. 읽을거리 55, 56, 57 참조

부호 검정이 모든 비모수적인 방법중에서 가장 단순한 방법이다. 이것은 단일표본을 어떤 가정된 값과 비교할 때 사용되고 그래서 전통적으로 단일표본 t 검정이나 짝지은 t 검정이 적용되었던 상황에서 유용하다.

정규분포를 따르지 않은 자료		
통계분석	자료	설명
순위 검정	일표본자료	표본의 중위수를 가설의 평균과 비교
Wilcoxon 부호 순위 검정		
Mann-Whitney U 검정	두 짝짓지 않은 자료	한 표본의 중간값을 다른 표본의 중간값과 비교
Wilcoxon 쌍 검정	두 개의 짝지은 자료	한 표본의 중간값을 다른 시점의 동일한 표본의 중간값과 비교
Kruskal-Wallis 분산분석	세 군 이상의 짝짓지 않은 자료	세 군 이상의 군 사이에 중간값 비교
Friedman 검정	세 개 이상의 짝지은 자료	세 개 이상의 자료 사이에 중간값 비교

표 18. 정규분포를 따르지 않는 자료에 대한 통계분석

정규분포를 따르지 않는 자료는 통계적 검정력을 가지게 하던지, 역수 또는 로그를 취하는 수학적인 방법으로 정규분포 모양의 분포로 변환하거나 아니면 정규분포의 가정을 갖지 않는 통계 검정을 이용할 수 있다.

모수검정은 정규분포를 따르는 자료에 사용될 수 있다(표 19). 읽을거리 57 참조

정규분포를 따르는 자료		
통계방법	자료	설명
일 표본 t 검정	일 표본자료	표본의 평균을 가설의 평균과 비교
t 검정	두 개의 짝짓지 않은 자료	한 표본의 평균을 다른 표본의 평균과 비교
짝지은 t 검정	두 개의 짝지은 자료	한 표본의 평균을 다른 시점의 동일 표본의 평균과 비교
분산분석	셋 이상 짝지은 또는 짝짓지 않은 자료	세 군 또는 그 이상의 군 사이에 평균 비교

표 19. 통계검정과 정규분포 자료

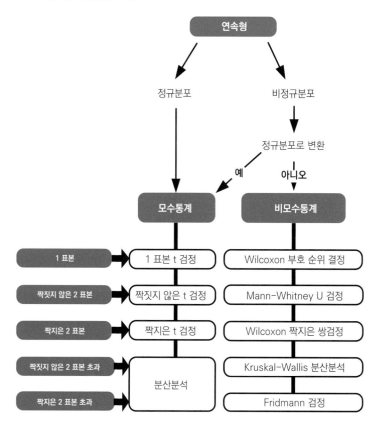

그림 50. 연속형 자료 분석에 사용되는 통계방법

분산분석(Analysis of variance; ANOVA)

두 개 이상의 군 간 비교에서 여러번 t 검정을 하거나, 다수의 가설검정으로 인한 제1종 오류의 위험을 줄이기 위하여, 분산분석을 이용할 수 있다.

분산분석(ANOVA-Analysis of variance)

- 하나의 연속형 종속변수
- 하나의 범주형 독립변수, 보통 3개이상의 독립된 군을 대표함.
- 예 : 인도, 파키스탄, 중국 학생 간에 필기점수에 차이가 있는가?

두 가지 종류의 분산분석이 있다.

- **일원분산분석(One-way ANOVA)** : 만약 독립변수가 단지 하나의 요인으로 구성된 경우, 일원분산분석은 독립적 두표본 t 검정의 확장이다. 예: 필기시험 점수가 인도, 파키스탄, 중국학생 간에 차이가 있나?
- **이원분산분석(Two-way ANOVA)** : 만약 독립변수가 두 가지 요인으로 구성된 경우, 학생들의 시험성적이 민족(인도, 파키스탄, 중국) 그리고 성별에 따라 차이가 있는가?

분산분석은 통계적 차이가 있는지 보여주지만 그 차이가 어느 군 사이에 있는지 알려주지는 않는다. F-통계값은 분산분석에서 계산되고 P value를 결정하는 데 사용된다.

공분산분석(ANCOVA-Analysis of covariance)

- 분산분석과 비슷하지만 공변량(covariate)이라고 하는 하나 이상의 연속형 변수를 보정한다.
- 예제: 연령효과를 보정한 상태에서 인도, 파키스탄, 중국 학생들의 필기시험 성적에 차이가 있는가? [주의 : 만일 우리가 학생의 나이가 많고 적음에 따른 성적의 차이처럼 나이의 영향을 알고자 한다면 이원분산분석을 이용할 수 있을 것이다.] 읽을거리 58 참조

다변량 분산분석(MANOVA-multivariate analysis of variance)

- 분산분석과 비슷하지만 부가적으로 관련된 종속변수들을 적용한다.
- 예제: 인도, 파키스탄, 중국 학생들의 필기시험 점수와 임상시험 점수에 차이가 있는가?

다변량 공분산분석(MANCOVA-multivariate analysis of covariance)

- 분산분석과 비슷하지만 부가적인 공변량과 관련된 종속변수를 적용한다.
- 예제: 연령효과를 보정한 상태에서 인도, 파키스탄, 중국 학생들의 필기시험 점수와 임상시험 점수에 차이가 있는가?

읽을거리 54

Hoji Yet al. Concerns about covert HIV testing are associated with delayed presentation of suspected malaria in Ethiopian children: a cross-sectional study. Malaria Journal 2014; 13: 301.로부터 발췌

이 연구는 인간 면역결핍 바이러스(HIV) 검사에 대한 보호자의 비밀스러운 두려움이 말라리아가 의심되는 어린이들의 병원 방문을 지연시킨다는 가설을 검정하였다. 분석에서 아이들을 보호자가 은밀한 HIV 검사에 대한 걱정을 하고 있는 군과 그렇지 않은 군의 두 군으로 나누었다. 각 군에 대하여 연구자들은 말라리아 증상이 나타난 후 조기에 또는 지연되어 병원에 온 아이들의 숫자를 확인하였다.

관심있는 노출 요인은 '당신은 의료시설에서 말라리아 검사를 위해 채혈한 모든 사람들이 HIV 검사를 받아야 한다고 생각하는가?'에 대한 반응이었다. 말라리아 증상의 발현부터 의료기관에 내원하기까지의 시간이 일차 결과 변수였다. 결과 변수는 이와 같은 주제의 선행연구에서 사용된 대로 '조기'(2일 이내)와 '지연'(3일 이상)으로 구분하였고 또한 중앙값에 근사한 절단값을 사용하여 범주화하였다. 초기 분석은 카이-제곱 검정을 사용하였다.

해설 : 카이-제곱 검정을 이용한 예. 이 분석에 두개의 짝짓지 않은 군과 두 가지의 가능한 결과 범주가 있다.

읽을거리 55

Carter EM et al. Predicting length of stay from on electronic patient record system: a primary total knee replacement example. BMC Medical Informatics and Decision Making 2014; 14: 26.로부터 발췌

영국의 한 병원에서 무릎인공관절 수술을 받고 퇴원한 환자의 전자 환자 기록 시스템으로부터 자료를 추출하였고 이산자료에 대해서는 Mann-Whitney 검정과 Kruskal-Wallis 검정, 연속형 자료에 대해서는 Spearman 상관계수를 구하여 무릎수술의 재원기간에 대한 영향을 분석하였다.

재원기간은 태생적으로 대부분의 환자 코호트에서 한쪽으로 치우치게 분포되었다. 자료들은 재원기간에 미치는 영향에 대해서 다음의 비모수적 통계 검정을 통해서 분석되었다: 단지 두 군이 존재할 때는 Mann-Whitney U 분석, 두 군 이상에서는 Kruskal-Wallis 검정을 이용하였다. 재원기간에 영향을 미치는 것으로 밝혀진 요인에는 연령, 성별, 협진의사, 퇴원시 목적지, 인종, 금전적인 요인 등이 있었다.

해설 : 정규분포를 따르지 않는 자료에 대한 Mann-Whitney U 분석과 Kruskal-Wallis 분석을 이용하는 예

읽을거리 56

Hechler T et al. Chronic pain treatment in child and aldolescents: less is good, more is sometimes better. BMC Pediatrics 2014; 14: 262.로부터 발췌

이 연구는 만성통증을 가지고 있는 소아를 대상으로 학교 결석을 포함한 여러가지 영역에서 외래환자와 입원환자를 비교하고자 한다.

학교결석은 부모의 보고를 통하여 조사하였는데 6세 이상 어린이에서 최근 20일 내에서 학교에 결석한 날 수를 조사하였다. 결석일은 단기(0-1일 결석), 중기(2-5일 결석), 장기결석(5일 초과)의 3가지로 분류하였다. 학교 결석의 분류에 따라 소아 입원환자와 외래환자간의 차이는 Mann-Whitney U-검정을 이용하여 계산하였다.

해설 : 순위척도로 측정될 수 있는 범주형 변수에 대해 비모수검정을 사용한 예

읽을거리 57

Vanderlei FM et al. Characteristics and contributing factors related factors related to sports injuries in young valleyball players. BMC Research Notes 2013; 6: 415.로부터 발췌

이 연구의 목적은 배구선수에서 발생하는 스포츠손상의 특징을 확인하고 손상에 영향을 미치는 생체측정값과 훈련 관련 변수를 확인하는 것이다. 총 522명의 배구선수를 면담하였다. 스포츠손상으로 고통받던 선수와 그렇지 않았던 군을 비교하였다.

손상의 발생과 관련된 요인을 비교하기 위해, 정규분포를 따르면서 짝짓지 않은 자료에 대하여는 Student's t-검정을 적용하였고 정규분포가 확인되지 않은 변수(나이, 체격, 체질량지수와 운동기간)는 Mann-Whitney 검정을 적용하였다.

해설 : 정규분포, 비정규분포 자료에 따른 서로 다른 통계 검정의 예

읽을거리 58

Yow YH et al. Weight changes and lifestyle behaviors in women before and after breast cancer diagnosis: a cross-sectional study. BMC Public Health 2011;11: 309.로부터 발췌

이 연구에서는 유방암 진단 전후 체중의 변화에 대하여 기술하였으며 체중유지, 체중증가 또는 체중감소를 보이는 유방암 생존자의 생활양식 행동에 대하여 기술하였다.

선택된 사회인구학적 특성에 따른 체중변화를 조사하기 위해 분산분석을 이용하였다. 체중변화 군별 식이섭취, 운동량의 차이에 대하여 가계수입, 교육정도, 진단 당시 나이, 진단 후 기간을 공변량으로 하여 공분산분석을 시행하였다.

해설 : 다른 사회인구학적 특성을 보이는 군간에 통계학적으로 유의한 체중변화의 차이를 탐색하기 위한 분산분석의 예. 그리고 세가지 체중변화 군(정상체중, 체중증가, 체중감소)에서 식이섭취와 운동량에 따라 통계학적으로 의미있는 차이를 분리해서 연구하기 위해 다른 네 가지의 공변량을 보정하고 시행한 공분산 분석의 예.

상관과 회귀(Correlation and regression)

지금까지 우리는 단일표본에서의 자료를 기술했고 표본자료를 통해서 모집단의 자료를 추론했으며 귀무가설을 통해서 표본들을 비교하였다. 가끔은 두개 또는 그 이상 변수들간에 연관성이 있는지를 보기 위해서 관계의 특성을 규명해야 할 필요가 있다.

상관(Correlation)

상관은 두개의 양적 변수간의 관계에 있어 강도를 의미한다(그림 51). 두개의 변수 X와 Y 사이에 선형적인 연관성이 있는지를 조사한다. X는 보통 독립변수, Y는 종속변수를 가리킨다.

- 양의 상관성(Positive correlation)은 X가 증가함에 따라 Y가 선형적으로 증가한다는 의미다.
- 음의 상관성(Positive correlation)은 X가 증가함에 따라 Y가 선형적으로 감소한다는 의미다.
- 0의 상관성(zero correlation)은 비교되는 변수들 간에 완전히 연관성이 없음을 반영한다.

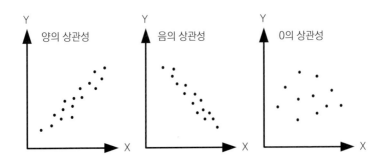

그림 51. 3가지 형태의 상관성을 보여주는 산점도

상관계수(Correlation coefficient)

산점도에서 변수간 관계는 상관계수(r)을 통해서 정량화할 수 있다.

- 만약 r이 양성이라면 변수들은 비례하여 관계된다. 한 변수가 증가하면 다른 변수도 증가한다.
- 만약 r이 음성이라면 변수들은 반비례하여 관계된다. 한 변수가 증가하면 다른 변수는 감소한다.
- r은 단위가 없다.
- r의 값은 −1에서 1사이에서 다양하게 나타난다.
  - 만약 r = 0이면 상관성이 없다.
  - r이 0에 근접할수록 상관성은 약해진다.
  - 만약 r = −1 또는 r = +1이면 완전한 상관성이 존재한다(모든 점이 한 선 위에 놓이게 된다).
  - r이 −1 또는 +1에 근접할수록 상관성은 강해진다.
  - r이 r 〈 −0.5 또는 r 〉 0.5일 때 강한 상관성이 있다고 인정된다.
  - r은 직선의 기울기가 아니다 − r값은 어떤 관계의 방향성과 그 관계가 얼마나 단단한지를 반영한다.

상관계수는 보통 P 값과 함께 제시된다. 귀무가설은 상관성이 없다가 된다. P값은 상관성의 강도뿐만 아니라 표본 수에 영향을 받아서, 상관계수가 작아도 표본 수가 크면 통계적으로 유의할 수 있고 그 반대의 경우도 가능하다. 따라서 해석이 더 어렵다. 읽을거리 59 참조

중요한 것은 상관계수가 관련된 둘 또는 그 이상의 변수들의 연관성(association)을 기술한다는 점이다. 상관계수는 인과관계를 나타내지 않는다.

심지어 X와 Y 사이에 강력한 상관성이 있다고 해도, 다음 내용을 내포할 수 있다.

- 이 상관관계는 우연의 결과이다.
- X는 부분적으로 Y의 값을 결정한다.

- Y는 부분적으로 X의 값을 결정한다.
- X와 Y의 변화는 교란변수에 의해 설명된다.

여러 가지 형태의 상관계수가 존재한다. 두 변수 간의 관계를 기술하는 데 사용되는 상관계수는 비교하는 자료의 형태에 따라 영향을 받는다.

Pearson (product moment)상관계수(r) : 이 모수적 통계값은 구간이나 비율척도로 표현되면서 정규분포를 따르는 두 변수간의 선형적 연관성을 계산한 것이다. 두 변수가 동일한 척도로 측정될 필요는 없고 변수들 사이에는 선형적 관계가 있다고 가정한다.[5]

Spearman의 순위상관계수와 Kendal의 상관계수(Spearman's rank correlation (rho, ρ) and Kendall's correlation coefficient (tau, τ) : 이것들은 순위형 자료의 상관성에 대한 비모수적인 측정법이다.

회귀(Regression)

상관 관계가 한 쌍의 변수 사이의 선형 관계의 강도를 정량화하는 반면 회귀는 두 개 이상의 변수 간의 관계를 방정식의 형태로 표현한다.

변수 사이의 관계는 산점도의 회귀직선(regression line)으로 나타낼 수 있다. 회귀직선은 회귀식(regression equation)을 이용하여 구성된다. 회귀식은 예측도를 가지지만 인과관계를 입증하지는 않는다.

---

5) Hauke J and Kossowski T. Comparison of values of Pearson's and Spearman's correlation coefficients on the same sets of data. Quaestiones Geographicae 30(2) 2011

단순선형회귀(단변량 회귀)(Simple linear regression (univariate regression))

단순선형회귀는 종속변수(결과변수) Y와 단일 설명변수(독립변수 또는 예측변수) X간의 선형관계를 기술하는 데에 관심이 있다.

독립변수가 하나인 경우 회귀직선에 가장 적합한 방정식은 다음과 같다.

$Y = a + bX$

Y = 종속변수의 값

a = 회귀직선의 Y축상 절편, 즉 X = 0일 때 Y의 값

b = 회귀계수(회귀직선의 기울기 또는 경사도). 회귀계수가 양수이면 X와
     Y 사이에 양의 관계가 있다. 회귀 계수가 음수이면 음의 관계가 있다.

X = 독립변수의 값

주어진 X 값에 대해 해당되는 Y값을 예측할 수 있다(그림 52). 예측값은 추정된 정확도를 제시하기 위해 95 % 신뢰구간과 함께 표현해야 한다.

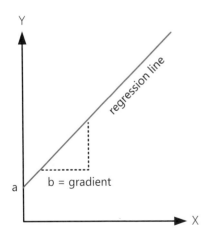

그림 52. 단순선형회귀

읽을거리 60 참조

최소제곱법(Method of least squares)

이 방법은 여러 가지 선택 중 어떤 직선이 산점도에 가장 잘 맞는지 결정한다. 각 직선에 대해 그 직선으로부터 각 자료값의 수직 거리를 측정하여 제곱한다. 모든 제곱된 거리를 합하여 해당 직선의 '제곱거리의 합' 측정값이 산출된다. 최종 선형회귀직선은 제곱거리의 합이 최소가 되는 선을 찾아서 결정된다.

결정계수(Coefficient of determination)

단순선형회귀 분석에서 상관계수의 제곱(r^2)을 결정계수라고 하고 이는 적합도 검정을 의미한다. 이것은 회귀식에 의해 얼마나 많은 변동이 설명될 수 있는지 보여주는 척도이다.[6] r^2 값은 0에서 1사이에 분포하고 만약 산점도상의 회귀직선이 모든 자료의 점들을 통과한다면 모든 변동은 회귀식($r^2 = 1$)으로 설명될 수 있지만 자료 점들이 회귀직선에서 멀어질수록 회귀직선이 변동를 설명할 수 있는 능력은 더 적어지고 r^2의 값도 더 감소한다.

이것은 적절성을 해석할 때 유용하다. 예를 들어 시험 결과에 있어서 시험 후 검토 시간과 시험 점수의 상관성이 0.8이라고 가정해보자. 이 경우에서 r^2 = 0.8 × 0.8 = 0.64이고 이것은 시험 결과의 변동 중 64 %가 이 단순선형모형에 의해 설명됨을 의미한다. 선천적 지능과 같은 더 많은 인자들이 연관된 더 복잡한 모형이 시험 결과들의 모든 변동을 더 잘 설명할 수도 있다. 더 복잡한 모형에 대한 결정 계수는 R^2으로 표시된다. 읽을거리 61 참조

다중선형회귀(다변량 회귀)(Multiple linear regression (multivariable regression))

다중선형회귀는 종속변수(결과변수) Y와 둘 이상의 독립변수 간의 관계를 기술하는 것과 관련된다. 독립변수는 연속형 변수이거나 범주형 변수일 수

---

6) Coefficient of determination. http://en.wikipedia.org/wiki/Coefficient_of_determination. Accessed 10 October 2014

있다.

방정식은 더 복잡하다.

$$Y = a + b_1X_1 + b_2X_2 + \cdots$$

모든 독립변수의 값이 0 일 때 a = Y

b_1, b_2, $\cdots$ = 독립변수에 대한 부분회귀계수

X_1, X_2, $\cdots$ = 독립변수의 값

부분회귀계수는 최소제곱법에 의해 계산된다. 이것은 대개 95% 신뢰구간 및 P 값과 함께 제시된다. P 〈 0.05 또는 신뢰구간에 0이 포함되지 않으면 독립 변수는 종속변수에 유의한 영향을 미친다고 할 수 있다. 단순선형회귀와 마찬가지로 각 독립변수와 종속변수 간 관계의 방향성은 부분회귀계수에 의해 주어진다.

단계적 방법 회귀모형 : 통계적으로 유의한 독립변수가 중요도 순서대로 선택된다. 회귀의 과정은 첫 단계에서 종속변수와 가장 상관성 있는 독립변수를 찾은 다음, 두 번째 단계에서 다음으로 중요한 변수를 검색하고 만약 있다면, 이 두 변수를 기반으로 회귀 자료가 생성된다. 이 과정은 모든 중요한 변수가 회귀식에 들어갈 때까지 계속된다. 마지막 단계에서 최상의 회귀모형이 도출된다.[7] 반대로 '후진 단계적 방법'에서는 시작 시에 모든 변수가 포함되고 최종 모형이 도출될 때까지 가장 상관성이 약한 변수가 단계적으로 제거된다.

여러 가지 다른 변수가 연구결과에 어떤 영향을 미치는지 평가하기 위해 다중선형회귀가 사용된다. 또한 연구에 존재할지도 모르는 가능한 교란요인 (confounding factor)의 영향을 평가하 는데도 사용된다. 읽을거리 61 참조

---

7)   Nardi PM. Chapter 5 Reading regressions in: Interpreting data: A guide to understanding research. 1st edition 2005.

다중선형회귀식에서 종속변수의 최종값을 결정할 때 독립변수에서 상대적
으로 중요한 것은 무엇일까? 이를 결정하는 데 도움을 주는 두 가지 유형의
회귀계수가 있다.

- B는 표준화되지 않은 회귀계수이다. 그것은 회귀직선의 기울기이다.
  독립변수의 B 값은 변수들이 동일한 단위로 측정되는 경우에만 비교
  될 수 있다.
- 베타(β)는 표준화된 변수에 대한 회귀 가중치이다. 이것은 모든 변수
  를 표준화하여 다른 단위로 측정된 변수에 비교할 수 있는 계수를 부
  여하는 접근법이다.[8] 베타값은 특정 독립변수의 1 − 표준편차(1SD)의
  범위내에서의 변동과 연관된 종속변수의 변화(표준편차 범위내에서의
  변화)를 나타낸다. 베타값은 측정단위와 상관없이 모든 독립변수의 상
  대적 가중치를 나타낸다. 읽을거리 62 참조

로지스틱 회귀(Logistic regression)

선형 및 다중회귀는 종속변수가 연속형이라고 가정한다. 로지스틱 회귀는 관
심 결과가 이분형 일 때 사용된다.

Cox 비례 회귀(Proportional Cox regression)

이것은 '비례 위험 회귀(proportional hazards regression)'라고도 알려져 있으
며, 생존 또는 다른 시간관련 사건에 변수가 미치는 영향을 결정하는 데 사
용할 수 있다. 사용된 결과 척도가 실제 생존시간은 아니다. 대신, 위험률
(hazard rate)의 개념이 사용된다. 237쪽 참조

요인분석(Factor analysis)

이것은 많은 변수들 사이의 상호 관계를 분석하는 데 사용할 수 있는 통계

---

8)   Standardized coefficients. http://en.wikipedia.org/wiki/Standardized_coefficient. Accessed 10 October 2014.

적 접근법이며 공통된 기저 요인의 관점에서 이러한 변수들을 설명하는 데 사용할 수 있다.

군집분석(Cluster analysis)

이것은 상대적으로 동질한 군(군집, clusters)이 형성될 수 있도록 변수들에 관한 정보를 조직화하는 다변량 통계기법이다.

읽을거리 59

Becker C et al. CAT correlates positively with respiratory rate and is a significant predictor of the impact of COPD on daily life of patients: a cross sectional study. Multidisciplinary Respiratory Medicine 2014; 9: 47.로부터 발췌

COPD 평가검사(CAT)는 COPD의 영향력을 측청하기 위해 고안된 설문지이다. 이 연구의 목적은 COPD 환자 표본에서 CAT를 통해 질병의 영향력을 평가하고 이 환자들에서 휴식시 증상과 CAT 점수의 상관성을 알아보는 것이다.

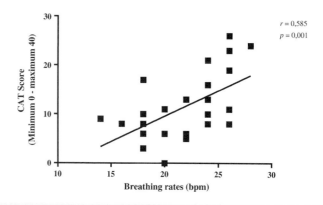

해설 : 위 그림은 호흡속도(분당 호흡수)와 CAT 점수 사이에 양의 상관관계가 있음을 보여준다. 이 상관관계의 강도는 r 값으로 주어진다.

Sugawara N et al. Effect of age and disease on bone mass in Japanese patients with schizophrenia. Annals of General Psychiatry 2012; 11: 5.로부터 발췌

이 연구의 목적은 일본에 사는 건강한 사람과 정신분열병 환자의 골질량을 비교하는 것이었다. 골질량은 발꿈치뼈에서 정량적 초음파 밀도측정기를 이용하여 측정하였다. Osteosono-assessment index (OSI)는 음속과 투과지수의 함수로 계산되었다.

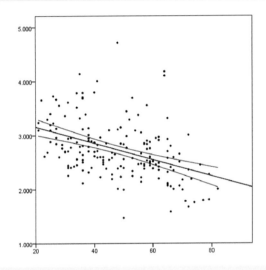

해설 : 이 산점도는 남성 정신분열병 환자에서 수직축의 OSI (osteosono-assessment index) 값과 수평축의 연령 사이의 관계를 묘사한다. 직선은 단순선형회귀분석에 의해 계산된 가장 적합한 기울기와 95% 신뢰구간을 가리킨다.

읽을거리 61

Bohmer AB et al. Factors influencing lengths of stay in the intensive care unit for surviving trauma patients: a retrospective analysis of 30,157 cases. Critical Care 2014; 18: R143.로 부터 발췌

연구의 목적은 생존한 외상환자를 대상으로 중환자실 체류기간에 어떤 요인이 어느 정도의 영향을 미치는지 조사하는 것이다.

단변량 분석에서 모든 분석된 요인들의 영향력을 확인하였다. 이후 다중회귀분석에서 회귀계수는 -1.3에서 +8.2일(days) 범위를 보였다. 중환자실 체류기간의 연장에 가장 영향을 미치는 요인은 신부전(+8.1일), 패혈증(+7.8일) 및 호흡부전(+4.9일)이었다. 환자는 ISS (injury severity score)가 5점 증가할 때마다 중환자실에서 1일을 더 보냈다(ISS 1점당 회귀계수 +0.2). 그리고 대량수혈(+3.3일), 침습적 환기(+3.1일) 및 8점 이하의 초기 GCS 점수(+3.0일)가 중환자실 체류기간에 중대한 영향력을 미쳤다. 모형에 대한 결정계수는 44%(R^2)였다.

해설 : 연구자들은 단순선형회귀를 이용하여 모든 요인들이 체류기간과 연관이 있음을 확인하였다. 그들은 다중선형회귀를 사용하여, 체류기간 변화의 거의 절반(44%)을 설명할 수 있는 여러 가지 변수가 포함된 모형을 구축할 수 있었다.

읽을거리 62

Dias S et al. Health workers' attitudes toward immigrant patients: a cross-sectional survey in primary health care services. Human Resources for Health 2012; 10: 14.로부터 발췌

이 연구는 이민 환자에 대한 다양한 의료계 종사자군의 태도를 조사하고 그와 연관된 요인들을 파악하는 것을 목적으로 한다.

각기 다른 [독립]변수들과 '이민 환자에 대한 태도' 사이의 관계를 추정하기 위해 다중선형회귀분석이 사용되었다. 이 [종속]변수의 범위는 1에서 25까지였다(점수가 높을수록 긍정적인 태도를 반영한다). 사무직 노동자와 비교할 때 의사(베타 = 0.895, P = 0.004)와 간호사(베타 = 0.311, P < 0.001)는 좀 더 긍정적인 태도를 보이는 경향이 있었다. 의사들 사이에서 연령은 태도와 유의한 연관성이 있었다: 나이가 많은 사람들은 젊은 사람들보다 긍정적인 태도를 보일 확률이 낮았다(베타 = -0.678, P = 0.030). 매일 3명 이하의 이민 환자를 접촉하거나(베타 = 0.258, P = 0.001)와 4에서 7명(베타 = 0.209, P = 0.008)을 만나는 의료인은 하루 8명 이상의 이민 환자와 접촉한 사람에 비해 긍정적인 태도를 보일 가능성이 높았다.

해설 : 연구자들은 모든 변수를 표준화하고 베타값을 인용하여 각기 다른 변수의 상대적 중요성을 도출할 수 있었다.

중간분석(interim analysis)

임상시험은 시작부터 종료까지 몇 개월이 걸릴 수 있다. 중간분석을 통해 연구자는 연구종료 전에 특정 시점에서 그 결과를 볼 수 있다. 중간분석은 연구 설계의 결함을 파악하는 데 도움이 될 뿐만 아니라, 발생할 수 있는 유의한 이득이나 유해한 효과를 찾아내는 데 도움이 되기도 한다. 어떤 군이 다른 군보다 더 해롭거나 덜 유익한 치료를 받는 것이 분명하다면 윤리적인 이유에서 가끔 연구중단을 가져오기도 한다.

중간분석에는 잠재적인 문제점이 있다. 다중분석이 수행되면 우연에 의해 의미있는 결과가 나올 수 있고 연구자로 하여금 제1종 오류를 만들도록 호도할 수 있다. 몇가지 통계적 방법으로 다중분석을 보정할 수 있는데 그 사용에 대해서는 임상시험계획서에 명시되어야 한다.

2009년 3월, Pfizer는 췌장섬세포종 환자에서 Sutent (sunitinib)라는 약물에 대한 무작위 위약대조시험을 중단했다. 이 임상시험은 2007년에 시작되어 2011년에 완료될 것으로 예상되던 것이었다. 유효성의 주요 척도는 무진행 생존여부(progression-free survival) 또는 사망이나 질병 진행까지의 시간이었다. 독립적으로 운영되는 자료검토위원회는 위약에 비해 무진행 생존율이 개선되었다고 결론을 내린 후 조기에 임상시험을 중단할 것을 권고했다. 모든 환자에게 sutent 복용을 계속하거나 위약에서 Sutent로 전환할 수 있도록 선택이 주어졌다.

2009년 4월, Pfizer는 진행성 유방암 치료제인 Sutent (sunitinib)와 Xeloda (capecitabine)를 비교하는 3상 임상시험을 중단했다. 주요 결과변수는 무진행 생존여부였다. 독립적으로 운영되는 자료검토위원회는, 이전에 표준치료에 효과가 없었던 환자들에게서 Sutent가 단독치료법으로서 Xeloda보다 더 우수하지 못하다는 사실을 발견했다.

비열등성 및 동등성 시험(Non-inferiority and equivalence trials)

어떤 연구자는 특정 조건에서의 신약의 효용성을 보여주기 위해 신약과 준비된 위약을 경쟁시킬 수도 있다. 그러나 위약-대조시험은 특정 조건에서 해당 치료법을 이미 사용할 수 있는 경우 임상의가 원하는 정보를 제공하지는 않는다. 그런 상황에서는 신약과 표준 약제를 비교하는 시험이 더 유용하다. 연구자는 물론 신약이 표준약제보다 더 나은지 평가하기 위한 임상시험을 구성할 수 있다. 이러한 **우월성 임상시험(superiority trials)**에서 치료법들 간에 차이가 있는지 확인하기 위해 유의성 검정이 사용된다. 우월성 임상시험은 적절한 검정력을 보장하고 2종 오류를 최소화하기 위해 많은 수의 개체를 필요로 하는데, 왜냐하면 새로운 치료법을 위약대신 표준치료법과 비교하면 차이가 적을 것으로 기대되기 때문이다.

동등성(Equivalence)

동등성 연구(Equivalence study)에서 연구자는 약물간의 동등성을 보여주려고 시도한다. 완전한 동등성을 보여주는 것은 어려우므로 임상시험은 두 약물 간의 결과 차이가 '동등성 한계(equivalence margin)' 또는 '델타(delta)' 라고 불리는 특정 범위 내에 있음을 입증하도록 설계된다. 델타는 임상적으로 허용되는 가장 작은 차이를 나타낸다. 두 약물 간의 관찰된 차이에 대한 신뢰구간이 전적으로 델타에 있는 경우 동등성을 가정할 수 있다. 동등성 한계가 너무 넓으면 위양성 결과를 얻을 위험이 증가한다(두 약물이 동등한 것으로 잘못 받아들여진다).

비열등성(Non-inferiority)

비열등성 연구(non-inferiority study)로 연구자는 신약이 표준약제보다 특정 범위 내에서 더 나쁘지 않은지 평가한다. 두 약제 간 차이의 신뢰구간이, 비열등성 한계 또는 델타라고 불리는 미리 지정된 수준보다 더 작지 않은 경우,

비열등성을 가정할 수 있다.[9] 비열등성 연구는 동등성 연구의 단측성 형태이다. 하지만 예를 들어 사망과 같이 심각하게 원치않는 결과를 피하기 위해 치료법이 사용되는 경우처럼 어떤 열등성도 용납될 수 없는 상황에서 열등성 시험은 사용되어선 안 된다.

비열등성 시험의 목적은 무엇인가? 답은 제약회사들이 시장점유율을 확보하기 위해 표준약제보다 자기들의 신약이 더 좋다는 것을 꼭 보여줄 필요는 없다는 것이다. 예를 들어, 어떤 약이 열등하지 않으면서 더 싸고 부작용도 덜 유발하는 등의 이점이 있다면, 그 신약은 임상의들에 의해 처방될 것이다. 비열등성 시험은 일반적으로 우월성 시험이나 동등성 시험보다 더 작은 표본크기를 요구하고, 더 저렴하고 빠르게 시행할 수 있다. 일단 비열등성이 확립되면 우월성을 검정하기 위해 자료에 대한 추가적인 통계 검정이 시행될 수 있다.

집단 효과에 기반한 선택중재(Selecting interventions based on class effect)

약물을 분류하는 것은 약물이 가지는 유사한 특성에 달려있는데, 거기에는 화학적 구조, 약동학 및 약력학 등이 포함될 수 있다. 함께 분류된 약물은 유사한 치료 효과와 유사한 부작용을 갖는다는 **집단 효과(class effect)**가 존재한다.

함께 한 집단에 속하고 집단 효과를 공유하는 약물 중 어떤 것을 선택하는 것은 비교적 간단하다. 왜냐하면 보통 가장 저렴한 약물이 선택되기 때문이다.

---

9) Piaggio G, Elbourne DR, Altman DG, Pocock SJ, Evans SJ. Reporting of noninferiority and equivalence randomized trials: An extension of the CONSORT statement. JAMA 2006, 295, 1152–60.

교란요인 재검토

우리는 이 책의 방법 섹션(section E) 말미에 비뚤림을 재검토하였다. 왜냐하면 일단 한가지 실수가 발생하면 실수를 인정하고 논문의 고찰에서 그에 대한 영향을 토론하려는 연구자들이 적기 때문이다.

이 책의 결과 섹션(sectionn F) 말미에 교란요인이 재검토하고자 한다. 왜냐하면 많은 것들이 논문의 방법 섹션과 결과 섹션에서 교란요인과 함께 다루어지기 때문이다.

교란요인을 통제하는 방법들

연구 설계 시점에

- **제한:** 확실한 교란요인들을 포함기준과 제외 기준을 이용하여 동일 모집단에 들어가는 것을 제한하는 방법
- **짝짓기:** 알려진 혹은 알려지지 않은 교란요인들을 연구군에 고르게 배정하는 방법인데 무작위 방법에 따라 다르다.

연구 분석 시점에

- **표준화:** 노출되지 않은 군에서 관찰된 동일 교한 요인들이 분포되도록 하여 노출군의 위험을 조절하는 방법. 예를 들어, 만약 나이가 교란요인이라면 노출군의 위험도는 나이로 보정된 위험도로 조절될 수 있다. 표준화 방법은 유연하고 가역적이다. 가능성 있는 교란요인들이 다루어 지기 전에 자료 수집이 완료될 수 있다. 하지만, 표준화는 한가지 이상의 교란요인을 다룰 때는 어렵게 된다.
- **다변량 분석을 이용한 통계적 보정:** 교란요인들을 함께 통제하기 위해 이러한 통계적 방법이 사용된다. 원인요인과 교란요인들을 수식 안에 넣어 종속변수인 결과 유무에 따라 자료를 분석한다. 수식은 교란요인들이 전체적인 효과에 얼마나 영향을 주는지를 확인할 수 있게 해준다. 종속변수들이 연속변수인 경우, 다중 선형 회귀 분석이 사용된다. 만약 변수들이 이

분형이면 로지스틱 회귀분석이 사용된다. 다변량 분석의 장점은 한가지 이상의 교란요인들이 고려될 수 있는 것으로 역시 유연하고 가역적이다.

SECTION G

체크리스트 사용

체크리스트에 대한 소개(Introduction to checklists)

모든 임상적 연구논문은 이 책에서 지금까지 기술된 구조적인 방법을 통해 이해하고 비평할 수 있다. 연구의 방법론과 결과를 비평하기 이전에 임상적 질문과 연구 유형에 대해서 먼저 고려되어야 한다.

연구는 사용된 연구 설계와 임상적 질문의 주제 영역에 따라서 분류될 수 있다. 예를 들면, 어떤 연구들은 원인이 되는 요인을 찾고, 어떤 연구들은 진단 검사의 유용성을 탐구한다. 서로 다른 임상 영역안에서 여러가지 구체적인 질문이 존재할 수도 있다. 특히 방법론과 결과에 관해서는 더욱 그러하다. 임상적 적용가능성의 문제도 이와 유사하다.

체크리스트는 다른 형식의 연구를 비평할 때 방법론이나 결과보고, 적용가능성에 대한 중요 내용을 목록으로 나열해 줌으로써 핵심적인 고려사항을 놓치지 않고 평가할 수 있는 방법을 제공한다. 많은 기관에서 체크리스트를 발간했지만, 가장 극찬을 받는 체크리스트는 1993년과 2000년 사이에 Journal of the American Medical Association (JAMA)에 게재된 근거중심 의학연구그룹의 Users'Guides to the Medical Literature series였다(298쪽의 "더 읽을거리" 참조). 이 장의 체크리스트는 이 그룹의 결과물에 근거하였다.

이 장은 우리가 임상적 실습에 사용할 체크리스트에 대한 축약된 개관을 보여주게 될 것이다. 중복을 방지하기 위해 새로운 용어와 개념에 대해서만 자세히 설명하고자 한다.

원인적 연구(Aetiological Studies)

원인적 연구는 한 개 이상의 그룹이 한 개 이상의 위험 요인에 노출될 경우에서 특정한 결과를 초래하게 되는 위험도를 비교하고자 한다(그림 53, 표 20). 흔히 사용되는 연구유형은 환자-대조군 연구와 코호트 연구이다.

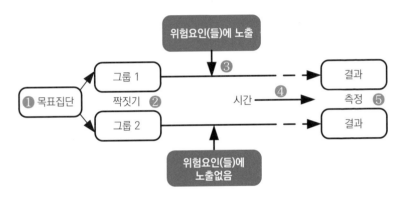

그림 53. 원인적 연구(방법론상의 순서 단계는 표 20에서 설명함.)

방법론
명확하게 정의된 환자군이 제시되었는가?(1)
연구하고자 하는 요인의 노출을 제외하고는 두 그룹은 서로 유사한가?(2)
요인의 노출이 결과의 시점보다 선행하는가?(3)
연구대상의 추적 관찰이 완전히 이루어졌고 기간은 충분했는가?(4)
요인의 노출과 임상적 결과가 두 그룹에서 동일한 방법으로 측정되었는가?(5)

결과
무작위 시험이나 코호트 연구에서 상대 위험도
환자-대조군 연구에서 오즈비
위험 추정치의 정밀도 − 신뢰 구간
용량-반응 관계가 성립하는가?
생물학적으로 설명가능한 연관성이 있는가?

적용가능성
적용하고자 하는 환자군이 연구의 목표집단과 유사한가? 위험인자는 적용하고자 하는 집단과 유사한가?
위해가 발생할 위험성은 얼마나 되는가(위해가 발생할때까지 필요한 수)?
위험 요인이 발생 시에는 중단되거나 최소화되어야 할 정도인가? 최소화되어야 할 정도인가?

표 20. 원인적 연구 체크리스트(표시된 숫자는 그림 53의 연구과정과 관련 있음)

The STROBE checklist

'STROBE'는 '역학적 관찰 연구 보고 방법의 강화'라는 문구의 머리글자를 의미한다. 이것은 관찰연구의 수행과 보급에 관련된 역학자, 방법론자, 통계학자, 연구자, 학술지 편집인들의 국제적인 모임에서 제시한 목표이다. 코호트, 환자−대조군 연구, 단면 조사 연구를 평가하는 체크리스트는 STROBE website에서 다운로드 받을 수 있다(www.strobe−statement.org).

진단 혹은 선별검사 연구(Diagnostic or screening studies)

진단 연구는 어떤 상태를 진단하는 새로운 검사를 표준검사와 비교한다(그림 54, 표 21).

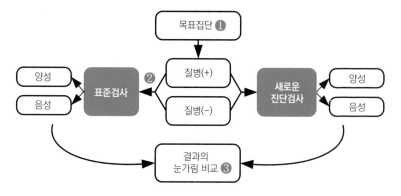

그림 54 진단연구(방법론상 숫자로 표시된 단계는 표 21에서 설명됨)

좋은 검사는 질병 상태가 아님에도 검사상 양성인 환자(위양성, false positives)의 수를 최소화하면서 실제 질병 상태를 만족하는 환자군(진양성, true positives)을 정확하게 구분할 수 있어야 한다. 마찬가지로, 질병 상태를 가짐에도 음성 결과를 보이는 환자(위음성, false negatives)를 최소화하면서 진짜 음성인 환자(진음성, true negatives)도 정확히 구분해야 한다.

선별검사(screening tests)는 무증상 환자들에서 질병의 초기 징후를 찾아내서 병이 진행하기 전에 치료받을 수 있도록 하는 데 유용하다. 위양성이나 위음성 결과에 대해 어느 정도까지 허용할 수 있는가 하는 문제는 부분적으로 질병의 중증도와 치료법에 달려있다. 위양성 결과는 환자들에게 불필요한 불안감을 조장해서 실제로 문제가 없음에도 불구하고 비싸고 불편하거나 심지어 위험할 수도 있는 치료를 받도록 유도하게 된다. 다른 한편으로 위음

성 결과는 환자에게 잘못된 안도감을 심어주어 질병의 다른 증상이나 징후
를 무시하게 할 수도 있다.

방법론
환자 추출 표본은 검사가 적용될 적절한 범위의 환자군을 포함하고 있는가?(1) 진단 검사 결과와 상관없이 표준검사가 적용되었는가?(2) 표준검사와의 비교가 독립적으로 눈가림되어 적용되었는가?(3)
결과
민감도 특이도 양성예측도 음성예측도 우도비(likelihood ratios) 검사 전 확률과 오즈(odds) 검사 후 확률과 오즈(odds) ROC곡선(Receiver Operating Curve)
적용가능성
당신의 환자가 목표 집단과 유사한가? 당신의 임상 환경과 진료 과정에 이 검사를 포함할 수 있는가? 당신의 임상환경에서 누가 이 검사를 수행하고 결과는 또 누가 해석할 것인가? 이 검사의 결과가 당신의 환자 진료에 영향을 미치는가? 이 검사를 시행하는 것이 합당한가?

표 21. 진단 또는 선별검사 연구 체크리스트(표시된 숫자는 그림 54의 연구과정과 관련 있음.)

검사의 특성

표준 검사와 진단 검사를 비교하는 결과는 표 22와 같이 2×2 표로 나타내
야 한다. 각각의 대상은 표준 검사와 새로운 검사 즉, 1개의 진단 검사를 받
아야 할 필요가 있음에 주목해야 한다. a, b, c, d 값은 주어지거나 결과 부
분에서 주어진 다른 자료를 통해 추정될 것이다.

		표준검사에 의한 질병상태		총합
		양성	음성	
진단검사에 의한 질병 상태	양성	a	b	a + b
	음성	c	d	c + d
총합		a + c	b + d	a + b + c + d

표 22. 진단 검사의 결과를 나타낸 2 × 2 표

진단검사를 기술하는 데 사용되는 여러가지 용어가 있다(표 23). 각각의 값들은 계산해야 하며, 공식을 쉽게 기억하기 위한 학습도구가 그림 55에 제시되어 있다.

검사 특성	설명	공식
민감도(진양성율)	표준검사에서 질병으로 진단된 대상군 중 새로운 검사에서 양성검사를 보이는 비율	$\dfrac{a}{a+c}$
특이도(진음성율)	질병을 갖고 있지 않는 대상 군 중 새로운 검사에서 음성 검사를 보이는 비율	$\dfrac{d}{b+d}$
양성예측도(PPV)	양성 결과를 보인 대상군이 질병을 가진 사람으로 판명 될 비율	$\dfrac{a}{a+b}$
음성예측도(NPV)	음성 결과를 보인 대상군이 질병을 가지지 않은 사람으로 판명될 비율	$\dfrac{d}{c+d}$
양의 우도비(LR+)	질병을 가지지 않은 군에 비해 질병을 가진 군에서 얼마나 많이 양성 결과가 나타나는가?	$\dfrac{민감도}{1-특이도}$
음의 우도비(LR-)	질병을 가지지 않은 군에 비해 질병을 가진 군에서 얼마나 많이 음성 결과가 나타나는가?	$\dfrac{1-민감도}{특이도}$
검사의 정확도	정확한 검사 결과를 보인 대 상군의 비율	$\dfrac{a+d}{a+b+c+d}$

표 23. 진단검사의 특성

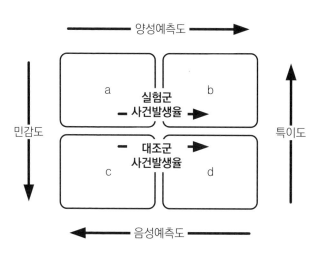

그림 55. 진단검사의 특성을 대한 학습도구. 예를 들면, 민감도의 화살표는 상자 a에서 시작해서 상자 a와 c위로 지나가므로 민감도는 a/(a+c)이다. 읽을거리 63 참조

이밖에 대상군에서 계산될 수 있는 여러가지 위험도와 오즈도 있다(표 24).

환자군의 위험도 & 오즈 (odds)	설명	공식
검사전 확률(유병율과 동일)	대상군이 질병을 가질 확률	$\dfrac{a+c}{a+b+c+d}$
검사전 오즈	대상군이 질병을 가질 오즈	$\dfrac{검사전\ 확률}{1-검사전\ 확률}$
검사후 오즈	진단 검사에서 양성을 보이는 대상군이 실제로 질병을 가 질 경우의 오즈	검사전 오즈 X 양의 우도비
검사후 확률	진단 검사에서 양성을 보이는 대상군이 실제로 질병을 가질 확률	$\dfrac{검사후\ 오즈}{검사\ 후\ 오즈+1}$

표 32. 환자 위험도와 오즈

결과의 이해

민감도, 특이도, 예측도의 값의 의미가 혼동된다면 다음의 설명이 민감도와 양성예측도의 차이를 이해할 수 있도록 도와줄 것이다.

- **민감도** : 환자가 질병을 가지고 있다면, 새로운 검사에서 양성 결과를 얻게 될 가능성은 얼마인가?
- **양성예측도** : 환자가 새로운 검사에서 양성 결과를 보였다면 실제 질병을 가지고 있을 가능성은 얼마인가?

그리고 다음의 설명은 특이도와 음성 예측도 간의 차이를 명확하게 해준다.

- **특이도** : 환자가 질병을 가지고 있지 않다면, 새로운 검사에서 음성 결과를 얻게 될 가능성은 얼마인가?
- **음성예측도** : 환자가 새로운 검사에서 음성 결과를 보였다면 실제 질병을 가 지고 있지 않을 가능성은 얼마인가?

검사의 민감도와 특이도는 다음과 같은 방법으로 쉽게 암기할 수 있다.

- **SpPin** [**Sp**ecific test (**p**ositive) helps to rule **in** disease] : 아주 특이도가 높은 검사가 사용된 경우에 양성 결과는 질병의 가능성이 있다고 판단하는 경향이 있다.
- **SnNout** [**Sn**sitive test (**n**egative) helps to rule **out** disease] : 아주 민감도가 높은 검사가 사용된 경우에 음성 결과는 질병의 가능성이 없다고 판단하는 경향이 있다.

민감도와 특이도는 질병의 유병율 변화에 영향을 받지 않는다.
예측도는 질병의 유병율에 의존하므로 집단 내에서 질병이 빈번해짐에 따라 아래와 같이 변화할 수 있다.

- 양성 예측도는 증가할 것이다.
- 음성 예측도는 감소할 것이다.
- 검사 후 확률도 변화할 것이다.

질병의 유병율이 동일할 경우에만 연구 결과를 적용할 수 있기 때문에, 당신의 환자에 예측도를 적용할 수 있을지 없을지를 결정하기 위해서 진단 연구가 어디에서 수행되었는 지를 확인하는 것은 매우 중요하다.

이러한 경우 **우도비(Likelihood ratios)**가 예측도(Predictive value)보다 더 유용하다. 왜냐하면 우도비가 민감도와 특이도에 의해 계산되기 때문에 예측도와는 달리 유병률 변화에도 일정하게 값을 유지하기 때문이다.

우도비는 질병을 가지지 않은 사람에 비해 질병을 가진 사람이 특정한 검사 결과 값을 갖게 될 가능성이 몇 배 되는지를 나타낸다.

• 양성 결과에 대한 우도비는 가능한 한 1보다 큰 값을 가져야 한다. 양성 결과는 질병을 가진 사람에게서 기대되는 값이다.
• 음성 결과에 대한 우도비는 가능한 한 1보다 작은 값을 가져야 한다. 음성 결과는 질병을 가진 사람에게서 기대되지 않는 값이다.

우도비 도표(또는 Fagan 도표)는 만약 검사 전 확률과 우도비를 알 수 있다면 검사 후 확률을 그림을 통해서 계산할 수 있게 해준다(그림 56). 질병의 검사 전 확률과 우도비를 연결하는 직선 하나를 그리고 이 선을 오른쪽으로 길게 연장하게 되면 검사 후 확률의 값과 교차하게 될 것이다.

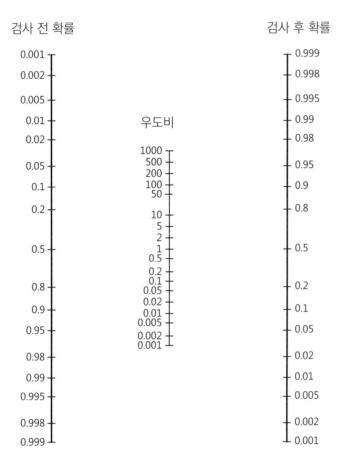

그림 36. 우도비 도표

어떤 특정한 진단 연구결과를 적용하기 전에, 진단검사들은 종종 임상상황에 따라 달라지기도 하고 결과의 해석 또한 달라질 수 있다는 점을 고려해야 한다.

다중 검정(Multiple testing)

연속검사(Serial testing) : 특이도(진음성율)를 상승시킨다.

예) HIV의 진단 – 초기 검사가 양성이 나오면 확진을 위한 다음 검사는 특이도(진음성율)을 높인다.

평행검사(Parallel testing) : 민감도(진양성율)를 상승시킨다.
예) 심근경색의 진단 – 병력, 심전도, 효소검사를 모두 고려하여 진단하면 믬감도(진양성률)을 상승시킴.

ROC 곡선

어떠한 진단검다든 특정역치가 존재하는데 이 역치이상세서는 양성의 결과가 회귀하고 이역치 이하에서는 음성의 결과가 회귀한다. 진단 검사의 개발과정동안 민감도와 특이도 간에 균형을 이루는 값을 찾기 위해 이와 같은 역치를 여러가지로 변화시켜 볼 수도 있다. 절단점을 변화시키면 민감도는 증가하고 특이도는 감소할 수 있고 그 반대가 될 수도 있다.

좋은 진단 검사는 이상적으로, 낮은 위양성율과 위음성율을 가지는 경우여야 한다. 나쁜 진단 검사는 위양성율이 낮아지는 대신 위음성율이 높아지는, 혹은 그 반대의 경우가 되는 절단점을 가진 검사이다. 최적의 절단점을 찾기 위해서는 **ROC 곡선**이 사용된다. 이것은 각각의 절단점 값에서 위음성과 위양성의 관계를 그림을 통해 표현한 것이다. 이 그래프는 위양성율(1-특이도)을 X축에, 진양성율(민감도 또는 1-위음성율)을 Y축에 나타낸다(그림 57).

곡선 아래 면적(AUC)은 검사가 정확하게 진양성과 진음성의 결과를 확인해 낼 확률을 대표한다. 면적이 1인 검사는 완벽한 검사이고 반면에 0.5인 경우는 검사로서의 가치가 없음을 나타낸다.

곡선이 ROC 곡선 영역의 좌측 가장자리에 가까워지고 가장 윗부분에 가까워질수록, 검사는 더욱 정확하게 된다 – 진양성율이 높고 위양성율이 낮음. 이 지점이 곡선 아래 면적이 가장 커지는 지점이다. 가장 좋은 절단점은 곡선이 좌측 위 모서리에 가장 가까워지는 지점이다.

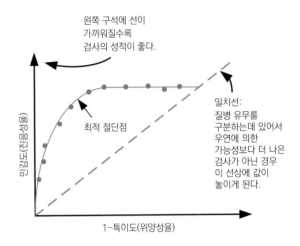

그림 57. ROC 곡선

만약 두 개의 다른 검사나 연속형 변수가 같은 ROC 곡선에 놓인다면, 다른 검사나 변수보다 위에놓여 있는 검사를 선택하는 것이 낫다. 그 검사는 또한 가장 큰 곡선 아래 면적(AUC)을 갖게 될 것이다. 읽을거리 64 참조

STARD (STAndards for the Reporting of Diagnostic accuracy studies) **성명**

STARD(진단 정확도 연구의 보고를 위한 표준)의 목적은 진단 정확도에 대한 연구의 보고에 있어서 정확도와 완성도를 제고시키는 데에 있다. STARD 성명은 그들의 웹사이트에서 볼 수 있는 25개의 항목으로 된 체크리스트로 구성되어 있다(www.stard-statement.org/).

읽을거리 63

Bello IS et al. Reliability of Rapid Diagnostic Tests in the diagnosis of malaria amongst in two communities in South West Nigeria. Malaria Journal 2014; 13(suppl 1):p10)로부터 발췌.

연구자들은 표준검사인 말라리아 현미경 검사와 비교해서 말라리아를 진단하기 위한 신속 진단 키트(rapid diagnostic kit, RDK)의 능력을 평가했다.

말라리아 원충을 확인하기 위한 현미경 검사 그룹에서 35명(26.5%)의 소아가 양성을 보였고 97명(73.5%)이 음성을 보였다. 양성으로 나타난 35명 중에서, RDT는 33명을 양성으로 2명을 음성으로 판단하였다(민감도 94.3%). 반면에 현미경 검사에서 음성으로 나온 97명에 대해서는 RDT는 94명을 음성, 3명을 양성으로 판정하였다(특이도 96.9%). 양성 예측도와 음성 예측도는 각각 91.7%와 97.9%였다.

해설 : 신속 진단 키트는 말라리아 감염을 진단하는 데 있어서 표준검사에 비해 좋은 결과를 보였다. 연구자들은 이것이 치료를 결정하는 데 있어서 임상가들에게 도움이 될 수 있다고 제안하였다.

읽을거리 64

Sammalkorpi HE et al. A new adult appendicitis score improves diagnostic accuracy of acute appendicitis-a prospective study. BMC Gastroenterology 2014;14:114.로부터 발췌

이 연구에서는 급성 충수염의 보다 정확한 진단을 위해 새로운 점수 체계가 구성되었다. 새로운 성인 충수염 점수 체계를 두개의 다른 점수 체계인, Alvarado 점수와 충수염 염증 반응(Appendicitis Inflammatory Response, AIR)점수와 비교하였다. 그리고 충수 전층의 중성구 침윤 여부로 보이는지로 판단하는 조직검사를 표준검사로 하여 비교하였다.

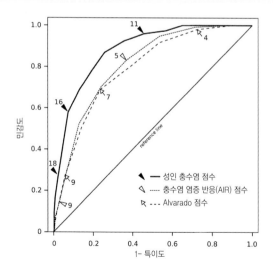

해설: ROC 곡선의 곡선 아래 면적(AUC)은 새로운 성인 충수염 점수(0.882)가 충수염 염증 반응 점수(0.810)과 Alvarado 점수(0.790)보다 유의하게 크다.

치료연구(Treatment studies)

치료연구는 새로운 중재와 다른 어떤 중재의 효과를 비교하는 것이다(그림 58, 표 25). 좋은 중재는 이전에 가능했던 중재와 비교해서 결과를 향상시킬 것이다. 그와 같은 향상된 성과는 절대값 상대적비 또는 치료가 필요한 수 (NNT) 등으로 명시될 수 있다.

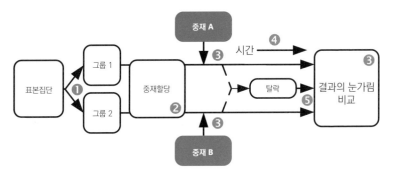

그림 58. 치료연구(방법론상 숫자가 표시된 단계는 표 25에서 설명됨)

방법론
명확하게 초점이 맞추어진 임상 질문과 1차 가설이 있는가?
명확하게 설명된 무작위화 과정이 있는가?(1)
연구의 시작점에서 비교할 그룹들은 서로 유사한가?
무작위 할당에 있어서 할당은폐가 사용되었는가?(2)
실험적 중재를 제외하고는 그룹간에 같은 치료를 받았는가?
눈가림은 효과적으로 사용되었는가?(3)
추적검사는 완전하게 이루어졌고 충분한 기간이었는가?(4)
의도대로된 분석(intention-to-treat analysis)이었는가?(5)

결과
대조군 사건 발생율
실험군 사건 발생율
절대 위험도 감소율 / 편익 증대
비교 위험도 감소율 / 편익 증대
치료가 필요한 수(NNT)
치료 효과추정의 정밀도 —신뢰 구간

적용가능성
당신의 환자가 목표집단과 유사한가?
모든 관련된 결과 요인들이 고려되었는가?
이 중재는 당신의 환자에 도움이 될 것인가?
이 중재의 이득이 위험성과 비용을 감당할 가치가 있는가?
환자들이 생각하는 가치나 선호도가 고려되었는가?

표 25. 치료연구 체크리스트(표시된 숫자는 그림 58의 연구절차와 관련 있음.)

The CONSORT statement

1996년 8월 미국 의사협회지(Journal of the American Medical Assosiation)에 처음 출간된 임상시험 보고의 통합 기준(CONSORT)은 무작위 대조 연구 보고의 질적 향상을 위해서 일련의 추천사항을 소개하였다.[1] 이 양식은 2010년에 업데이트되었다. 이 체크리스트는 표 26에 요약되어 있다. 임상 연구의 비평에도 동일한 구조가 사용된다. 추가적인 정보는 CONSORT website (www.consort-statement.org)에서 얻을 수 있다.

---

1)   Moher D, Schulz KF, Altman DG. The CONSORT statement: revised recommendations for improving the quality of reports of parallel-group randomised trials. Lancet 2001, 357, 1191–4.

논문의 단락	기술 내용
제목과 초록	
	무작위 연구임을 제목에 명시. 연구의 설계, 방법, 결과, 결론에 대해서 구조적인 요약(초록을 위한 CONSORT 세부 지침 참조)
서론	
배경과 목적	과학적 배경과 근거에 대한 설명, 세분화된 목적 또는 가설
방법	
연구 설계	배정 비율을 포함한 연구 설계를 기술(예를 들면, 평행, 요인설계 등), 연구 시작후, 방법의 중대한 변화 (예를 들면, 적격 기준)가 있으면 합리적인 이유를 기술
참여자	참여자에 대한 적격 기준, 자료가 수집된 환경과 장소
중재	실제로 언제 어떻게 관리되는지 복제가 가능할 정도로 상세하게 기술된 각 그룹별 중재
결과값	언제 어떻게 평가하는지를 포함해서 사전에 완전하게 정의된 1차 및 2차 결과값 측정 연구 시작후, 결과값의 어떤 변화가 있으면 합리적인 이유를 기술
표본 크기	어떻게 표본 크기가 정해졌는지 가능하면 중간분석과 연구 중단 지침에 대한 설명
무작위화 -순서생성	무작위 배정 순서 생성에 사용된 방법 무작위화의 형태; 어떤 제한에 대한 설명(예를 들면 블록화, 블록의 크기)
무작위화 -배정은폐	중재가 할당되기 전에 순서 은폐 과정을 기술한 무작위 배정 실행방법(예를 들면 연속적으로 번호가 붙은 컨테이너)
무작위화 -실행	누가 무작위 배정 순서를 생성하고 누가 참여자를 모집하고 누가 중재군에 참여자를 할당하는지.
맹검	맹검이 이루어졌다면 중재군으로 할당된 이후에 누가(예를 들면 참여자, 치료 제공자, 결과 평가자) 맹검이 되었는지 어떻게 되었는지 제시 맹검이 적절하다면 중재의 유사성에 대해 기술
통계적 방법	1차 및 2차 결과값의 그룹간 비교에 사용된 통계적 방법 하위그룹 분석과 보정 후 분석 같은 추가 분석 방법
결과	
참여자 흐름	각 그룹별로 무작위 할당된 참여자의 수, 의도된 치료를 받은 사람의 수, 1차 결과값을 분석한 사람의 수 각 그룹별로 무작위화 후 추적 소실되거나 제외된 사람의 수를 합리적인 이유와 함께 제시

모집	규정된 모집 및 추적 기간의 날짜 연구가 종료되거나 중단된 사유
기초자료	각 그룹별 기본 인구통계학 및 임상적 특성에 관한 표
분석 포함수	각 그룹별로 분석마다 참여한 사람의 수(분모), 원래 할당된 그룹으로 분석되었는지 여부
결과와 추정	1차 및 2차 결과값에 대해 그룹별 결과와 추정 효과의 크기, 정확도(예를 들면 95% 신 뢰구간) 제시 이변량 결과에 대해서는 절대 및 상대 효과 크기 제시가 추천
보조분석	하위 그룹 분석과 보정후 분석 등 기타분석을 탐색적인 목적과 구분하여 사전에 기술
위해성	각 그룹별로 모든 중대한 위해 및 의도하지 않은 효과 기술
논의	
제한점	잠재적 편견, 부정확성, 관련된다면 다중통계분석 등 연구의 제한점 언급
일반화 가능성	연구 결과의 일반화 가능성(외적타당도, 적용가능성)
해석	편익과 위해의 균형을 맞추고 다른 적절한 근거들을 고려하여 결과와 부합되게 해석
기타 정보들	
등록	연구 등록 번호와 연구가 등록된 곳
프로토콜	공개 가능하다면, 전체 연구 프로토콜을 확인할 수 있는 곳
재정지원	재정 지원과 다른 지원을 받은 출처(예를 들면 약물 제공), 후원자의 역할

표 26. The CONSORT 2010 체크리스트-Schulz et al. 2010 BMC Medicine, 8, 18에서 발췌.

우수성 보고의 질적 향상 표준(SQUIRE) 그룹에서 마찬가지로 연구 보고의 표준을 개선하기 위한 지침을 개발하였다(www.squire-statement.org에서 사용 가능).

예후연구(Prognostic studies)

예후연구는 가능한 연구결과 중 특정한 결과를 예측할 수 있는 환자의 특성(예후 요인)을 탐색하거나 다른 결과 사건이 발생할 가능성을 찾아내는 것이다(그림 59, 표 27). 결과는 양성 또는 음성 결과가 될 수 있다. 다양한 결과가 발생할 가능성은 절대값으로, 상대적비로 혹은 생존 곡선의 형태로 표현될 수 있다.

그림 59. 예후연구(방법론상 숫자가 표시된 단계는 표 27에서 설명됨)

방법론
환자 표본은 질병의 경과 중에 공통된 지점에서 모집되었는가?(1) 중요한 예후 요인에 대해서는 보정이 있었는가?(2) 추적검사는 완전하게 이루어졌고 충분한 기간이었는가?(3) 객관적인 결과 기준에 대해 눈가림된 평가가 있었는가?(4)
결과
절대 위험도 — 예를 들면 5년 생존율 비교 위험도 — 예를 들면 예후 요인으로 부터의 위험도 생존곡선 — 시간에 따른 누적 사건 예후 추정에 대한 정밀도 — 신뢰 한계
적용가능성
당신의 환자는 이 연구의 환자와 유사한가? 이 연구가 해당 질병의 진행양상과 가능한 결과에 대해 더 잘 이해할 수 있게 하였는가? 이 연구가 당신의 환자에게 안심을 주거나 조언을 하는 데 도움을 주었는가?

표 27. 예후연구 체크리스트(표시된 숫자는 그림 59의 연구과정과 관련 있음)

생존분석

생존분석은 연구 참여 시점부터 차후의 사건 발생까지의 시점을 연구한다. 원래 생존분석은 치명적인 상황에서 죽음에 이르는 시점을 알려주고자 수행되었으나 사망률 이외의 다양한 결과에도 적용될 수 있다.

생존분석은 보통 종적 코호트 연구의 자료들에 적용되었다. 그러나 어떤 사건과 또 다른 사건 사이의 시간과 관련된 자료를 다룰 때는 몇 가지 문제점이 존재한다.

- 사건이 발생하는 시간은 모두 다르지만 이런 시간들이 정규분포를 따르지는 않는다.
- 연구 대상군이 모두 동시에 연구에 참여할 수 없을 수도 있어서 **불균등한 관찰 기간**이 발생한다.
- 어떤 환자(unequal observation period)는 연구 종료 시점 때 종료점에 도달하지 못할 수도 있다. 예를 들면 12개월 이내에 회복되는 것을 보고자 하였더라도 어떤 환자들은 12개월의 연구 기간 중에 회복되지 못할 수도 있다.
- 환자 중 일부가 조기에 연구를 그만두거나 사건의 발생을 경험하지 못하거나 추적 시에 소실될 수도 있다. 이런 개인들의 자료는 **중도 절단된 자료(censored)**라고 불려진다.

중도 절단된 관찰과 불균등한 관찰 기간으로 인해 모든 생존시간을 확보할 수 없기 때문에 평균 생존 기간의 산출을 어렵게 만든다. 따라서 생존시간의 **중앙값(median survival time)**을 계산하기 위하여 생존 곡선을 사용하게 된다.

생존시간 중앙값

생존시간 중앙값은 연구의 시작으로부터 생존의 50% 확률과 일치하는 시점, 즉 다시 말하면 대상군의 50%에서 사건 발생이 일어나지 않은 시점까지의 시간이다. 이 값은 P 값 그리고 신뢰구간과 관련있다.

Kaplan-Meier 생존분석

Kaplan—Meier 생존분석은 어떤 특정한 시기를 관찰하기보다 전체 연구 기간 동안에 걸친 사건 발생률을 고려한다. 이것은 생존자의 비율과 생존확률을 결정하여 누적 생존확률을 추정하는 데 사용된다. 자료는 생명표(life table)와 생존곡선(survival curves)으로 제시된다(그림 60).

자료는 생명표에서 시간에 따른 오름차순으로 정렬된다. 생존곡선은 중도 절단된 관찰을 고려하여 사건이 발생하는 각 시점에 생존해 있는 환자의 비율을 계산하여 그래프로 그리게 된다. 생존곡선은 중도 절단의 시점에 따라 변하지 않고 다음 사건이 발생할 때만 변화한다. 중도 절단된 환자는 연구를 계속 진행하는 환자와 동일한 확률을 가지고 있다고 가정한다.

시간은 X축에 표시되고 각 시점에서 사건이 발생하지 않은 사람(생존자)의 비율은 Y축에 표시된다. 누적 곡선은 각 시점에서 사건이 발생할 때마다 계단모양으로 얻어진다. 곡선상의 조그만 수직 표시는 환자가 중도 절단된 시점들을 가리킨다.

생존곡선은 여러가지 모수를 계산하는 데 사용될 수 있다.
- **생존시간 중앙값**은 집단의 50%가 생존할 때까지 걸리는 시간이다.
- **생존시간**은 집단의 특정 분율이 생존하는 데 걸리는 시간이다.
- **생존확률**은 특정한 시점에서 개인이 최종적으로 사건이 발생하지 않을 확률이다.

생존곡선은 두 그룹의 생존하는 비율의 차이를 비교하거나 실험군과 대조군을 비교할 때 신뢰구간을 비교하기 위해서도 사용할 수 있다. 읽을거리 65 참조

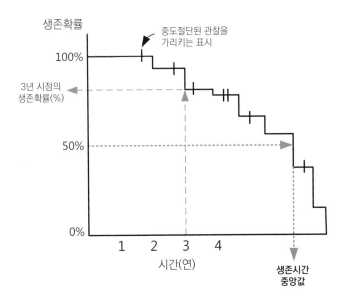

그림 40. 생존곡선

로그-순위 검정(log-rank test)

두 개 혹은 그 이상의 집단의 생존율을 비교하기 위해서는 주어진 특정 시점에서 각 집단의 생존자의 비율을 비교할 수 있어야 한다. 그러나 이런 시점의 정보는 두 그룹의 전체적인 생존 가능성을 반영하지 못하기도 한다. **로그-순위 검정**은 추적 관찰 기간 전체를 고려하는 더 좋은 방법이다. 로그운 위검점은 매우 중요한 검정법으로 두 개의 다른 그룹 간에 생존확률에 있어서 차이가 없다는 귀무 가설을 받아들일지를 결정하는 데 도움을 준다. 위험비와는 달리 그룹간 차이의 크기를 나타내지 않는다.

일단 순위대로 정렬을 하고 나서 각 그룹에서 기대 결과 발생율과 관찰값을 비교하므로(카이제곱 검정과 유사) 로그-순위 검정으로 불리워졌다. 로그-순위 검정은 다른 변수들은 고려대상에 넣지 않는다.

위험 (hazard)

위험률(hazard rate)은 일정 시간 간격에서 종료점의 사건이 발생할 확률을 시간 단위 기간으로 나눈 값이다. 위험률은 시간 간격이 짧을 경우 연구의 사건이 발생할 순간 확률로 해석될 수 있다. 위험률은 연구기간 내내 일정하지 않을 수도 있다. 위험비(hazard ratio)는 실험군의 위험률을 대조군의 위험률로 나눈 값이다. 위험비는 P값과 신뢰구간을 통해 보완된다. 위험비는 연구 전체에 걸쳐 일정하다고 가정된다. 읽을거리 66 참조

- 만약 위험비가 1이면, 실험군과 대조군이 동일한 위험률을 가진다는 의미다.
- 만약 위험비가 1보다 크다면, 실험군의 위험도가 증가한다는 의미다.
- 만약 위험비가 1보다 작다면, 실험군의 위험도가 감소한다는 의미다.

비록 위험비의 해석이 비교 위험도나 오즈비와 유사하지만 약간 다른 의미를 갖고 있다. 비교 위험도나 오즈비는 연구가 종료된 시점에서 각 그룹에서 결과가 달성된 대상군의 비율을 비교하는 것이지만 위험비는 전체 연구기간 내내 실험군과 대조군을 비교하는 것이다.

2×2 분할표에서 위험비를 계산하는 것은 불가능하다.

Cox 비례위험 회귀(Cox proportional hazards regression)는 위험비를 도출하기 위해 사용된다. 이것은 로그-순위 검정이 다변량으로 확장된 형태라 할 수 있다. 그리고 치료가 생존이나 시간과 관련되는 다른 사건에 미치는 영향을 계산하거나 다른 변수의 효과를 보정하기 위해 사용된다.

읽을 거리 65

Sonmez M et al. Effect of pathologic fractures on survival in multiple myeloma patients: a case control study. Journal of Experimental & Clinical Cancer Research 2008;27:1로부터 발췌

이 연구에서 연구자들은 다발성 골수종 환자들의 생존에 병적 골절이 미치는 영향력을 탐구하고자 하였다.

환자의 생존은 진단 시점부터 마지막으로 환자와 연락한 시점까지로 연구되었다. 생존 곡선은 Kaplan-Meier 방법을 이용하였고 로그-순위 검정을 이용하여 통계적인 비교를 시행하였다. 병적 골절을 가진 환자들의 전체 생존율은 17.6개월인 반면에 병적 골절이 없었던 환자들은 57.3 개월이었다.(Kaplan-Meier 방법에 따라, log rank p = 0.03)

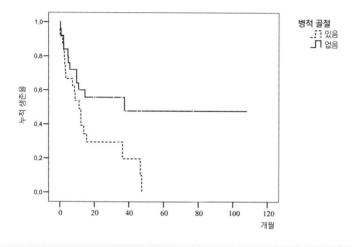

해설 : 생존 곡선의 예. 연구자들은 다발성 골수종 환자에서 병적 골절이 생존율을 감소시키고 사망률을 증가시킬 가능성이 있다고 결론지었다.

읽을 거리 66

Anderson J et al. The impact of renal insufficiency and anaemia on survival in patients with cardiovascular disease: a cohort study. BMC Cardiovascular Disorder 2009; 9: 51로부터 발췌

이 연구의 목적은 지역사회의 심혈관계 질환자중 만성 신질환과 빈혈의 유병율을 살펴보고 빈혈의 존재가 질병의 이환율과 사망률을 증가시키는 것과 연관이 있는지를 조사하고자 했다.

심혈관계 질환만을 가진 환자들과 비교했을 때 만성 신질환을 함께 가지고 있는 사람의 추정된 사망 위험도는 거의 두 배였고(HR = 1.98, 95% CI = 0.99 - 3.98) 심혈관계 질환, 만성 신질환, 빈혈을 모두 가진 환자에서는 4배 이상의 위험도를 보였다(HR = 4.33, 95% CI = 1.76 – 10.68).

해설 : 위험비(Hazard ratio, HR)는 환자군 중 각기 다른 그룹을 비교하기 위해 계산되었다. 연구자들은 만성 신질환이 빈혈이 추가되어 발생하는 것과 더불어 사망 위험도를 높인다고 결론지었다.

국가 의료 재정은 한계가 있으며 모든 영역에 무한정 지원을 할 수는 없는 일이다. 경제성 분석은 각기 다른 사업수행의 비용과 결과를 비교하여 자원배분의 선택을 평가하고자 한다. 경제성 분석은 어떤 중재가 다른 것에 비해 통계적으로 얼마나 더 나은지에 초점을 두고 있지 않기 때문에, 다른 어떤 종류의 연구보다 더 보건의료 제공에 넓은 시각을 갖는 경향이 있다. 그리고 어떤 중재가 최대한의 가능한 이득을 만들어내는지 발견하는 데 목적이 있다.

경제성 분석은 다른 종류의 연구처럼 동일한 방법으로 평가될 수 있다(표 28). 훌륭한 경제성 평가에는 모든 직접, 간접 그리고 무형 비용과 이득이 포함되어야 한다. 경제성 분석에 관한 논란의 대부분은 자원의 사용과 그 결과로 나타나는 이득의 관계를 금전적 가치로 환산하기 위해 세운 가정에 초점이 맞추어지는 경향이 있다. 그와 같은 가정은 인구학적, 역학적, 사회 경제학적 자료 및 질병의 경제 적인 부담과 같은 다방면에서 수집된 많은 자료에 근거한다.

방법론
보건의료 전략에 대한 완전한 경제성 비교가 제시되어 있는가?
그것이 모든 다른 비용과 효과를 확인하였는가?
비용과 결과는 적절하게 측정되고 가치가 매겨졌는가?
분석상의 불확실성에 대해 적절하게 감안하였는가?
비용과 결과는 치료군의 기저 위험도와 관련성이 있는가?

결과
각 전략에 대한 증가분의 비용과 결과
비용최소화 분석
비용효과분석
비용효용분석
비용편익분석

적용가능성
내 환자를 돌보는 데 이 연구를 사용할 수 있는가?
내 환자에서 유사한 결과를 기대할 수 있었는가?
내 환경에서 비용이 적용되는가?
비용과 결과의 일반적인 변화로 결론이 변할 가능성이 있는가?

표 28. 경제성 연구 체크리스트

건강관련 경제학의 하위 분야로 약물경제학이 있다. 이것은 한 가지 약의 가치를 다른 약의 그것과 비교하는 과학적인 방법으로 알려져 있다. 약물경제학 연구는 약물의 비용(화폐용어로 표현된)과 효과(화폐가치나 효능성, 삶의 질 향상으로 표현된)를 평가한다.

투입 비용의 사례

- 직접 의료 비용 : 입원, 장비 및 시설, 진료 및 간호에 드는 시간, 약물과 붕대류
- 직접 비의료 비용 : 현금 지불 비용, 시간 비용, 자원 봉사 비용
- 간접 비용 : 생산성 변화
- 무형 비용 : 삶의 질, 통증, 정신적 고통

산출된 편익의 사례

- 경제적 효과 관련 : 직접 의료자원 절감, 직접 비의료자원 절감, 간접 절감, 무형 절감.

- 기본 단위(건강효과) : 종료점, 대리 종료점, 생존
- 효용 단위(선호도 가중효과) : 건강수준, 삶의 질

여러 가지의 경제성 평가의 형태가 존재하고 이에 따라 측정하는 결과도 각기 다르다.

질병비용연구(Cost-of-illness study)

사실 이것은 다른 대안이 되는 사업수행에 대해서 비용과 결과를 비교하는 것이 아니기 때문에 진정한 경제성 평가는 아니라고 할 수 있다. 이것은 실제로 특정 조건과 관련된 모든 비용을 측정하고 다음과 같은 것이 포함될 수 있다.

- 직접 비용 : 실제로 현금의 지불이 발생되는 비용, 예를 들면 의료서비스 이용
- 간접 비용 : 특정한 역할에 대해 직접적인 책임이 없는 비용, 예를 들면 질병으로 근무현장에서 떨어져 있는 시간만큼 발생하는 생산성 손실
- 무형 비용 : 환자의 통증과 고통에 대해 무시함으로써 발생하는 비용

비용최소화 분석(Cost-minimisation analysis)

이 분석은 동일한 편익 결과를 생산하는 중재를 비교할 때 사용되고 이 편익은 동일한 방법으로 표현된다(그림 61).

- 예 : paracetamol과 aspirin을 사용한 두통의 치료

분석은 단순하게 동일한 결과를 얻기 위해 가장 적은 비용이 드는 방법을 결정하는 것을 목적으로 한다. 결과상의 어떤 차이도 고려되지 않는다.

그림 61. 비용최소화분석

비용효과분석(Cost-effectiveness analysis, CEA)

이 형태의 분석은 대안이 되는 중재를 사용했을 경우에 동일한 결과를 얻으면서 어느 정도까지는 다른 기전에 의해 결과가 얻어지는 상황에 사용된다(그림 62). 그래서 중재 비용뿐만 아니라 결과 향상의 정도도 경제성 분석에서 감안되어야 한다. 단지 한 가지 결과만 고려된다.

- 예 : 물리치료 또는 수술을 통한 요통의 치료

중재의 비용효과분석은 측정된 결과의 향상에 대한 중재비용의 비율이다. 그리고 그것은 비화폐 단위로 표현된다(예를 들면 통증없이 지낸 일수). 중재의 비용효과분석은 다른 중재와 비교할때만 오직 의미가 있다.

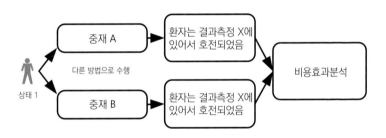

그림 62. 비용효과분석

비용결과분석(Cost-consequences analysis)

비용결과분석은 한 개 이상의 결과 측정이 있을 경우에 사용하는 비용효과분석의 한 가지 형태이다. 이것은 여러 가지 변수들을 조합해서 의료 이용이라는 단일 지수를 만들어내는 대신에 적절한 비용효과 비율을 통해서 모든 결과를 제시한다. 그리고 독자는 결과들의 상대적인 중요성을 판단할 수 있게 된다.

비용효용분석(Cost-utility analysis)

비용효용분석은 결과의 단위가 다른, 각기 다른 조건의 중재법을 선택하기 위해서 사용된다(그림 63). 비용효용분석은 중재의 결과가 완벽한 건강을 보장하는 것이 아닌 경우에서 비용효과분석보다는 우월한 것으로 되어있다.
- 예 : 새로운 약물을 사용한 유방암의 치료와 고관절 치환 수술

결과가 직접적으로 비교할 수 없는 경우에는 공통 단위 또는 **효용 측정**(후일 양적, 질적인 삶을 가리키는)이 사용된다.

가장 잘 알려져 있는 효용측정은 **질 보정여명(Quality-Adjusted Life Year, QALY)**이다.

$$QALY = (환자의 획득여명) \times (획득여명 동안의 삶의 질의 가치)$$

위와 같은 방법으로 한 환자의 1년간의 삶의 질을 측정하는데, 만약에 환자가 사망하였다면 0으로, 1년 동안 완벽히 건강하게 지냈다면 1이라고 할 수 있다. 비교되는 중재법 또한 효용당 비용(QALY당 비용)을 기준으로 비교하게 된다.

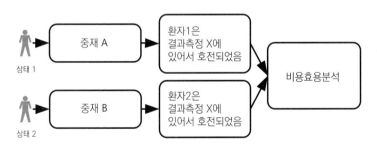

그림 63. 비용효용분석

비용효용분석의 사례
어떤 환자가 생명을 연장하기 위한 치료를 필요로 한다.
- 중재 A는 £1000의 비용이 들고 환자에게 10년의 추가적인 삶을, 0.2의 삶의 질로 제공한다. 이것은 $10 \times 0.2 = 2$ QALY이다. 각 QALY별 비용은 £500이다.

- 중재 B는 £2160의 비용이 들고 환자에게 3년의 추가적인 삶을, 0.9 의 삶의 질로 제공한다. 이것은 3 × 0.9 = 2.7 QALY이다. 각 QALY 별 비용은 £800 이다.
- 10년에 걸쳐서 보면 중재 B가 중재 A에 비해 0.7 QALY 더 제공한다.

이와 같은 결과가 실무에 영향을 주는 두 가지 경우가 있다.
- 만약 임상가가 가장 높은 숫자의 QALY를 주는 중재를 제공하길 원하면 중재 B가 치료적 선택이 될 것이다. 환자는 이런 의견에 동의하지 않고 삶이 더 고되더라도 더 오래 살길 희망할지도 모른다.
- 만약 임상가가 건강 서비스에 있어서 비용대비 가장 좋은 가치를 제공하길 원하면 중재 A가 치료적 선택이 될 것이다. 환자는 이런 의견에 동의하지 않고 삶이 더 짧아지더라도 더 좋은 삶의 질을 원할지도 모른다.

또 다른 예는 읽을거리 67을 참조

비용편익분석(Cost-benefit analysis)

이 분석은 각기 대안이 되는 중재로부터 초래되는 결과에 대해 금전적인 가치를 부여함으로써, 서로 다른 환자 그룹에서 다른 치료로 인한 비용과 편익을 비교하는 데 사용된다(그림 64). 각각의 중재에 대한 결과는 비용에 대한 경제적 이득의 비율 또는 경제적인 순편익(즉 편익–비용)으로 표현된다. 단일 중재에 대한 비용편익분석은 단독으로도 고려될 수 있어서 항상 중재간의 비교가 필요한 것은 아니다.

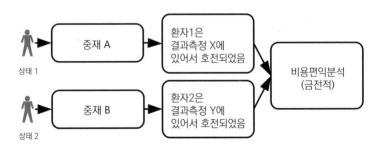

그림 64. 비용편익분석

비용편익분석은 단순히 직접 비용보다 치료선택의 **기회비용**을 고려한다. 자원을 사용하는 것은 한편으로는 다른 방향으로 자원이 사용되는 것을 막는다는 의미를 가진다. 예를 들면 어떤 중재가 선택된다면 중재의 직접적인 비용뿐만이 아니라 대안이 되는 중재를 선택했을 때 얻어졌을 수도 있는 이전의 편익까지 고려해야 한다. 선택된 중재와 관련된 비용과 편익이 대안을 선택했을 때의 그것보다 더 클 경우에만 비용을 집행하기로 한 결정이 이루어져야 한다.

민감도 분석(Sensitivity analysis)

경제적인 평가는 가정과 추정을 바탕으로 한 모형으로 실제로 일어날 일에 대해 정확히 찾아내고 요약하는 것을 목적으로 한다. 민감도 분석은 경제성 분석에서 몇 가지 요소들이 일정 정도 불확실할 수 있다는 것을 고려함으로써, 결론이 얼마나 튼튼한지 평가하는 것을 도와준다. 이것은 사용된 가정을 변화시키는 동시에, 입력값과 그에 따른 결과값 간에 비교를 반복해 봄으로써 결과의 일관성을 검증한다. 모든 가능한 영향 범위를 설명하도록 그림은 보정된다.

일원 민감도 분석(one-way sensitivity analysis)은 한 번에 하나의 지표 값을 변화시킨다. 읽을거리 68 참조
다원 민감도 분석(multi-way sensitivity analysis)은 조합된 변화의 효과를 보기 위해서 두 개 혹은 그 이상의 지표를 동시에 변화시킨다.

확률적 민감도 분석(probabilistic sensitivity analysis)은 사전 정의된 분포를 따르는 어떤 범위 내에서, 가장 기본이 되는 지표가 동시적으로 변화할 때 이것이 평가 결과에 미치는 효과를 찾아내고자 한다. 이런 종류의 분석에서 도출된 결과는 불확실성의 실제 추정치를 나타내 준다. 이를 위해 몬테 카를로 시뮬레이션과 같은 기법이 개발되었다.

읽을거리 67

Angus C et al. Cost-effectiveness of a programme of screening and brief interventions for alcohol in primary care in Italy. BMC Family Practice 2014; 15: 26.로부터 발췌

연구자들은 이탈리아의 알콜 소비를 줄이기 위해 일차의료에서 검진과 간단한 중재(Screening and Brief Intervention, SBI)를 시행하는 것의 비용-효과를 평가하였다.

10년동안 프로그램을 통해서 SBI를 제공하는 데의 비용은 4억 천백만 유로로 추정된다. 이것은 30년 간의 병원 비용 3억 7천만 유로의 절감 효과에 의해 상쇄된다. 증가 비용 대 효과 비(ICER)가 QALY당 550유로라고 했을 때 전체 질 보정 여명(QALYs)의 증가분은 75200으로 추정되어서 비용-중립적인 것에 가까움을 보여주었다. 여성만을 대상으로 추정된 SBI 프로그램의 ICER이 QALY당 3,100 유로이고 이탈리아 사람들의 추천 역치가 QALY 당 2만5천 유로에서 4만 유로임을 생각하면 여전히 괜찮은 편에 해당되지만 건강 편익의 많은 부분이 남성에 의해 경험되기 때문에(전체 QALYs의 69%) 남성에게 SBI를 제공하는 것이 비용을 절감하는 것이라고 추정된다.

해설 : 연구자들은 각 QALY가 550유로의 비용에 해당할 것이라고 계산하였다.

읽을 거리 68

van Boven JFM et al. Improving inhaler adherence in patients with Chronic Obstructive Pulmonary Disease: a cost-effectiveness analysis. Respiratory Research 2014; 15: 66.로부터 발췌

이 연구는 COPD 환자에서 일반적인 치료에 비해 약물 복용을 준수하게 하고 흡입 방법을 개선시키는 PHARMACOP-중재에 대한 비용-효과를 평가하였다.

환자당 PHARMACOP-중재와 일반적인 치료에 대한 전체 평균 비용은 각각 1년의 시간을 비교했을 때 2221유로와 2448 유로이다. 결과는 여러가지 민감도 분석에서 동일하게 비용 절감의 결과를 보였다. 단변량 민감도 분석에서 모든 관련있는 변수들은 기본값의 95% CI에서 변동하였다. 모형은 PHARMACOP-연구 중 병원 치료시 악화된 사례의 수와 중재로 인한 상대 위험도 감소에 가장 민감하다고 나타났다. 약물 비용과 복용 준수는 다소 적게 영향을 받았다.

해설 : 연구자들은 PHARMACOP-중재가 일반적인 치료에 비해 비용이 덜 든다는 것을 발견하였다. 그리고 나서 그들은 어떤 변수가 비용에 가장 영향을 미치는 지 계산하기 위해 모형의 민감도 분석을 수행하였다.

양적연구의 객관적인 계산과 측정법과는 대조적으로, 질적연구는 행동양식의 바탕이 되는 과정을 주관적으로 측정하는 것 자체에 대해서 관심을 가진다. 이것은 의미, 태도, 신념, 선호도 그리고 행동에 대해서 탐구할 수도 있다. 이것은 통계적인 분석보다 복잡한 문구로 기술해서 제공하는 것을 목표로 한다. 양적연구의 인위적인 실험과는 달리 질적연구의 초점은 자연스러운 설정에 있다. 연구의 맥락이 중요한데 왜냐하면 그것이 결과를 일반화할 수 없게 하기 때문이다.

질적연구는 귀납적 추론의 과정에 의존한다. 연구를 진행하는 데에 몇 가지 가정이 성립된다. 자료는 이론을 만들어내는 데 사용된다. 이것은 가설을 확인하거나 논박하는 데 자료를 사용하는 양적연구의 연역적 탐구방법과 반대되는 것이다.

질적연구는 의사들에게 사람과 사회 및 그들이 사는 문화적 흐름를 이해하는 데 도움을 준다. 그리고 최근 수년간 의료 서비스의 형성과 발전이라는 측면에서 그런 연구가 중요한 역할을 할 수 있었음에 대해 많은 인식의 증가가 있었다. 질적연구 방법은 과학적인 근거와 임상 적용간의 간격을 해소시켜 주는 데 도움을 주었고, 근거중심의학을 적용할 때의 방해요소나 치료 결정에 대한 정보를 제공할 때의 한계점을 이해하는 데 도움을 주었다.

질적연구의 평가에도 체크리스트를 이용한 방법이 적용될 수 있다(표 29). 다른 종류의 연구와 마찬가지로 질적연구도 구체적인 임상문제에 대해 언급하고 질적 연구의 방법으로 처리할 수 있는 명확한 질문으로 시작해야 한다. 연구질문에 대한 검토는 정상적으로 환자들이 처할 수 있는 자연스러운 설정에서 시작되어야 한다.

방법론
논문이 중대한 임상적 문제를 기술하였는가?
질적 접근방법은 적절하였는가?
설정이 명확히 기술되었는가?
참가자는 어떻게 선택되었는가?
자료수집은 포괄적이고 자세하게 이루어졌는가?
자료는 연구주제를 기술하는 방식으로 수집되었는가?
연구자와 참가자간의 관계에 대한 고려가 있었는가?

결과
자료분석은 충분히 엄격하게 이루어졌는가?
자료는 적절하게 분석되었는가?
어떤 양적연구 방법이 적절하게 사용되었는가?
결과는 신뢰할만하고 재연성이 있는가?
결과에 대해 명확한 기술이 있는가?

적용가능성
당신의 환자가 이 연구의 환자군과 유사한가?
연구의 결과가 실제 임상수행 및 결과에 대해 더 잘 이해하게 도와주었는가?
연구가 당신의 환자나 보호자와의 관계를 더 잘 이해하게 도와주었는가?

표 29. 질적연구 체크리스트

접근법

근거이론(grounded theory) : 질적연구자들은 그들이 검증하고자 하는 이론에서 시작하면 안 된다.

대신에 이론은 그들이 수집한 자료들로부터 이론이 도출되어야 하며 이때, '그 이론은 자료에서 근거하였다.'라고 할 수 있다. 이것은 새로운 자료가 수집되고 현재 자료와 비교될 때 갱신되어진다. 결과는 현재 조사 중에 있는 현상을 설명할 수 있는 이론의 형태로 나타난다.

현상학적 접근 : 다음의 질문을 대답하는 것을 목적으로 한다. "개인의 삶의 경험은 무슨 의미를 가지는가?" 연구자는 조사 중에 있는 현상에 대해 기꺼이 그들의 생각, 감정, 해석을 기꺼이 표현해 줄 수 있는 사람들을 물색한다.

사회학적 접근 : 체계의 문화적, 사회적 그룹에 대해 기술하고 해석하기 위해

서 지역 사회의 일원으로부터 배우는 것을(연구가 아니라) 목적으로 한다.

역사적 접근 : 과거 사건에 대한 자료를 수집하고 평가함으로써 현재 사건을 설명하고 미래의 사건을 예상하는 것을 목적으로 한다.

표본추출방법(Sampling methods)
질적연구는 표본집단에서 표본을 선택할 때 무작위 방법을 사용하지 않는다.

편의/돌발성 : 주제의 선정은 단순히 접근의 용이성에 기반한다. 연구에 대한 가능하다면 연구중인 현상에 대해 통찰력을 제공할 수 있는 어떤 사람이 선택된다. 읽을거리 69 참조

기회성 : 연구는 더 많은 주제를 모집함으로써 뜻밖의 기회를 가지는 장점이 있다. 읽을거리 70 참조

목적성 : 탐구 중인 영역에 대해 지식이 있거나 경험이 있는 사람을 선정하는 것. 가장 흔한 표본추출 전략 중의 하나. 읽을거리 70 참조

쿼터(Quota) : 목적성이 있는 표본추출의 한 형태. 쿼터는 어떤 특성을 가진 개인들의 집합이다. 이것은 연구자들이 그들을 가장 잘 도와줄 것 같은 사람들을 선택하는 데 주목하게 한다.

눈덩이(snowball) : 연구자들은 연구자들 대신에 그들의 사회 네트워크를 통해 알아봐 줄 수 있는 대상을 확인한다. 이것은 사회의 주변부에서 거주하는 사람처럼 쉽게 연구에 참여시키기 어려운 사람들에게 접근할 수 있는 방법을 제공해 준다. 또한 이것은 "연쇄-의뢰 표본추출(chain-referral sampling)"이라고 알려져 있다. 읽을거리 70 참조

표본크기

자료 포화 : 연구자들은 더 이상 새로운 정보를 듣거나 보지 못할 때까지 계속 자료를 수집한다. 읽을거리 71 참조

자료수집

참가자 관찰 : 연구자들은 그룹을 관찰하는 것만이 아니라 보통 장기간에 걸쳐서 그룹 안에서 여러 가지 방식으로 그룹에 참여하는 역할을 한다. 이는 대상자들의 일반적인 시간 흐름 속에서 자연스럽게 발생하는 행동에 대한 자료를 수집하게 해준다. 연구자는 연구자와 참여자의 이중 역할 사이에서 갈등이 발생할 수도 있다. 그리고 추가적인 위험성은 연구자가 지나치게 그룹을 파악한 나머지 결국 분석상의 객관성을 잃어버리게 될 수도 있다는 것이다.

포커스 그룹 : 연구자들은 어떤 것에 대해서 어떤 대상 그룹을 공동으로 면담한다. 사람들은 그룹 안에서 각기 다른 사람들과 자유롭게 이야기를 나눈다. 자료는 연구자와 그룹 사이의 상호 작용에서 보다 그룹 구성원끼리의 상호 작용에서 발생한다. 포커스 그룹은 그들의 문화적인 기준에 대한 자료를 제공할 수 있고 그것은 그룹의 중요한 사안에 대해 탐구적인 연구를 하는데 도움을 주기도 한다. 그러나 포커스 그룹은 자연적으로 발생한 것이 아니라서 토론은 몇몇의 참가자에 의해 주도될 수도 있고 비밀보장과 관련된 문제가 존재한다. 읽을거리 72 참조

심층면담(In-depth interviews)

- **구조화된 면담(Structured interviews)** : 사전에 정해진 질문에 대해서 답을 찾기 위해서 특정 영역에 대해 초점을 맞추는 것을 목표로 한다. 면담을 진행하는 사람은 통제되어 있어서 이 방법은 자연스러운 방법이라고 말할 수는 없다.
- **반구조화된 면담(Semi-structured interviews)** : 주제에 대한 가이드를 따르지만 개방형 응답과 제기된 문제의 후속질문에 대해서 허용한다.

- **비구조화 면담(Unstructured interview)** : 일정한 구조도 없고 예상한 계획도 없이 몇몇 주제에 대해 아주 심도있게 토론하는 것을 목표로 한다.

문서 : 연구자 또는 대상자는 사건, 상호작용, 토론 그리고 혹은 감정에 대해 개인적인 기록을 남긴다. 공식적인 문서나 질문지가 사용될 수도 있다.

역할극 : 대상자들은 역할극을 수행하거나 역할극 하는 것을 관찰하고 나서 개인적인 피드백을 요청받을 수도 있다.

비뚤림의 최소화
완벽한 객관성은 질적연구에서 달성할 수도 없고 반드시 바람직한 것도 아니다.

성찰성(reflexivity) : 연구자는 연구 과정 중에서 그들이 수행하는 중심적인 역할에 대해 인정한다. 연구자가 연구 결과에 대해 가질 수도 있는 양방향 효과에 대한 이해가 있어야 한다.

브래키팅(bracketing) : 연구자의 가정과 다른 확인 및 일시적인 설정

자료인증
질적연구와 관련해서 발생할 수 있는 문제점과 비뚤림을 최소화하기 위해서 연구자들에게 여러가지 방법이 사용 가능하다.

구성원의 확인 : 대상자들은 연구자가 정확하게 자료를 기록했는지를 확인한다. 이 같은 과정은 면담과정 동안이나 연구 종료시에 이루어져야 한다. 또한 이는 "정보제공자의 피드백" 또는 "응답자의 확인"이라고 알려져 있다.

삼각측량 : 두 개 이상의 서로 다른 원천에서 추출하는 것을 이용하여 자료

를 교차 검증한다. 읽을거리 72 참조

자료분석

지속비교분석 : 이 전략은 잠정적인 결론, 가설 그리고 테마를 만들기 위해 개인 자료를 수집하는 것과 이미 수집된 다른 자료들과 비교하는 것과 관련이 있다. 초기의 발상이나 개념은 검증되고 근거이론 개발을 위해 새로운 자료원이 발견되어야 한다.

내용 분석 : 문서, 글 또는 말은 주제가 드러내는 것을 나타내기 위해 검토된다. 문구의 많은 단어들은 분명한 코딩 원칙에 근거해서 더 적은 내용 범주로 축약된다. 읽을거리 73 참조

읽을거리 69

Sadr S et al. The treatment experience of patients with low back pain during pregnancy and their chiropractors: a qualitative study. Chiropractic & Manual Therapies 2012;20;32 로부터 발췌

이 연구의 목적은 요통을 가진 임신한 여성에 대한 척추지압 치료의 경험에 대해 조사해보는 것이다.

척추지압사들은 포함기준에 충족하는 환자들을 모집하는 것에 대해 요구받았다. 예를 들어 포함기준에 속하는 어떠한 임신한 여성은 초기에 척추지압사들이 이 연구에 참여할 의사가 있는지 물어보았으며 연구자들에게 관심 및 면접가능성과 포함기준에 맞는지 확인 받았다

해설 : 편의 표본추출의 예. 연구의 포함기준에 충족하는 누구든지 포함.

읽을거리 70

Whelan B et al. Healthcare providers' views on the acceptability of financial incentives for breastfeeding: a qualitative study.BMC Pregnancy and Childbirth 2014;14:355.로부터 발췌

이 연구는 모유수유의 경제적인 장려책에 대한 발전적이고 실행 가능한 평가를 바라보는 큰 과제의 일부분이다. 연구자들은 원칙적으로 낮은 모유수유 비율이 받아들여지는 지역의 경제적인 장려책에 대한 의료인들의 견해를 모았다.

영아 수유모 지원과 관련있는 넓은 범위의 경험과 역할을 포함하여 참가자들이 표본이 되었다.

특히 세가지 전략이 정보가 많은 경우를 선택하기 위해 의도적으로 사용되었다. 정치적으로 중요한 표본 추출이 공동연구자들이 주요 이해관계자들에게 잠재적으로 개입에 대한 그들의 의견을 낼 수 있게 하였다. 눈덩이 표본추출은 면접대상자들이 중요한 정보를 가진 주요 제보자들을 알아가게 하였다. 기회성 표본추출은 연구자들에게 잠재적으로 중요한 자료의 수집 및 선택에 기회를 주었다.

해설 : 표본추출방법은 유의추출법, 눈덩이표본추출법, 기회성표본추출법이 사용되었다.

읽을거리 71

Sedibe HM et al. Qualitative study exploring healthy eating practices and physical activity among adolescent girls in rural South Africa. BMC Pediatrics 2014; 14:211.로부터 발췌

이 논문은 북아프리카 도시지역의 청소년기 여성에서 건강한 식습관과 운동의 관계에서 지각, 태도, 장벽 및 촉진요인에 대해 연구하였다.

해명은 현장작업 후 면담을 통해 발생하는 주제를 토론하고 질문의 의미의 일관성을 확인하기 위해서 연구자들에 의해 매일 열렸다. 예비분석은 차후의 면접에서 하위주제를 확인하기 위해 지속적인 면접의 주입과 동시에 발생하였다. 자료 포화는 11번째 면접에서 달성되었다. 11번 기록된 면접은 현장에서 영어로 번역 및 기록되었다.

해설 : 연구자들은 떠오르는 주제를 설명하기 위해 그들의 면접을 조정하고 자료들을 분석하였다. 자료의 포화는 11번째 달성되었으며 자료수집은 마감되었다.

읽을거리 72

Snunaert P et al Engaging GPs in insulin therapy initiation: a qualitative study evaluating a support program in the Belgian context. BMC family Practice 2014; 15 : 144로부터 발췌

이 연구는 인슐린 치료의 시작에서 의사의 업무에 영향을 주는 요소에 대해 연구하였다.

첫 번째 연구 질문에 대답은 반 구조화된 면접을 사용하였다. 두 초점의 그룹 면접은 의사그룹과 지역의 전반적 지원 프로그램의 사용자가 아닌 20명의 일대일 의사그룹으로 이루어졌다.
의사로부터의 자료는 환자와의 일대일 면접, 당뇨 교육 간호사 및 프로그램발전에 포함된 전문가로부터의 자료로 삼각으로 나누어졌다. 자료는 인슐린시작 지원프로그램을 평가한 회의보고서에서 추출되었다.

해설 : 초점 그룹과 일대일 면접에서 수집된 자료는 다른 자료원 정보와 비교하여 확정하였다.

읽을거리73

Percerptions of HIV/STI prevention among young adults in Sweden who travel abroad : a qualitative study with focus group and individual interviews BMC public Health 2014;14:897로부터 발췌

이 연구의 목적은 해외여행을 하는 젊은 성인들이 HIV/STIs를 예방하기 위한 태도와 경험에 대해 기술하고 또한 그들이 해외여행 전에 어떠한 종류의 예방노력이 있었는지 조사하는 것이다.

면접은 첫 번째 작가에 의해 말한 그대로 기록되었으며 주제내용분석을 사용하여 분석되었다. 연구의 목적에 영향을 준 자료의 중요성을 이해하고 전체적인 그림을 위해 기록된 자료를 읽었다. 전반적인 연구 질문이 확인되었다. 예비의 범주를 만드는 과정에서 다음의 면이 고려되었다. 주제가 생기는 빈도, 주제를 토론하는 사람의 수, 주제에 대한 대화와 그룹들간의 상호작용에 대한 강도. 작가와 다같이 내용과 예비 범주의 경계에 대해 토론하였다. 범주는 전용적이고 내적 일관성을 갖기 위해 처리되었다. 범주의 숫자는 진행되는 창조적 과적을 통해 7개의 범주가 남을 때까지 줄여졌다. 관련 있는 주제에 대한 가동되지 않은 자료들이 놓여졌다. 분류하는 동안 작가는 전반적으로 문서를 보는 것에서 문맥적으로 이해하기 위해 부분을 연구하는 것으로 바뀌었다.

해설 : 연구자들은 내용분석의 과정을 기록하였다. 기록된 면접 내용은 7개의 범주로 줄여졌다.

진료지침은 임상적 효과와 효율을 증진시키는 것을 목표로 한다. 그것들은 환자의 구체적인 임상 상황의 평가와 치료에 추천되는 근거 연구, 임상 경험, 전문가 의견을 조합하여 임상가들과 환자를 보조한다. 대부분의 권고사항은 체계적 문헌고찰과 메타분석과 같은 고품질의 연구에 근거하기 때문에 진료지침은 임상가들이 계속 의학 논문에 맞추어 진료할 수 있게 하고 환자와의 의사소통을 증진시키는 데 도움을 준다.

많은 지역과 국가 및 국제적인 조직이 진료지침을 만들어 낸다. 그러나 진료지침은 질적으로 차이가 많고 개인 연구들과 마찬가지로 이것들도 문헌고찰 비평을 받아야 할 필요가 있다. 진료지침의 선택뿐만 아니라 진료지침의 발전 그리고 권고 사항을 지지하게 하는 근거의 해석과 관련된 여러 가지 쟁점이 존재할 수 있다.

진료지침의 개발

1. 제안된 임상 진료지침의 필요성에 대해 확인해라
2. 진료지침의 개발을 도울 수 있는 개인과 당사자들을 확인해라
3. 진료지침에 대한 증거를 확인해라
4. 증거에 반하는 현재의 관례를 평가해라
5. 진료지침을 기술해라
6. 얼마만큼의 변화가 실제 업무에 도입될지에 대해 합의해라
7. 협의와 동료비평에 참여하고, 같은 분야의 연구자에게 평가를 받으며, 필요하다면 진료지침을 개정해라
8. 비준을 얻어라
9. 진료지침을 실행하고 전파해라
10. 진료지침의 효과에 대해 검사를 받아라

진료지침의 평가

AGREE

진료지침 연구와 평가에 대한 비평(Appraisal of Guidelines for Research and Evaluation, AGREE) 도구 AGREE 도구는 임상 진료지침의 질을 평가하는 기틀을 제공해 준다(www.agreetrust.org에서 사용 가능). AGREE 도구는 기록의 질과 일부 권고사항의 질을 평가한다.

이것은 지침의 예측된 타당도, 다시 말하면 이 진료지침이 의도한 성과를 달성할 가능성이 있는지에 대해 평가를 제공한다. 이것은 진료지침이 환자의 결과에 미치는 영향을 평가하지 않는다.

AGREE 도구는 6가지 영역에 걸쳐 23개의 핵심 항목으로 구성되어 있다.

- 범위와 목적(Scope and purpose)은 진료지침의 전체적인 목표, 구체적인 임상적 질문과 표적 환자 집단을 의미한다.
- 이해 당사자의 참여(Stakeholder involvement)는 진료지침이 목표로 하는 사용자들의 시각을 대변하는 정도에 초점을 두어야 한다.
- 개발 과정의 엄격함(Rigour of development)은 근거를 모으고 융합하는 과정과 권고사항을 공식화하고 새로 갱신하는 방법과 관련되어 있다.
- 명료성과 발표방식(Clarity and presentation)은 진료지침의 언어와 형식적인 부분을 다룬다.
- 적용가능성(Applicability)은 진료지침을 적용하는 것에 관련성이 클 것 같은 조직이나 행동, 비용의 영향과 관련이 있다.
- 편집의 독립성(Editorial independence)은 진료지침 개발 그룹으로부터 권고사항의 독립성과 이해상충을 인정하는 것과 관련되어 있다.

각 항목은 기준에 맞는 정도로 평가되고 4점 척도로 점수가 부여, 4=매우 동의함, 3=동의함, 2=동의하지 않음, 1=매우 동의하지 않음.

진료지침의 실제

- 진료지침은 임상가의 지식, 술기, 임상적 판단을 대체하기 위해 만들

어진 것이 아니다. 지침은 민감하게 해석되어야 하고 신중하게 적용되어야 한다.

- 법적 문제가 발생하였을 때, 판사는 대부분의 진료지침에서 옹호하는 치료 기준이라고 하더라도 이것이 법적으로도 최상의 선택이라고 판결하지는 않을 수 있다. 단순히 진료지침이 존재한다는 사실 하나가 그 상황에서 진료지침을 따르는 것이 합리적이고 따르지 않는 것이 부주의한 것이다라고 판단할 수 없다.

- 만약에 어떤 진료지침을 대다수의 의료진이 합당하다고 여긴다면 임상가는 법적 소송에서 진료지침을 따르지 않은 이유에 대해 강력한 근거가 필요할 것이다. 하지만 Bolam test에 명시되어 있는 기준이 적용될 수도 있다 − Bolam test는 통상적으로 적절하다고 판단하는 치료의 최소 기준이 적용되었는지 판단하는 것이다.[1]

---

1) Hurwitz B. Legal and political considerations of clinical practice guidelines. BMJ 1999, 318, 661–4.

체계적 문헌고찰과 메타분석(Systemic Reviews and Meta analysis)

이제까지 우리는 각각의 연구를 평가하였다. 그러나 문헌 검색은 비슷한 목표와 가설을 가진 연구들을 많이 찾을 수 있으며 따라서 단 하나의 연구만을 따로 분석하는 것은 다른 연구자들이 발견한 중요한 정보들을 놓칠 수 있다는 것을 의미한다. 그러므로 이상적으로는 한 주제에 대한 모든 연구가 수집되어야 한다.

많은 논문 리뷰들은 특정 영역의 문헌들에 대한 요약을 제시한다. 이러한 리뷰의 주요 결함은 체계적이지 않은 방법으로 선택된 논문들을 바탕으로 쓰여진다는 것이며 그러면 해당 분야의 중요한 연구가 포함되지 않을 가능성이 있다.

체계적 문헌고찰(Systemic reviews)
체계적 문헌고찰은 특정 영역 내에서 관련한 모든 논문에 체계적으로 접근하고 검토하고자 하는 방법이다. 체계적 고찰은 연구에서 선택되어 제시된 질문, 연구 방법, 연구의 디자인 등을 효과적으로 설명할 수 있어야 하며 그리고 나서야 연구의 결과들이 통합된다. 따라서 체계적 고찰을 통해 얻은 증거들은 영향력있고 가치있는 것으로 볼 수 있으며 최종적인 결론 또한 각각의 논문보다 더 정확하고 신뢰성이 있다. 체계적 고찰은 연구 근거 체계에서 연구 정보를 활용하는 황금기준으로 볼 수 있다.

연구에서 제시하는 질문(Research question)
다른 모든 연구와 마찬가지로 체계적 문헌고찰은 정확한 임상적 질문으로부터 시작되어야 한다. 연구의 형태, 얻고자 하는 결론, 포함 및 불포함 기준 등이 명확하게 명시되어 있어야 한다.

검색 방법(Search strategy)

체계적 문헌고찰은 근거를 찾기 위해 적용된 검색 전략과 다름없다. 비뚤림를 피하기 위해서는 검색하는 과정에서 지리적, 언어적, 문화적, 교육적, 정치적 차이를 넘어서야 한다.

- 좋은 체계적 고찰은 검색 방법의 포괄적인 내용을 제시한다. 검색은 주로 MEDLINE이나 EMBAS, trial register와 같은 전산 데이터 베이스를 사용하여 시작하며 연구의 형태, 노출(exposure) 및 결과 등을 포함하여 검색한다. 정보검색의 투명도를 위해 검색 용어와 'and', 'or', 'not'과 같은 Boolean 연산자, 그리고 검색하여 나온 결과의 개수 등을 함께 기록한다. 이를 통해 나중에 다른 연구자들이 검색 전략을 충분히 이해하여 접근하고 검색을 반복할 수 있도록 돕는다.
- 선택된 논문의 참고문헌도 살펴볼 수 있다. 직접 수기로 논문을 찾아보는 것이 힘들 수 있으나 더 많은 문헌에 대한 링크가 공유되지 않기도 한다. 따라서 직접 검색하는 것이 회색 문헌을 포함하는 더 많은 정보의 자료를 얻는 방향이 될 수 있다. 최근 저널의 내용 목록을 직접 찾아보면 의학 데이터 베이스에 아직 포함되지 않은 논문을 발견할 수 있다는 장점이 있다.
- 인용구(Citation) 검색은 해당 체계적 문헌고찰과 가깝게 관련이 있을 것으로 기대되는 연구들을 인용한 논문을 검색하는 것과 연관이 있다.
- 연구자들은 현재 진행되고 있거나 출판되지 않은, 또는 놓친 정보들을 알기 위해 해당 전문가나 기관에 연락하여 문의할 수 있다.

읽을거리 74 참조

질 평가(Quality assessment)

찾아낸 모든 논문의 초록을 먼저 분석하고 이 중 적당하다고 판단되는 논문들을 전체 내용 검토를 위해 선택한다. 그리고 나서 각각의 논문이 자격요건을 충족시키고 질 평가 기준을 넘어서는지 확인하기 위해 평가된다. 특히 각각의 논문을 비판적으로 분석하여, 치료 효과의 크기를 과소평가하거나 과대평가하게 될 가능성이 있는 바이어스들을 제거하도록 하여야 하며, 이를 통해 제외된 연구에는 그에 합당한 이유가 주어져야 한다.

이 과정은 주로 한 명 이상의 연구자에 의해 이루어지게 되며 이 연구자들간 의견 동의 정도가 제시될 수 있다. 어떤 특정 연구가 리뷰에 포함되어야 하는지에 대한 의견이 갈리게 되면 이는 동의된 절차에 따라 합의점에 도달할 수 있도록 해야 한다. 읽을거리 75 참조

데이터 해석(Interpretation of the data)

여러 다른 연구의 데이터를 비교하기 위해서는 연구 내 측정결과의 공통된 단위를 찾아내는 것이 필요하다. 비교 위험도나 오즈비(Odd ratio)와 같은 결과는 논문 간 서로 비교하기에 비교적 간단한 수치이나, 노출(Exposure)의 경우에는 문제가 될 수 있다. 여러 논문들이 위험요인에 노출된 양이나 치료 용량 등을 각기 다른 방법으로 표현을 하게 되면 이를 각 연구간에 어떻게 표준화시켰는지에 대한 설명을 포함하여야 한다.

메타 분석(Meta-analysis)

메타분석은 체계적 문헌고찰의 양적 평가를 말한다. 이는 각각의 연구 결과를 종합하여 이를 바탕으로 영향력의 전체 추정치를 얻는다. 메타분석은 어떤 개입에 의해 예상되는 영향을 하나 이상의 연구가 시행하였을 때, 참여자들 간의 차이가 없고 개입이나 환경이 결과에 중대한 영향을 미칠 수 있는 경우에 시행된다. 여러 시도의 결과가 비슷한 방법으로 측정되어야 하는 것 또한 중요하다.

좋은 메타분석은 바이어스를 일으킬 수 있는 비체계적 고찰이 아닌 체계적 문헌고찰을 바탕으로 이루어 져야 한다. 메타 분석을 체계적 문헌고찰에 포함시키는 경우 다음과 같은 이득을 가져올 수 있다.

- 영향의 크기가 작더라도 각 그룹 간 통계적으로 중요한 차이를 더 잘 발견할 수 있다. 작은 연구들을 종합하여 표본크기를 늘려 연구 분석 결과에 힘을 실을 수 있으며 제 2종 오류가 생성될 위험을 줄이게 된다.
- 결과의 정밀성을 높일 수 있다. 표본 크기를 늘리게 되면서 영향력에 대한 추정치는 더 좁은 신뢰구간을 가지게 된다.
- 어떤 영향의 방향성 및 크기에 명확도를 높일 수 있다. 하나의 연구는 결과가 분산되어 혼란되거나 상충되는 결과를 가져올 수 있다. 그러나 메타 분석은 각각의 연구가 결론에 이르지 못하더라도 어떤 개입에 대하여 찬성 또는 반대하는 결론적인 근거를 제시할 수 있다.

메타 분석을 위해 기억해야 할 주요 과정들은
- 포함된 모든 연구의 결과를 통계적 방법을 통해 통합.
- 어떠한 개입의 영향에 대한 통합적인 예측 값을 P 값과 신뢰구간을 포함하여 계산.
- 각 연구 간의 차이를 확인. (이질성)
- 출판 바이어스를 확인.
- 확인한 결과를 리뷰하고 해석.

숲그림(Forrest plots)

메타분석의 결과는 통합된 결과들의 숲그림forest plot (or blobbogram)으로 표현된다. 그림 65는 forest plot을 구성하는 요소들을 정리한 것이다.

숲그림은 수직 축에 연구들의 목록을 효과 또는 시간적 순서로 배열하고, 수평 축에는 공통된 결과의 수치를 표현한 도표이다. 결과는 오즈비, 위험비, 평균값 차, 비율 등으로 나타낼 수 있다.

'무효선(Line of no effect)' 이라는 수직선이 있으며 이는 각 중재(intervention) 간의 차이가 없는 지점에서 수평선과 교차하는 부분이다.

각 연구의 결과는 결과의 추정치를 나타내는 박스로 표현이 된다.

- 박스의 넓이는 각각의 연구가 메타 분석에 기여하는 정도와 비례한다. 연구자들은 그 기여도가 어떻게 계산되는지를 설명할 것이며, 주로 더 큰 표본집단과 좁은 신뢰구간을 지닌 정확도 높은 추정치에 더무게가 실린다.

각 박스에는 이를 통과하는 수평선이 있으며 그 수평선의 넓이가 95% 신뢰구간을 나타낸다.

- 만약 수평선이 표현하는 결과치가 비교 위험도와 같은 비(ratio) 라면 95% 신뢰구간은 각 연구의 결과에 따라 불균형으로 나타나며, 만약이 비교 위험도를 로그비로 표현한다면 균형적으로 표현할 수 있다.
- 만약 수평선이 line of no effect에 닿거나 지나간다면 이는 연구의 결과가 통계적으로 유의하지 않았거나 표본 집단의 크기가 너무 작아실제 결과에 대한 신뢰를 얻기 부족한 것을 의미하며, 두 가지 동시에이유가 될 수도 있다.
- 만약 수평선이 line of no effect를 지나지 않는다면 연구 결과는 통계적으로 유의함을 의미한다.

메타분석을 통한 최종 결과는 다이아몬드 모양으로 표시된다.

- 다이아몬드 모양의 가운데 부분은 전체 결과의 점추정치에(point estimate) 놓이게 된다.
- 다이아몬드 모양의 수평적 넓이는 전체 결과의 95% 신뢰구간을 의미한다.
- 다이아몬드 모양의 위쪽 모서리에서 위로 올라가는 점선이 있을 수 있다.
- 어떤 forest plot에서는 다이아몬드 모양이 검게 채워지지 않고 신뢰구간은 다이아몬드 모양을 지나는 수평선으로 표현되기도 한다. 만약신뢰구간 좁다면 이 수평선은 다이아몬드 모양 안에 포함되어 위치할수도 있다. 읽을거리 74 참조

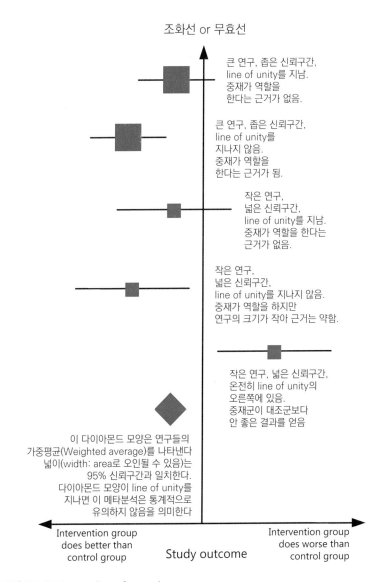

그림 65. Understanding a forest plot

진료지침과 Review libraries

The PRISMA Statement는 저자들이 체계적 문헌고찰과 메타분석을 보고하는 방법을 발전시키는 데 도움을 준다. PRISMA는 Preferred Reporting Items for Systemic Reviews and Meta-Analysis를 의미하며, 이는 27개 항목의 체크리스트와 4단계의 흐름도로 구성되어 있다. PRISMA statement는 새로운 근거가 나타날 때마다 주기적으로 업데이트 되는 문서이며 사실상 요즘은 거의 사용하지 않는 QUOROM statement의 업데이트 및 확장판이다. 현재 PRISMA statement의 최종 버전은 PRISMA website에서 찾아볼 수 있다 (www.prisma-statement.org).

The MOOSE group (The Meta-analysis of Observational Studies in Epidemiology)는 역학분야에서 관찰연구의 메타 분석을 보고하는 데 적합한 체크리스트를 만들어왔다. 이 체크리스트의 사용은 저자, 검토자(Reviewer), 편집자, 독자 그리고 결정을 내리는 사람들에게 메타 분석의 효용성을 높일 수 있다(www.consort-statement.org).

PROSPERO 건강과 사회적 돌봄 개입과 관련된 체계적 문헌고찰의 전향적 목록이며 이는 the University of York, Centre for Reviews and Dissemination에 의하여 만들어지고 관리된다(www.crd.york.ac.uk/prospero).

The Cochrane Collaboration은 1993년 창설된 국제 네트워크로 의료인, 정책가, 환자, 지지자, 그리고 환자들에게 가능한 한 가장 적절한 연구 결과를 토대로 적절히 설명된 결정을 내리도록 도와주는 역할을 한다. The Cochrane collaboration은 의료와 의료 정책에 관련된 중요한 연구들의 체계적 문헌 고찰을 담은 Cochrane reviews를 준비하고 업데이트 하고 이에 대한 접근성을 높이는 역할을 하며, Cochrane reviews는 The Cochrane Library (www.thecochranelibrary.com)에서 볼 수 있다.

읽을거리 74

Khokhar B et al. Effectiveness of mobile electronic devices in weight loss among over weight and obese populations: a systemic review and meta-analysis. BMC obesity 2014;1:22.로부터 발췌

연구자들은 체중 감소를 촉진시키고 유지하는 데 휴대용 전자기기를 사용하는 것에 대한 의학 논문들을 검토하였다.

2명의 검토자들은 Medline, PsycINFO, Embase and CENTRAL과 같은 온라인 데이터 베이스를 각각 독립적으로 검색하였다. 검색은 언어나 날짜에 제한되지 않았으며 4개의 주 카테고리로 분류되었다. 관련 집단을 확인하기 위해 첫번째 Boolean 검색은 검색어 'OR'를 사용하여 시행되었고 이는 다음과 같은 MeSH 제목 'overweight' or 'obese'을 제목 검색과 키워드 검색을 하기 위함이었다. 관련 개입을 확인하기 위해 두번째 Boolean 검색은 'mobile phone' or 'inernet' or 'computers handheld' or 'wireless technology' or 'text messaging' or 'electronic mail' or 'smartphone' or [iPad or iPhone or iPod touch]' or 'mHealth'을 검색하기 위해 'OR'을 사용하였다. 3번째 MeSH 카테고리는 또한 개입과 연관이 있으며 다음을 포함하였다: 'exercise' or 'motor activity' or 'physical fitness' or 'diet'. 마지막으로 4번째 키워드 그룹은 연구 디자인을 확인하기 위해 사용하였다. 'or'이라는 단어를 사용한 Boolean 검색은 'controlled clinical trials' or 'randomized controlled trials' or 'meta-analysis' or 'placebo*' or 'random*' or 'groups'와 같은 키워드들을 찾아내기 위해 사용하였다. 이 네 가지 카테고리는 그리고 나서 'AND'라는 Boolean 명령어로 합쳐졌다. 그런 다음 2명이 검토한 논문들의 참고 문헌 리스트를 검색하고, 모든 확인 가능한 논문들을 각각 직접 확인하였다. Clinical trial registries에서 현재 진행되고 있는 연구를 찾아볼 수 있다. (www.clinicaltrials.gov, www.controlled-trials.com/mrct, www.isrctn.com). Tables of contents of key journals [Telemedicine Journal and E-health, Health Informatics Journal and Journal of Medical Internet Research] 또한 직접 검색해 보았다. 마지막으로 논문의 내용의 이해를 명확히 해야 하는 부분에서 리뷰 과정에서 확인된 해당 전문가들에게 직접 연락하여 문의하였다.

해설 : 여러 데이터 베이스 검색, 많은 키워드를 이용하여 멀티레벨 Boolean 검색, 직접 찾아보기, 해당 분야의 전문가에게 직접 연락하기 등을 포함한 검색 전략의 한 예.

읽을거리 75.

Manyanga T el al. Pain management with acupuncture in osteoarthritis: a systemic review and meta-analysis. BMC Complementary and Alternative Medicine 2014;14:312.로부터 발췌

이 체계적 문헌 고찰의 목적은 골관절염으로 진단된 환자에서 일반 침술을 시행하는 것을 허위 침술, 평상시 관리, 또는 전혀 치료하지 않음과 비교하는 전향적 RCT로부터 정보를 알아내고 종합하는 것이다.

우리는 연구들을 살펴보고 및 선택하기 위해 두 단계 과정을 사용하였다. 두 명의 검토자는 특정 인용구가 일반적인 연구 포함기준을 충족시키는지를 결정하기 위해 논문들의 제목과 초록을 각각 독립적으로 훑어 보았다. 여기서 골관절염으로 진단된 환자에서의 침술관리에 대한 RCT 연구들을 포함하였다. 또한 non-RCTs, 동물과 연관이 있는 연구, 전기 바늘 자극이 적용된 연구들은 제외되었다. 이 과정을 통해 연구에 포함되었거나 명확하지 않다고 판단된 참고문헌의 전문은 다시 이미 결정된 포함, 불포함 기준을 참고로 하여 독립적으로 재검토되었다. 영어가 아닌 참고문헌의 전문은 우선적으로 번역된 뒤 검토 되었다. 두 검토자 간의 의견 불일치는 필요에 따라 합의점을 찾아 해결하거나 제 3자의 판단에 의해 조율되었다.

해설 : 두 명의 검토자가 포함, 불포함 기준에 대응하여 각 연구의 질을 평가하였으며 의견불일치가 발생한 경우 제 3자의 개입에 의해 해결 되었다.

읽을거리 76

Li L et al. Meta-analysis of the risk of cataract in type 2 diabetes. BMC Opthalmology 2014; 14: 94.로부터 발췌

이 메타분석의 목적은 제2형 당뇨와 백내장 위험도와의 연관성에 대해 조사하는 것이다.

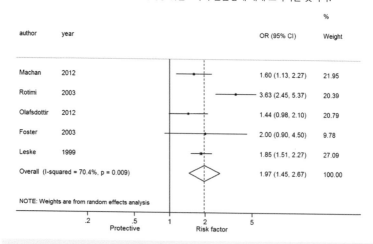

해설 : 제2형 당뇨와 백내장 위험도간의 연관성을 보여주는 forest plot. 다이아몬드 모양은 승산비 1인 Line of no effect(수직선)에 닿지 않는다.

메타 분석의 목표는 유사 연구들의 결과들을 합계하기 때문에, 연구들이 조합할 만한 가치가 있다는 것을 보장하는 검증들이 있다.

연구 결과들 사이에서 발생한 변동은 우연에 의하거나 체계적인 차이 혹은 양쪽에서 기인하여 있을 수 있다.

동질성(homogeneity)은 연구들이 유사하고 일관된 결과를 가지고 어떤 관찰된 차이점들이 무작위 변동 때문에 생길 때 존재한다

단지 우연에 의해 예상한것보다 좀 더 많은 변동이 있을 때, 심지어 무작위 변동을 참작한 이후에 변동을 이질성(heterogeneity)으로 언급한다.

임상석 이질성은 연구들에서 선택된 개인들, 중재들이나 결과들이 서로 상당히 다를 때 생기고 이러한 연구 결과들을 수집하기 어렵게 한다.

통계적인 이질성은 연구 결과들이 우연에 의해 예상되는 것보다 크기나 방향에서 상당히 서로 다를 때 일어난다.

연구들 간의 상당한 이질성은 요약 효과를 신뢰할 수 없게 하면서 편견에 치우치게 할 수 있다. 그래서 그것은 발견하는 것이 중요하다.

요약 효과 크기(Summary effect size)

메타 분석에 관한 결과를 요약하기 위해 효과 크기를 계산하는 두 가지 접근법들이 있다.

- **고정 효과 모형(Fixed-effect model)** : 이것은 연구들간에 이질성은 없다는 것을 가정하고 연구들은 모두 비교할 만하고 효과는 모든 연구들에서 동일하다는 것을 가정한다(동질성). 읽을거리 77 참조

- **무작위 효과 모형(Random-effect model)** : 이것은 연구간의 변동들을 감안한다. 효과는 모든 연구들에서 동일하지 않다(이질성).

만일 이질성이 제외된다면, 고정 효과 모형이 사용된다. 이질성이 존재하면, 무작위 효과 모형이 사용된다. 무작위 효과 모형은 중요한 이질성이 존재하는 경우에 고정 효과 모형들보다 넓은 신뢰 구간을 제공할 것이다. 상대 위험도와 오즈비에 관한 고정 효과 모형의 두 가지 유형들이 요약 통계를 생산하는데 쓰인다.

- **멘텔-헨젤 방법(Mantel-Haenszel method)** : 숲그림의 최종 결과를 생산하는 데 가장 널리 이용되는 통계법. 그것은 순수 효과 중에 단일 가치의 전체적인 총합을 생산하기 위해 연구들의 결과를 결합한다. 그 결과는 P 값과 관련된 카이 자승검증으로 주어진다

- **오즈비에 대한 Peto 법(The peto method for odds ratio)** : 이것은 개별적인 그리고 결합된 오즈비를 위한 것이다. 이 모형은 어떤 상황들에서, 특히 계산된 오즈비들이 1에서 멀리 있을 때 편향된 결과들을 생산한다.

이질성에 관한 검증 방법들

- **숲그림(Forest plot)** : 이것은 이질성의 만일 존재한다면, 시각적 증거를 제공한다. 이질성은 다른 연구들의 어떠한 신뢰 구간을 가지고 있던 한 연구의 신뢰 구간과 겹치지 않는 것을 가리킨다. 모든 연구들의 신뢰 구간들이 부분적으로 겹친다면 연구들은 동질적이다.

- **코크란 Q Cochran's Q (Chi^2, X^2)** : 각각 연구들의 추정치와 모든 연구들에서 통합 추정값 사이의 제곱 차이들의 편중된 합계로 계산된다. P 값들은 n-1 자유도를 가지고 카이제곱분포를 가진 통계를 비교하면서 얻는다. n은 연구들의 숫자와 일치한다. 만약 연구 숫자가 작으면 Cochran's Q는 이질성을 검사하기 위한 낮은 검정력을 가진다.[2] 대개

---

2) Higgins JPT et al. Measuring inconsistency in meta-analyses. BMJ 2003;327:557

P 값 〈 0.1 은 이질성을 선언하기 위한 컷오프로 사용된다.[3]

- **I² 통계** : 가능성보다 이질성에 달려있는 연구들을 통한 총 변화 백분율을 서술한다. 그것은 값이 0% (이질성 없음)부터 100%까지 범위이다. 이질성은 $I^2 \geq 50\%$ 이면 존재하는 것으로 여겨진다. 읽을거리 78 참조

- **갤브레이스 도표(Galbraith plot)** : X축은 1/SE 이고 Y축은 Z값을 가지는 도표. 요약 효과 선은 구성 중간을 지난다. 이 선과 평행한 두 개의 선들(보통 두 표준편차의 거리에 있는)은 만약 연구들이 단일의 고정된 매개변수를 추정하고 있다면 떨어지리라 예상되는 대부분 점들 간의 간격을 생성한다. 이질성은 이러한 평행선들의 밖에 있는 연구들로 인해 드러난다.[4]

- **L'Abbé 도표(L'Abbé plot)** : 이것은 수평축은 통제집단 안에서 성공적 결과 비율이고, 수직축은 실험집단 안에서 성공적인 결과 비율로 구성된다. 대각선은 각각의 집단이 동일한 비율을 나타내는 두 개의 축들 사이에 그려진다. 선보다 위에는 효과적인 치료를 나타내고; 선보다 아래에는 효과 없는 치료를 나타낸다. 도표 위에서 요점들의 분포가 더 촘촘할수록 동질성을 나타내는 경향이 있고 이질성은 덜 보여진다.

메타 회귀 분석(Meta-regression analysis)

메타 회귀는 메타 분석에서 이질성에 적응하려고 노력하기 위해 사용될 수 있는 방법이다. 이는 실험의 다른 하위집단에서 다른 영향들의 증거가 있는지 여부를 확정할 수 있다.

메타 회귀 분석은 모든 실험들을 통한 발생시키는 단 하나의 요약 효과보다는 연구 안에서 인자들에 대해서 치료 효과 크기를 관련시키는 것을 목표로

3) Deeks JJ, Higgins JPT, Altman DG (editors). Chapter 9: Analysing data and undertaking metaanalyses. In: Higgins JPT, Green S (editors). Cochrane Handbook for Systematic Reviews of Interventions. Version 5.0.1 [updated September 2008]. The Cochrane Collaboration, 2008. Available from www.cochrane-handbook.org

4) Bax L et al. More Than Numbers: The Power of Graphs in Meta-Analysis. Am. J. Epidemiol. (2009) 169 (2): 249–255.

한다. 예를 들어 콜레스트롤 수치를 낮추기 위한 스타틴의 사용은 일련의 실험들에서 조사되었을지도 모른다. 이러한 실험들의 메타 분석들은 모든 연구들을 통해 요약 효과 크기를 산출했을지도 모른다. 메타회귀 분석은 메타 치료 효과의 모든 이질성을 설명하는 것을 도우면서 스타틴 용량의 역할이나 치료 기간에 관한 정보를 생산할 것이다. 읽을거리 78 참조

읽을거리 77

Wang C et al. heparin therapy reduces 28-day mortality in adult severe sepsis patients : a systematic review and meta-analysis. Critical Care 2014;18:563로부터 발췌

연구자들은 성인 패혈증 및 중증패혈증 환자들에서 단기간 사망률에 있어서 헤파린의 효과들을 접근했다.

연구 이질성 사이에 I^2 통계를 사용하여 접근되었다.연구 이질성간에 증거는 없었다(I^2= 0.0%). 민감도 분석은 시행되지 않았다. 고정된 효과들 모형은 적용되었고 모아졌다. 오즈비들은 Mantel-Haenszel 법을 사용해 측정되어졌다.

해설 : 이 메타 분석에서 이질성은 고정된 효과들 모형이 사용되어서 발견되지 않았다.

읽을거리 78

Berhan A et al. Vartioxetine in the treatment of adult patients with major depressive disorder: a meta-analysis of randomized double-blind controlled trials. BMC Psychiatry 2014;14:276.로부터 발췌

이 메타 분석의 목적은 주요 우울장애를 가진 성인들에서 보티옥세틴의 효용성과 안전성을 평가하는 것이다.

포함된 연구들간의 이질성은 I^2 통계들로 접근되었다; I^2의 가치가 50%보다 크거나 같았을 때 통계상으로 중요한 것으로 여겨진다. 이질성의 가능한 근원들에 접근하기 위해, 치료 기간에 기초한 하위집단 분석과 보티옥세틴 용량을 사용한 메타 회귀는 공변량으로 시행되었다.이질성 검사는 포함된 연구들 사이에 중요한 이질성의 존재를 드러냈다(I^2=68%). 보티옥세틴 용량을 공변량으로 사용한 메타 회귀는 보티옥세틴의 고용량을 사용한 환자들에 있어서 MADRS 총 합계는 통계상으로 중요한 감소를 보여줬다. (Slope= -0.031; 95%CI=-0.053 to -0.009; P=0.005).

해설 : 이 연구에서 이질성은 존재하는 것으로 발견되었다. 메타 회귀 분석은 이질성의 한 가지 원인이 각각의 연구들에서 사용된 보티옥세틴의 용량이었다는 점을 드러냈다.

출판 비뚤림 (Publication bias)

출판비뚤림은 체계적고찰에서 중요하거나 긍정적인 연구들의 과잉 대표성을 이끌 수 있는 연관된 비뚤림들에 적용되는 용어이다.

보도 비뚤림유형에는 시간 지연 비뚤림, 언어 비뚤림, 인용 비뚤림, 자금 비뚤림, 결과 가변적 선택 비뚤림, 선진국 비뚤림, 보도 비뚤림, 다수의 복합적인 보도 비뚤림이 있다.

출판 비뚤림

대규모 연구들은 긍정적 결과 혹은 부정적 결과이든 간에 출판되는 경향이 있다. 긍정적인 결과를 가지는 소규모 연구들은 부정적인 결과를 가진 소규모 연구들보다 더 쉽게 제출되고 발표되기 쉽다.그 결과 부정적 결과를 가진 소규모 연구들이 체계적인 고찰들과 메타 분석들에서 놓치는 경향이 있다.[5]

소규모 연구들의 배제는 체계적인 고찰이나 메타 분석의 종합적인 결과들이 호도될 지도 모른다는 것을 의미한다. 긍정적인 연구들의 과잉 대표성은 결과들이 긍정적 결과로 향해 편향되는 것을 의미할 지도 모른다.

깔대기 분포(funnel plots), Galbraith 도표(Galbraith plot)와 검사들 예를 들면 Egger 검사, Begg 계층 상관관계 검사(Begg's rank correlation test), Rosenthal 장애 안전 N검사(Rosenthal's fail-safe N)를 포함한 출판 비뚤림을 확인할 수 있는 가능한 몇 가지 방법들이 있다

---

5)   Sterne JAC et al. Investigating and dealing with publication and other biases in meta-analysis. BMJ 2001;323:101

깔대기 분포

깔대기 분포는 수평의 축에서 개별적 연구들에서 추정된 치료효과의 크기와 수직축에서 연구 규모의 측정으로 그려진 산포도이다. 깔때기 모양은 수직 축 위에 구성된 것을 의미한다(그림 66).

표준오차(standard error)는 수직축에 척도로 추천된다. 편견이 없는 상태에 서 예상되는 모양은 대칭적인 깔대기와 일치한다. 95% 신뢰 구간을 나타내 는 일직선들이 포함될 수 있고 이러한 도표는 더 편향되기 쉬운 좀 더 작은 규모의 연구들을 강조한다.[6]

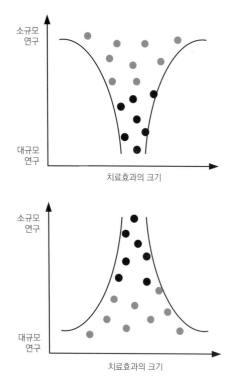

그림 66. 깔대기 구성 모양은 수직축 위에 구성된 것에 의해 결정된다.

6)   Sterne JAC et al. Funnel plots for detecting bias in meta-analysis: guidelines on choice of axis. Journal of Clinical Epidemiology Volume 54, Issue 10, Pages 1046–1055, October 2001

도표 각각의 점은 연구들 중의 하나를 의미한다. 출판비뚤림이 없을 시 분포는 대칭적 깔대기를 대표한다.

대규모 연구들은 커다란 표본 크기를 가진다. 대규모 연구들의 결과들은 좁은 신뢰구간을 가지고 대상 모집단에서 참 결과에 가까운 경향이 있다. 대규모 연구들은 수평축에서 서로 가깝게 놓여 있고 깔대기의 좁은 부분에 있다.

소규모 연구들은 작은 표본 크기를 가진다. 소규모 연구들의 결과들은 상당히 달라지는 경향이 있고 커다란 신뢰구간을 가진다. 수평축에서 소규모 연구들은 넓게 흩어지고 깔대기에 넓은 부분에 있다.

깔때기 분포의 비대칭성
만일 출판 비뚤림이 있다면, 작은 음성적 결과들의 부재로 인한 깔대기 분포 끝의 넓은 부분에서 비대칭성이 있을 것이다.[7] 비대칭성은 소규모 연구들이 더 큰 치료효과를 보여주는 경향과 연구들사이에 이질성을 포함한 다른 이유로 기인했을 수도 있다.

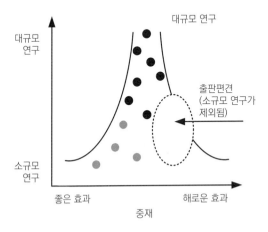

그림 67. 깔때기 분포는 출판 비뚤림을 나타낸다.

7) Egger M et al. Bias in meta-analysis detected by a simple, graphical test. BMJ 1997;315:629

읽을거리 79 참조

'필요한 부분을 잘라내고 채우는' 방법(Trim and fill method)은 출판 비뚤림을 수정하기 위해 사용될 수 있다. 깔대기분포에 비대칭성을 유발하는 연구들을 제거(다듬고 잘라내기)하여 깔대기 참중앙의 값을 확인한다.
그런 다음에 제거된 연구들은 합성된 추정치에 위치한 거울축으로 전가된 거울상 대응 상대들과 함께 대체된다(채우기).[8] 수정된 메타분석에서 보여준 종합적인 효과에서 결과 변화가 있을 수도 있다.

분포 그 자체적으로는 전가된 연구들을 나타내는 추가적인 점들(보통은 채워지지 않음)과 그리고 이러한 연구들이 메타 분석에서 포함될 때 요약한 효과를 나타내는 추가적인 수직체계의 선을 가진 보통의 깔대기 구성과 비슷하다.

8)   Sutton AJ et al. Empirical assessment of effect of publication bias on meta-analyses. BMJ 2000;320: 1574–7

읽을거리 79

Mytton OT et al. Systematic review and meta-analysis of the effect of increased vegetable and fruit consumption on body weight and energy intake. BMC Public Health 2014; 14:886 로부터 발췌

이 연구는 야채와 과일소비를 늘리는것이 체중과 에너지 섭취에 미치는 효과를 알아보기 위한 임상시험에 대한 체계적인 고찰이다.

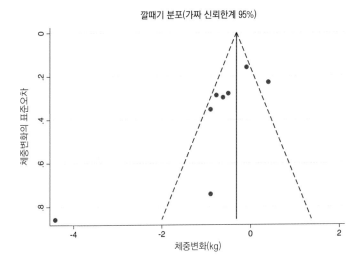

주석 : 깔때기 분포는 출판비뚤림에 대한 검정이다. 출판비뚤림은 소규모 부정적 연구들의 부재로 나타날 수 있다. 이런 경우 맨 아래 오른손 모퉁이에서 연구들이 누락된다.

SECTION H

적용가능성

연구방법에는 잘 확립된 위계가 있다. 이 위계는 연구디자인이 실생활에서 환자에게 무슨 일이 일어날지 예측하는 능력이 다르다는 전제에 근거한다. 가장 위계가 높은 연구는 그들의 근거가 더 높은 등급이기 때문에 더 낮은 위계의 연구보다 비중있게 수행된다.

체계적 문헌고찰/메타분석
무작위비교임상시험
비무작위임상시험
코호트 연구
환자-대조군 연구
단면연구
증례군 연구
증례보고 전문가 의견
개인적 정보

더 큰 비중으로 수행하는 연구들이 모든 상황에서 최고일 필요는 없고 모든 상황에 대해 적합하지 않을 수도 있다. 예를 들어 증례보고가 비록 연구 위계의 관점에서 낮은 비중을 수행하지만 매우 중요할 수 있다. 또한 위계는 단지 지침일뿐 같은 디자인을 사용한 모든 연구가 동일한 질(quality)을 보이지 않는다.

근거수준(Level of evidence)

많은 기관에서 의학 문헌을 검토 한 후 체계적인 문헌고찰 및 지침을 작성한다. 등급을 매기는 시스템은 근거의 위계를 바탕으로 하는 경향이 있지만 좋은 방법론적 행위의 구체적인 상황에 높은 점수를 부여하여 세세하게 조정될 수도 있다. 이상적으로는 등급을 매기는 시스템은 지지하는 근거의 강도와 권고의 강도를 표시해야 한다.

GRADE

2000년 이후부터 GRADE (The Grading of Recommendations Assessment, Development and Evaluation) Working Group(http://www.gradeworking-group.org/))은 근거의 질과 권고의 강도를 등급화하여 접근하는 방식으로 개발되었다. 전반적인 근거의 질은 '높음', '중간', '낮음', '매우 낮음'으로 분류한다. 권고는 강이나 약의 두 가지 단계로 제시된다.

비판적 가치평가의 마지막 단계는 연구결과의 적용가능성을 결정하는 것이다. 이 단계에서 당신은 연구의 방법론이 확고하고 그 결과가 어떤 면에서 중요하다는 것을 결정해야 할 것이다. 일부 연구 결과는 학문적인 관심거리만 될 수 있는 방면 다른 연구 결과들은 환자를 도울 수도 있다. 만약 당신의 환자가 인구학적 및 임상적으로 어떤 연구의 표본집단과 비슷하다면, 그 환자들의 결과가 연구에서 얻어진 결과와 비슷할 것이라는 기대에서 그 연구의 임상적 가치를 찾을 수도 있다. 여기서 중요한 것은, 가장 유용한 연구는 그것을 더 많은 집단에 가장 쉽게 일반화 할 수 있다는 점이다.

의학적 진료에 근거중심접근을 채택하는 것은 긍정적인 방향이지만 근거중심의료란 비평 없이는 존재할 수 없음을 이해하는 것이 중요하다. 연구 과정 중 통계수치 처리로 전환 시에 오류가 발생하거나 출판과 제정적 이익 추구가 의사나 연구자, 마케팅 팀에게 압력으로 가해져 연구 결과의 오용을 야기시킬 수 있다. 임상 연구에서 도출된 결론은 연구가 실수로 또는 의도적으로 잘못될 수 있는 가능성을 고려하지 않고 결과만 받아들여져서는 절대로 안 된다.

좋은 임상적 가치평가 기술은 연구에서 결점을 발견할 수 있다. 아래 나열된 사항들은 임상 진료에 대한 변경 사항의 모니터링이 근거 중심 모델로 서비스를 수정하는 중요한 단계임을 보여 준다. 만약 변화가 환자 치료를 향상시키지 않는다면, 연구는 예상되는 이점이 실현되지 않은 이유를 이해하기 위해 재검토되어야 한다.

초록은 요약이다.
- 초록은 논문의 요약으로, 간단하게 연구의 방법, 중요한 결과와 주요

권고를 기술한다. 초록은 논문에 대한 좋은 모든 것을 강조하고 나쁜 것을 생략하는 판매광고처럼 간주되어야 한다. 초록은 읽기는 쉽지만 혼동을 줄 수 있다.

임상적 질문이 올바른 질문이 아닐 수 있다.

- 임상적 질문이 명백하게 정의되어 있을 지라도 실제 임상 진료의 복잡성을 반영하지 않을 수도 있다. 별개로 적용되면 다른 중요한 요인이 해결되지 않았기 때문에 연구 결과는 진료를 개선시키지 못할 수 있다.
- 기초 의사들로만 구성된 연구팀은 임상 진료의 현장에 있는 의사들의 의문점을 반영하지 못하거나 우선 순위와 관점에서 차이가 있을 수 있다. 통계학적 유의한 결과를 임상진료로 전이시키는 것은 쉽지 않다.

표적집단이 당신 환자집단과 동일하지 않다.

- 연구의 표적집단은 대부분 당신의 환자와 일치하지 않으므로 연구결과의 일반성이 감소될 것이다. 표적집단은 그들의 지리적 위치, 문화, 유병률과 사망률 수준 및 보건의료 표준 및 규정의 차이 때문에 각각의 고유성을 지니게 된다.

표본집단은 표본이다.

- 연구의 표본집단은 대부분 당신의 임상집단이 아니고 표적집단의 일부이다. 표본집단에서 발생한 것이 당신의 환자는 말할 것도 없이 표적집단에서 발생하지 않을 수 있다.
- 연구에서 사람들이 표본집단으로부터 제외될지라도 진료에서는 쉽게 같은 제외기준을 적용할 수 없을 것이다. 연구결과가 예측하지 못한 결과를 초래할 수 있기 때문에 이것으로 모든 당신 환자를 추론할 수 없을 수 있다.
- 임상시험에 참여한 사람들은 그들의 건강을 개선하고 임상시험연구계획서를 따르려는 동기가 있다. 그들이 당신의 환자를 대표하지 않고,

그들의 대부분이 이런 목적을 충족하지 않을 것이다.
- 작은 표본크기로부터 나온 결과는 임상 진료의 큰 변화를 지지하기에 근거가 부족하다.

무작위화가 무작위가 아닐 수 있다.

- 무작위화는 조작에 취약하다. 제대로 기술되지 않은 할당 과정, 충분한 은폐(concealment)부족, 그룹 간의 기저 특성의 차이는 그룹 간의 결과 차이가 과장될 수도 있는 경고 신호한다.

눈가림법을 맹신하지 말라.

- 눈가림법은 쉽게 노출될 수 있으며 거의 항상 연구자에게 유리할 수 있으며, 관찰 비뚤림에 의해 결과가 좋아지는 영향이 발생할 수 있다.
- 위약 준비 과정은 질적인 면에서 매우 큰 차이가 날 수 있다. 허술한 짝짓기 법은 쉽게 노출될 수 있으며 이로 인해 의사와 환자의 기대가 저하되어 대조군의 결과가 안 좋아질 수도 있다.
- 연구자들에 의해 위약 효과가 감소될 수도 있다. 환자와의 관계를 구축하고 그들에게 희망을 제공하는 것은 임상 진료에서 강력한 개입이지만 연구 논문에서 논의되는 경우는 거의 없다.

연구대상의 중도탈락은 연구자의 부주의함을 보여준다.

- 추적조사가 안 되거나 탈락한 대상자를 잘못 처리해서 결과가 증폭될 수 있다. 모든 대상자는 모집할 때부터 결과까지 고려되어야 한다. 모든 대상자를 고려하지 않았거나 거짓 이유로 대상자를 제외시키는 것은 거의 항상 연구자가 의도한 것이다. 당신은 비슷한 성공률을 얻기 위해 그렇게 쉽게 환자를 제거할 수 없을 것이다

부정적인 비교(Unfavorable comparisons)

- 가끔 연구자들은 관심 있는 중재를 부적절한 대조군과 비교한다. 대조군의 용량이 치료효과를 나타내기에 너무 적거나, 너무 많아 유해

작용을 일으키거나 용량 요법이 대상자가 따르기에 너무 부담이 되
는 경우도 있다.

- 연구자들은 새로운 치료제를 위약과 비교하려고 하지만, 위약보다 기
  존의 확립된 치료와 비교하는 것이 더욱 유용하다.
- 만성 건강 문제를 가진 환자는 몇 달에서 수년 동안 치료를 받지만
  연구자들은 오직 중재의 첫 며칠 또는 몇 주 동안의 관찰만을 근거
  로 삼을 것이다.
- 부작용은 환자에게 이득만큼 중요하지만 연구에서 결과 측정 시 종
  종 제외되거나 최소화된다.
- 복합 종료점(composite endpoints)이 타당하지 않을 수 있고 임상진료
  와 모니터링으로 적용하는 것이 쉽지 않다.

통계처리

- 거짓말, 지독한 거짓말과 통계가 있다! 데이터는 연구자가 선택하는 방
  법 안에서 조작되고 제시되고 해석된다. 마치 마술쇼와 같이 논문의
  독자가 볼 수 있는 것은 연구자가 보여주려고 했던 것들만 볼 수 있다.
- 환자에게 설명하기 어렵지만 하위그룹 분석으로 연구자들은 표본집단
  의 인위적인 부분집합에 중점을 둘 수 있다.
- P 값에 중점을 두는 것은 위험을 초래할 수 있다. 통계적 유의성은 임
  의의 절단값에 근거를 두고 있다. 어떤 효과에 대한 크기는 항상 보
  고 되어야 하고 그것은 당신 환자에 대한 잠재적인 영향을 보여준다.
- 비록 통계적으로 유의해도 작은 효과크기에 주의하라 그것은 당신
  환자에게 이득이 될 가능성이 없고 반복 연구에 의해 확인되지 않
  을 수 있다.
- 중요한 역할을 할 수 있는 다른 요인에 대한 철저한 조사 없이 원인과
  효과에 관한 논의에서 인과관계는 보통 다원적이고 일부 연구자에 의
  해 묘사되는 것처럼 단순하지 않다.
- 상대위험도 결과는 절대위험 숫자보다 덜 유용하고 더 오도될 수 있
  다. 연구의 영향은 비교위험도로 과장하는 것이 더 쉽다.

- 바람직하지 않은 결과의 감소가 실제로는 단지 위험군에만 적용되었던 것인데 가끔 전체표본 집단에 적용하는 것으로 표현된다. 위험도의 20% 감소는 오직 해당 위험에 노출된 집단에만 적용된다. 그 외에는 영향을 받지 않는 다. 이것은 중재가 처음 나왔을 때보다 더 많은 비용이 드는 것을 의미할 수 있다.

더 큰 전망

- 많은 의료 혁신과 발견은 연구 시험에서 오지 않았다. 오직 근거중심의료만을 실천하는 것은 당신 환자의 치료를 개선하기 위한 기회를 놓치게 될 수 있다.
- 어떤 상황에서는 최적 표준 시험이 수행되기를 기다릴 수 없다. 환자가 사망에 직면한 경우 실험적 치료를 보류해서는 안 된다. 어떤 증거도 증거가 없는 것보다 낫다.
- 통계적 결과는 그룹에 적용하는 것이지 개인에 적용하는 것이 아니다. 또한 의학적 치료는 환자 중심이지 집단 중심이 아니다. 근거중심의료은 의사와 환자의 관계를 나쁘게 할 수 있다.
- 임상시험과 마케팅은 가끔 중복되고 분리하기가 어려울 수 있다. 임상시험 이 마케팅활동을 초래했나? 또는 의도된 마케팅 접근이 임상시험 설계에 영향을 주었나?
- 긍정적인 시험이 부정적인 것보다 더욱 더 잘 출판되는 경향이 있다. 연구의 대한 당신의 감명이 출판 비뚤림에 의해 왜곡되는가? 당신은 당신이 무엇을 모르는지 알지 못한다.

SECTION I

진료에서 비평적 가치평가

데이터베이스(database)

보건의료 주제와 인덱스 검색 및 /또는 높은 질의 자료정보원을 가지고 있는 서로 다른 많은 데이터베이스가 있다.

MEDLINE은 미국의학도서관(the National Library of Medicine in the United States (www.nim.nih.gov)에서 만들어진 것으로 생의학정보의 주 정보원이며 4000개 이상의 저널에 관한 인용(citations)을 포함하고 있고 최근 국제적 생의학 문헌으로부터 1960년대 중반까지 1,200만건 이상의 인용을 가지고 있으며, 저널기록정보, 체계적 문헌고찰의 서지학적 정보, 무작위배정 비교임상시험연구(RCT)와 진료지침을 포함한다. 많은 기관에서 다양한 검색 방법을 사용하여 MEDLINE에 대한 액세스를 제공하고 있다. 주요한 MEDLINE 서비스를 미국 국립의학도서관(US National Library of Medicine)에서 PubMed 서비스(www.pubmed.gov)로 제공하고 있다.

Cumulative Index to Nursing and Allied Health Literature (CINAHL)은 간호학과 보건관련 데이터베이스로, 보건교육, 물리치료, 작업치료, 보건으로 분야에서 응급과 사회사업서비스와 같은 분야를 망라한다(http://www.ebscohost.com/nursing/products/cinahl-databases/cinahl-complete). 1982년 발간되어 격월로 업데이트 된다.

Embase (Excerpta Medica database)는 유럽판 MEDLINE이라고 볼 수 있으며 Elsevier Science (http://www.embase.com)에서 출간한다. 주로 의약품 및 생의학 분야에 중점을 두고 있으며 보건 정책, 약물 및 알코올 의존, 정신의학, 법의학 및 오염관리 등을 포함하고 있다. Embase는 8,500개 이상의 저널을 다루며 Embase Classic 확장을 통해 1947년 이후의 데이터를 포함한다. www.embase.com의 검색 엔진에는 EMBASE 및 고유한 MEDLINE 레코드가 포함된다.

MEDLINE, CINAHL 및 Embase는 잘 구축된 포괄적인 데이터베이스이며 정교한 검색 기능을 갖추고 있다. 이런 방대한 자료에서 먼저 연구자는 검색 용어를 정의하고 결과의 수를 줄이기 위해 검색어를 다시 한정해야 한다. 비록 이것들은 출판 날짜, 언어, 또는 예를 들어 '종설(review articles)'로 제안하여 실행할 수 있지만 제안적 결과의 더 유용한 방법은 더 높은 질을 가지고 있는 논문을 얻는 것으로 이것은 필터(filters)를 사용한다.

NHS Economic Evaluations Database (NHS EED)는 여러 가지 의료 중재들의 경제적 평가에 초점을 둔 데이터베이스이다. 경제성 평가는 품질, 강점 및 약점으로 평가가 이루어진다. NHS EED는 CRD (Centre for Reviews and Dissemination)의 웹사이트에서 이용할 수 있다(http://www.crd.york.ac.uk/crdweb). 한편 이 데이터베이스는 2015년 1월부터 업데이트되지 않고 있다 (역자 주; 예산 문제로 업데이트는 중단되었지만 기존의 자료는 2021년까지 제공된다).

NIHR Dissemination Service (http://www.disseminationcentre.nihr.ac.uk/) 는 보건 연구를 위한 국립 연구소(National Institute for Health Research)의 새로운 데이터베이스로, 임상의사와 환자 및 관리자에게 중요한 연구 결과를 해설과 통찰을 포함한 요약본도 제공한다.

TRIP (Turning Research Into Practice) 데이터베이스는 여러 관련 사이트에서 고품질 정보(http://www.tripdatabase.com)를 검색하는 메타 검색 엔진이다. 근거중심출판물이 전문가에 의해 매월 검색되고 원문, 의료 영상과 환자에 대한 책자의 사용하기 편한 형식으로 표시되기 전에 전체적으로 색인된다.

APA PsycNET는 1800년부터 지금까지 발간된 심리학 문헌의 초록 데이터베이스인 PsycInfo을 사용자가 검색할 수 있도록 해주면 2,000개 이상의 제목을 포함하고 그 중 98%가 동료평가(peer-reviewed)이다.

Ovid HealthSTAR에는 보건 서비스, 기술, 관리 및 연구에 관한 출판 된 문헌에 대한 인용이 들어 있다. 이 데이터베이스는 의료 전달의 임상 및 비임상 측면 모두에 초점을 맞추고 있다(http://library.mcmoster.ca/articles/healthstarovid-healthstar).

British Nursing Index (BNI)는 영어 간호 관련 저널(http://www.proquest.com/products-services/bni.html)을 인용한다.

System for Information on Grey Literature in Europe (SIGLE)은 일반적으로 통용되지 않는 문헌을 다루는 서지 데이터베이스이다(http://www.open-grey.eu).

Google Scholar 검색은 Google 검색 엔진(http://scholar.google.com)의 서비스이다. 학술 출판사, 전문 사회, 사전 인쇄 저장소, 대학 및 기타 학술 단체의 동료간 심사 논문, 학술 논문, 도서, 초록 및 기사를 비롯하여 전 세계 웹에 위치한 학술 문헌을 검색할 수 있는 기능을 제공한다. Google은 주요 출판사와도 협력하여 구독이 필요한 자료들도 일부 검색을 통해 액세스가 가능하다. 이를 통해 Google 학술 검색의 사용자는 일반적으로 사용할 수 없는 자료도 찾을 수 있다. Google 학술 검색은 검색 결과를 표시할 때 논문의 중요도를 고려한다.

근거중심의학 정보원(Evidence-based medicine resources)

많은 저널이나 게시판 및 뉴스레터들이 근거중심의학과 임상 효용성에 대한 내용을 다루고 있다. ACP Journal Club (www.acpjc.org), Annals of Internal Medicine 및 BMJ의 Evidence-Based Medicine (http://ebm.bmj.com)과 같은

근거중심 저널은 논문을 더욱 자세히 조사하고 요약한 결과에 임상 전문가가 추가한 논평을 추가하여 제공한다. 이런 저널들은 엄격한 선택 기준을 갖고 이에 합당하는 연구나 리뷰만을 선택한다.

Clinical Evidence (http://www.clinicalevidence.com)는 효과적인 보건진료에 대해 가장 적절하게 사용할 수 있는 근거에 대한 정규적으로 업데이트된 지침이다. 수백가지의 임상 질문에 대한 대답을 모아놓은 데이타베이스이며 의사가 근거중심의학으로 진료할 수 있도록 도와준다. 주로 다루는 내용은 일차진료나 외래진료에서 중요한 임상적 상태를 포함하며 제공된 정보가 최상의 품질인지 전문가가 모든 자료를 엄격하게 검토하여 제공하고 이 내용이 정기적으로 확장하여 업데이트되고 있다.

Cochrane Library (http://www.cochrane.org)는 의료를 제공하고 받는 사람, 연구, 교육, 자금 지원 및 관리를 책임지고 있는 사람들 모두에게 적합한 수준의 정보를 제공하기 위해 고안된 전자 간행물이다. 이를 제공하는 Cochrane Collaboration은 '건강 관리의 효과에 대한 체계적인 검토의 접근성을 준비, 유지 및 증진하기 위해 최선을 다하는 국제 네트워크'이다.

지침의 발전과 보급

National Health and Clinical Excellence (NICE)는 1999년 4월 1일에 잉글랜드와 웨일즈의 특수 보건 당국으로 설립되었다. NICE는 NHS산하 조직으로서 건강 증진과 질병의 예방 및 치료에 관한 국가 지침을 제공하는 역할을 맡는다(http://www.nice.org.uk). Evidence Search는 임상의가 의료 관련 결정을 지원받을 수 있는 최상의 노하우와 지식에 대한 최신 내용을 제공한다(http://www.evidence.nhs.uk).

NHS Centre for Reviews and Dissemination (CRD)는 York 대학을 기반으로 설립되었으며 데이터베이스 및 체계적인 리뷰를 통해 건강 및 사회 복지 개입의 효과에 대한 연구 기반 정보를 제공한다(http://www.york.ac.uk/

inst/crd).

Scottish Intercollegiate Guidelines Network (SIGN)는 1993년에 설립되었으며 스코틀랜드의 임상 진료의 효율성과 효과를 향상시키기 위해 훌륭한 임상진료를 찾아내고 증진시킬 수 있는 가이드라인을 개발하고 출간하고 있다(http://www.sign.ac.uk).

NGC (National Guideline Clearinghouse)는 근거중심 임상진료에 대한 미국 중심의 국가정보원이다(http://www.guideline.gov).

기타 정보 출처

학회 자료(Conference proceedings) : 학의에서 주어진 자료는 진행 중이거나 최근에 완성된 새로운 연구에 중요한 정보를 제공할 수 있다. 일부 임상시험은 오직 학회 자료에만 보고되기도 한다. Conference Papers Index (http://www.proquest.com/products-services/cpi-set-c.html)와 같은 데이터베이스는 이러한 컨퍼런스 회보의 기록이나 초록의 일부를 보관하고 있다.

회색 문헌(Gray literature) : 회색문헌은 표준 서적이나 저널 형식으로 출판되지 않은 자료들을 말한다. 여기에는 보고서, 소책자, 기술 보고서, 회람록, 뉴스 레터 및 토론 자료 등이 있다.

인용 정보 검색 : 이미 검색한 논문의 참고 목록이나 인용 색인을 사용하여 다른 유용한 연구를 추적하는 방법도 있다. Science Citation Index (http://ip-sciencethomsonreuters.com/mjl/)에서는 인용된 저자의 성(surname)을 사용하여 참고문헌을 검색할 수 있다.

수기검색(Hand searching) : 저널들의 내용을 물리적으로 하나하나씩 찾아보는 방법도 있다. 이 방법은 시간이 많이 걸리지만 특정한 주제에 관한 출판된 데이터가 몇 개의 주요 저널에 집중되어 있을 때 효율적인 방법이 될 수도 있다.

저널 클럽에 발표(Presenting at a journal club)

저널 클럽은 수련병원에서는 일상적인 학술 프로그램이다. 성공적인 발표를 위해서는 청중을 고려한 적절한 준비, 훌륭한 프리젠테이션 기술과 임상 관련성이 필요하다.

준비(Preparation)

저널클럽마다 고유한 모임의 성격이 있으며 이에 대해 다른 접근 방식을 취해야 한다. 어떤 저널클럽은 매우 관행적이라서 이미 정해진 저널에서만 논문을 선택하여 의사는 단순히 비평하기만 해야할 수 있다. 일부 저널클럽은 발표자가 직접 논문을 선택할 수도 있으며, 어떤 저널클럽은 최근 케이스 발표로 제기된 질문과 같이 관심있는 임상 질문과 관련된 논문을 선택하여 평가하기도 한다. 어떻든 간에 논문이 정해지면 발표를 위해 프레젠테이션을 준비해야 한다.

이상적으로, 최소한 일주일 전에 논문을 저널클럽 회원들에게 배포해야 한다. 대부분의 논문은 저널의 웹 사이트에서 Adobe Acrobat 파일(PDF 파일) 형식으로 다운로드할 수 있다. 이 형식은 원래의 출간 형식을 유지하고 포함된 사진을 우수한 품질로 제공한다. 하지만 이 파일을 배포하기 전 이에 대한 저작권의 제한을 미리 알고 있어야 한다. 다른 방법으로 월드 와이드 웹(World Wide Web)의 기사 링크를 알려주는 것이다. 발표할 논문에 대한 정보를 회원들에게 배포할 때 저널클럽이 열리는 날짜와 발표전에 그 논문이 읽혀지기를 기대한다는 것을 암시해 보내면 발표시에는 모두가 논문의 임상적 비평에 집중할 수 있을 것이다.

발표기술(Presentation Skills)

요즈음에는 대부분 프리젠테이션을 할 때 Microsoft PowerPoint 또는 이와 유사한 소프트웨어 패키지로 LCD 프로젝터를 통해 발표한다.

파워포인트 사용

PowerPoint에서는 멋진 프레젠테이션을 쉽게 만들 수 있으면서도 훌륭한 유연성과 사용 편의성으로 발표자는 전문가 수준의 프레젠테이션을 제작할 수 있다. 템플릿 기능을 사용하여 프레젠테이션을 일관되고 전문가스러운 디자인으로 만들 수 있다. 저널 클럽은 공식 업무이므로 파란색 또는 검정색처럼 어두운 배경을 사용하고 밝은 색의 텍스트를 사용하여 멋있고 가독성 높은 프레젠테이션을 만드는 것이 좋다. 현란한 패턴이나 문양의 배경이나 복잡한 디자인의 템플릿은 피해야 한다. 그런 프레젠테이션은 관객의 주의를 산만하게 만든다. Times New Roman처럼 전통적인 serif 서체를 사용하는 것이 좋고 비공식적인 인상을 주는 필기체 같은 서체는 피한다.

슬라이드 내용

모든 슬라이드는 간결하고 적절하게 유지한다. 각각의 슬라이드에는 제목과 최대 다섯 줄의 목록 기호가 있어야 하며, 이 목록 기호가 일관성 있게 사용되어야 한다. 표나 또는 다이어그램을 사용하여 정보를 요약할 수 있으면 되도록 그렇게 사용하는 것이 좋다. 청중이 익숙하지 않은 약어나 줄임말은 사용하지 않아야 한다. 맞춤법이나 문법이 틀린 곳은 없는지 재차 확인해야 한다. 대문자를 사용하거나 구두점을 사용할 때 특히 주의를 기울인다. 화려한 슬라이드 전환, 애니메이션이나 사운드 효과는 사용하지 않는 게 좋다.

슬라이드 발표하기

프레젠테이션을 하기 위한 적절한 복장인지 확인한다. 발표 시에는 휴대전화나 호출기를 소지하지 않는 것이 좋다. 저널 클럽 시간보다 일찍 도착하여 프레젠테이션 파일이 잘 열리는지 미리 확인하고 모든 슬라이드가 의도대로 표시되는지 확인해야 한다. 프레젠테이션에는 항상 예상하지 못한 경우가 발생할 수 있다.

발표하는 중에는 화면의 한쪽 끝에 선다. 선명한 발음으로 너무 빠르지 않고 분명하게 청중에게 말하도록 한다. 여러명의 청중과 눈을 마주치도록 하며,

한 번에 몇 초 이상 바라보도록 한다. Logitech Cordless Presenter와 같은 무선 리모콘은 레이저 포인터와 타이머가 내장되어 있어 키보드를 사용하거나 컴퓨터 옆에 서있지 않고도 슬라이드를 넘길 수 있다. 이러한 장비로 훨씬 자유로운 발표를 할 수 있다.

슬라이드

슬라이드 구성은 발표 주제에 따라 달라진다. 아래는 슬라이드 발표의 예시이다. 단순히 연구논문의 요약본을 읽으려던 생각은 버려야 한다. 청중들은 이미 그 정도는 읽고 왔을 것이다.

슬라이드 1	슬라이드 2
논문의 제목 논문의 저자 저널의 이름과 출판년도 발표자의 이름과 소속 등	논문이 답을 얻으려고 하는 임상 질문 일차 가설 이 연구에 대한 배경 해설 독창성에 대한 해설

슬라이드 3	슬라이드 4
연구 설계 (연구 설계가 적절한지에 대해)	연구 대상 표본 추출 방식 표본 크기와 검정력 계산

슬라이드 5	슬라이드 6
선정 기준과 제외 기준	무작위화 방법 할당 은폐

슬라이드 7	슬라이드 8
일반적 특성 선택 편견의 가능성에 대한 언급	군(Group)의 중재 위약의 사용 눈가림 방법

슬라이드 9	슬라이드 10
연구결과의 측정방법 측정의 타당도 및 신뢰도 종료점	어떤 그룹이 가장 좋은 결과를 보이는가? 위험도, 비교위험도 오즈(Odds), 교차비(OR) 처치가 필요한 숫자(NNT)

슬라이드 11	슬라이드 12
결과가 통계적으로 의의가 있는가? 귀무가설 통계적 방법	연구의 목표를 달성하였는가? 연구의 결과가 정당한가? 논문의 결론이 정당한가?
슬라이드 13	슬라이드 14
결과가 임상적으로 중요한가? 이 결과를 당신의 환자에게 적용할 수 있는가?	이 논문에 대해서 어떻게 생각하는가 논문에서 장점과 단점을 요약 향후 어떤 추가 연구가 가능하겠는가? "질문 있습니까?"

감사 회의 참석(Taking part in an audit meeting)

'감사'(audit)는 의사들을 두 편의 무리로 분리하게 한다. 한쪽은 그들이 치료하는 환자에 대한 서비스를 향상시킬 수 있는 기회로 활용하는 그룹이고, 다른 편의 의사들은 환자들을 치료하는 것에서 벗어나 관리하는 업무에 종사 해야 한다는 개념을 싫어하는 그룹이다. 감사에 대한 그들의 태도가 무엇이든간에 대부분의 의사는 가끔 완성된 감사 계획의 근거를 보여줄 수 있는 것에 따라 좌우 되기 때문에 그들 자신이 감사를 받는 것으로 알고 있다. 중요하게도, 성공적인 감사의 결과는 서비스 향상을 위한 실질적이고 시기 적절한 중재를 보장하기 위한 다학제간 팀 접근에 달려있다. 감사에 참여하지 않는 의사들은 전체적으로 그들을 위험에 두고 서비스에 대해 손해를 끼치게 한다.

감사 회의는 보통 정규적으로 한 달에 한 번 실시한다. 참가자의 관심과 지속성을 유지하기 위해서 각 감사 회의는 감사 설명, 승인을 위한 감사 절차 그리고 참가자들이 감사주제를 제안할 수 있는 기회를 포함한 안건을 제시해야 한다. 그러한 안건은 각 팀들이 데이터 수집의 첫 번째와 두 번째 과정의 끝에서 뿐만 아니라 제안 및 프로토콜 단계에서 자신의 감사 계획이 나타나도록 해야 한다. 그래야 그 감사 계획은 마무리 될 것이고 서비스 영역에서 의미있는 차이점을 만들어 낼 수 있다. 불행하게도, 이러한 감사 계획은 첫 번째 자료 수집 후 감사에 대한 무관심, 의사들의 다른 병원으로 이동, 감사 주기에 대한 빈약한 이해력의 결과로 이어져 결국 그 감사 계획이 중단하게 되는 것을 너무도 자주 보아왔다. 각 계획에는 그 감사가 결과물을 얻을 수 있도록 이끌어 갈 수 있는 사람이 있어야한다.

감사, 조사, 연구 계획 간 구분이 매우 중요하다. 서비스 부분에서 조사는 중재 후에 반복적인 자료 수집이나 황금기준과의 비교가 없는 감사로 표현되기도 한다. 일부 의사들은 감사가 보통 윤리적 승인을 요구하지 않기 때문에 윤리위원회를 피하기 위해 연구계획을 감사로 제시하기도 한다. 감사 회의의 의장은 그 회의가 오로지 감사에만 집중할 수 있도록 할 필요가 있다.

다음 페이지에 감사 프로토콜에 대한 슬라이드의 예가 있다. 감사 프로토콜에 대한 발표 이후 토론의 대상이었던 지역 서비스 자체가 아닌, 그것과 비교가 되었던 표준 서비스가 과연 가장 좋은 황금 표준안이었는가에 대한 논의로 흐르는 경향이 있다. 실은 감사에서 다룰 황금 표준 서비스를 선택하기에 앞서 이에 대해 반드시 연구를 실행했었어야 한다. 황금 표준으로 채택할 모범 사례를 찾아내는 일을 말하는 데 이것은 국내 지침일 수도 있고 지역 지침일 수도 있다. 인정할 만한 모범 사례가 없다면 팀은 하나를 만들어내거나 핵심 여론주도자의 조언을 따라야 할 수도 있다.

감사 도구는 자료를 수집하는 도구이며 후향적인 또는 전향적인 기준으로 행해질 수 있다. 보통은 자료로 채워지는 빈 양식이다. 감사 도구는 너무 많은 자료가 포함되지 않고 의미있는 자료만 수집하도록 설계되어야 한다. 감사 프로젝트가 간단할 수록 완성될 확률이 높아진다!

첫 번째 자료가 수집된 후 지역 서비스와 황금 표준안을 비교하는 것은 감사 회의에서 실행되어야 한다. 이 시점에서 지역 서비스의 표준을 황금 표준안에 가깝게 가져갈 수 있는 가능한 중재에 대해서 참석자들과 논의할 필요가 있을 수 있다. 가능한 한 선택된 중재안은 실질적이고 성공하기 쉽고 실패가 없도록 반영한 방법이어야 한다.

감사주기의 완성은 합의한 중재안을 반영한 후 두 번째 자료 수집에 대한 최종 발표를 요구한다. 그러나 서비스면에서 다시 감사할 수 있는 횟수에는 제한이 없다.

슬라이드 1	슬라이드 2
감사 활동의 주제 감사 주도자와 참가자의 이름 발표 일자	향상될 필요가 있는 서비스에 대한 기술

슬라이드 3	슬라이드 4
해당 서비스에 대한 황금 표준	첫 주기 자료 수집에서 세부사항 자료 수집할 사람과 시기 수집할 자료의 종류

슬라이드 5	슬라이드 6
상세한 감사 도구 설명	첫 수집자료의 수집한 날짜와 황금 표준과의 비교 질문 있습니까?

잘 수행된 감사계획은 보건의료 환경 및 의사와 환자 모두에게 필요한 적합한 절차를 이끌 수 있다. 의사들 중에 이것을 싫어하는 사람은 없을 것이다!

의사들은 제약업에 대한 태도가 다양하다.

의심할 여지 없이 제약회사들은 의료 진료를 혁신시켰다. 그들은 환자들에게 혜택을 줄 수 있는 제품을 만들어 시장에 내놓도록 막대한 연구활동에 투자하였다. 그들의 재정적 지원 없이는 많은 상품들이 특허를 취득할 수 없었을 것이다.

일부 제약회사의 명성은 최근 몇 년 동안 연구와 영업부서간 마찰로 퇴색되었다. 회사의 존재는 결국 제품을 팔아서 이윤을 내는 것이다. 하지만 의사로써 우리는 연구업적에 관심을 집중할 수 있어야 하며, 이로 인해 우리가 임상진료를 향상시킬 수 있을 지를 없을 지를 결정할 수 있다.
회사직원의 역할이 수년간에 걸쳐 National Health Service (NHS)의 변화에 대한 인식과 치료에 대한 근거중심 접근의 수용으로 향상되었다. 순수하게 일차 또는 이차 진료의 영업에 집중하는 직원도 있지만, NHS 위원들과 함께 NHS 문제를 해결하기 위해 노력하는 직원도 있으며, 성과 연구를 대상으로 연구하는 직원도 있다. 다 양한 직원들의 목적은 같지 않다. 제약사 직원들의 역할과 책임에 대한 이해는 그들과 정기적으로 시행되는 회의의 이득을 최대화할 수 있을 것이다.

영업 직원의 해부

당신과 함께 회의를 하기 전에, 제약품 영업사원은 당신에 대해 많은 부분을 알고 있을 것이다. 당신이 처방한 자료를 모아서 처방하는 습관에 대한 정보를 수집하고, 그 영업사원은 당신을 통해서 회사의 제품 판매를 증가 시킬 수 있기 때문에 당신을 만나기를 원할 것이다. 이것은 보다 더 많은 처방을 하고 제품 사용에 대해 후원을 하고 또는 당신이 그들의 제품에 호의적인 연구에 포함되었기 때문에 당신을 만나길 원하는 것이다.

일상적인 인사 치례 후, 토론의 초점은 당신의 처방 습관으로 옮겨 갈 것이다. 영업사원은 당신이 어떻게 처방하는지에 대해 보기를 원하는 것이다. 여기에는 당신이 보는 환자의 타입, 당신이 사용하는 제품들, 선택하는 이유, 경험, 다른 방법으로 접근에 대한 당신이 가지고 있는 편견 등에 대한 질문을 포함하고 있는 것이다.

그 영업사원은 여러분의 결과를 향상 시킬 수 있도록 환자들의 그룹을 정리해서 당신이 필요로 하는 부분을 정리해 줄 것이다. 그리고 그들의 회사 제품에 대해 이야기 하고, 환자에게 그 제품을 처방 시 이점에 대한 증거를 제시 할 것이다. 판매혜택, 파워포인트 강의, 홍보책자와 임상 논문 등을 나타내 보일 것이다. 그 효과는 강한 이상을 주는 자료의 양에 의해 눈을 멀게 하는 것처럼 압도적일 수 있다. 그 영업사원을 발표를 마치고 그 회사의 제품 사용을 요청할 것이다.

의사의 관점

영업사원과의 회의에서 수동적인 참여는 여러분의 시간 사용에 좋지 않다. 그 영업사원은 보통 여러분의 전문적인 분야에 대해 매우 잘 알고 있고 많은 유용한 정보의 잠재적인 원천이다. 여러분은 훌륭한 의사가 되기 위해 필요로 하는 정보를 바탕으로 해서 영업사원에게 필요로 하는 정보에 대해 알려 줌으로써 여러분과 그 영업사원은 모두 원-윈(win-win) 할 수 있다. 당신의 기본 지식을 갱신하기 위해 요청할 수 있는 일반적인 질문은

- 회사에서 최근에 행하고 있는 연구 활동은 무엇인가?
- 특허 내용 변화가 있는가 또는 새롭게 내놓은 것이 있는가?
- 내가 알아야 하는 준비중인 새로운 국가보건정책이 있는가?
- 어떤 지침이 한발 앞선 것이고, 누가 중점 의견 리더인가?

만약 영업사원이 제품을 당신에게 팔려고 하면, 당신이 제품을 처방할지 말

지를 결정하는 데 도움을 주는 정보에 대해 중점을 두고 논의할 필요가 있다. 발표한 자료를 기준으로 다음과 같은 질문을 할 수 있다.

- 효능 또는 효과에 대한 자료가 있는지?
- 표본 집단이 우리와 비슷한지?
- 포함기준과 제외기준이 무엇인지?
- 비교할 만한 치료가 무엇인지? 그것이 위약이나 직접시험인지?
- 이 연구에서 사용된 용량이 모든 임상진료를 반영하는가?
- 새로운 치료가 가지는 절대위험감소율은 무엇인가?
- 처치가 필요한 숫자(number needed to treat)가 무엇인가?
- 결과는 통계적으로 유의하고 임상적으로 중요한가?
- 어떤 상황에 새로운 치료가 처방되지 말아야 하는가?
- 우리가 알아야 하는 어떤 안전에 관한 자료가 있는가?
- 왜 우리는 경쟁사 제품을 처방하는 안 되는가?
- 비용 효율적인 중재가 있는가?
- 진행중인 향후 시장 연구(post-marketing studies)가 있는가?
- 약물 사용은 약물 및 치료제 위원회(Drugs and Therapeutic)를 통하여 사용했는가?
- 위원회 또는 제약 자문가에게 이 데이터가 제시되었는가?

만약 그래프와 같은 것으로 설명을 듣는다면 여러분의 분석적 기교를 이용해서, 자료 설명에 영업 기법을 찾아 낼 수 있다. 예를 들면 비교 결과의 차이를 과장하는 Y축 확대와 임상시험의 짧은 기간을 숨길 시도로 X축의 빈약한 표시가 있다.

정보의 원천
홍보자료
영업사원은 당신에게 제품의 특성과 혜택이 나열된 승인된 홍보자료를 줄 수 있다. 판매관리는 효능, 안정성, 일관성, 융합성, 경쟁사와 비교되는 자료, 보건 경제 자료, 제품특성과 가격에 대한 데이터와 같은 중요한 정보를 전달하는 데 도움을 준다.

임상논문

임상논문은 홍보자료를 바탕으로 한 원자료를 당신에게 제공한다. 만약 당신이 임상논문을 선호한다면 영업사원에게 관련된 자료에 대해 물어보거나 복사본을 보내달라고 요청할 수 있다. 그 자료를 가지게 되면 당신은 직접 그것을 평가할 것이고 그런 다음 그 영업사원과 논의하거나 또는 질문을 할 것이다. 경험이 있는 영업사원은 그들이 당신에게 팔기 위해 사용한 것처럼 그 논문을 비평할 수 있을 것이고 주요 세부사항을 지적해 낼 수 있을 것이다.

주요 전문가 의견

당신은 어떤 약을 처방하기 전에 해당 분야 전문가의 의견을 알기 원할 것이다. 당신의 영업사원에게 주요 오피니언 리더에 대해 물어보고 그들과의 만남을 주선해 줄 수 있는지 또는 적절한 과학적인 회의에서 그들의 강연을 들을 수 있는지 물어 보아라. 아니면 원탁회의를 준비하도록 요구해서 당신과 동료의사들과 그 제품의 전문가와 토론 할 수 있도록 하고 어떻게 그것이 환자에게 혜택이 될 수 있는지에 관 해서도 토론할 수 있도록 요청해야 한다. 만약 여러분이 그 제품에 대해 후원자가 될 것 같으면 그 영업사원에게 동료들과 토론 할 수 있도록 회의를 주선해 줄 것을 요청해라

파일로 만들어진 자료

만약 당신이 관심이 있지만 아직 출판되지 않은 발표된 정보가 있다면 그것은 보통 파일로 만들어진 자료로써 참고용이다. 만약 그 내용이 보고 싶다면 그 정보를 요청할 수 있고 그 영업사원은 그들의 의료 부서와 만나서 당신에게 자료를 보내도록 해 줄 것이다.

무허가 자료(Off-licence data)

만약 당신이 무허가 자료에 질문이 있으면 그것을 영업사원에게 알려 줘야 한다. 그들은 그들의 의료 부서와 접촉할 것이고 그들 중 누군가 당신을 만

나러 오던지 또는 당신이 원하는 자료를 보내 줄 것이다. 그 영업사원은 무허가 자료 정보에 대해서 논의하는 것은 허가되지 않는다.

더 읽을 거리 (Further reading)

The JAMA series

1. Guyatt GH, Sackett DL, Cook DJ, for the Evidence-Based Medicine Working Group. Users' guides to the medical literature. II. How to use an article about therapy or prevention. A. Are the results of the study valid? Journal of the American Medical Association 1993; 270: 2598-601.

2. Guyatt GH, Sackett DL, Cook DJ, for the Evidence-Based Medicine Working Group. Users' guides to the medical literature. II. How to use an article about therapy or prevention. B. What were the results and will they help me in caring for my patients? Journal of the American Medical Association 1994; 271: 59-63.

3. Jaeschke R, Guyatt G, Sackett DL, for the Evidence-Based Medicine Working Group. Users' guides to the medical literature. III. How to use an article about a diagnostic test. A. Are the results of the study valid? Journal of the American Medical Association 1994; 271: 389-91.

4. Jaeschke R, Gordon H, Guyatt G, Sackett DL, for the Evidence-Based Medicine Working Group. Users' guides to the medical literature. Ill. How to use an article about a diagnostic test. B. What are the results and will they help me in caring for my patients? Journal of the American Medical Association 1994; 271:703-7.

5. Levine M, Walter S, Lee H, et al., for the Evidence-Based Medicine Working Group. Users' guides to the medical literature. IV. How to use an article about harm. Journal of the American Medical Association 1994; 271: 1615-19.

6. Laupacis A, Wells G, Richardson S, Tugwell P, for the Evidence-Based Medicine Working Group. Users' guides to the medical literature. V. How

to use an article about prognosis. Journal of the American Medical Association 1994; 272: 234-37.

7. Oxman AD, Cook DJ, Guyatt GH, for the Evidence-Based Medicine Working Group. Users' guides to the medical literature. VI. How to use an overview. Journal of the American Medical Association 1994; 272: 1367-71.

8. Drummond MF, Richardson WS, O'Brien BJ, Levine M, Heyland D, for the Evidence-Based Medicine Working Group. Users' guides to the medical literature. XIII. How to use an article on economic analysis at clinical practice. A. Are the results at the study valid? Journal of the American Medical Association 1997;277: 1552-57.

9. O'Brien BJ, Heyland D, Richardson WS, Levine M, Drummond MF, for the Evidence-Based Medicine Working Group. Users' guides to the medical literature. XIII. How to use an article on economic analysis at clinical practice. 8. What are the results and will they help me in caring for my patients? Journal of the American Medical Association 1997; 277: 1802-6. Published erratum appears in JAMA 1997; 278: 1064.

10. Barratt A, Irwig L, Glasziou P, et al., for the Evidence-Based Medicine Working Group. Users' guide to medical literature. XVII. How to use guidelines and recommendations about screening. Journal of the American Medical Association 1999;281: 2029-34.

11. Giacomini MK, Cook DJ, for the Evidence-Based Medicine Working Group. Users' guides to the medical literature. XXIII. Qualitative research in health care. A. Are the results at the study valid? Journal at the American Medical Association 2000; 284:357-62.

12. Giacomini MK, Cook DJ, for the Evidence-Based Medicine Working Group. Users' guides to the medical literature. XXIII. Qualitative research in health care. 8. What are the results and how do they help me care for my patients? Journal of the American Medical Association 2000; 284: 478-82.

The 'How to read a paper' series

A readable and practical series, originally published in the BMJ.

1. Greenhalgh T. How to read a paper: the Medline database. BMJ 1997;315: 180−83.

2. Greenhalgh T. How to read a paper: getting your bearings(deciding what the paper is about). BMJ 1997; 315: 243−46.

3. Greenhalgh T. How to read a paper: assessing the methodological quality of published papers. BMJ 1997; 315: 305−8.

4. Greenhalgh T. How to read a paper: statistics for the non−statistician. I: Different types of data need different statistical tests. BMJ 1997; 315: 364−66.

5. Greenhalgh T. How to read a paper: statistics for the non−statistician. II: 'Significant' relations and their pitfalls. BMJ 1997;315: 422−25.

6. Greenhalgh T. How to read a paper: papers that report drug trials. BMJ 1997; 315: 480−83.

7. Greenhalgh T. How to read a paper: papers that report diagnostic or screening tests. BMJ 1997; 315: 540−43.

8. Greenhalgh T. How to read a paper: papers that tell you what things cost (economic analyses). BMJ 1997; 315: 596−99.

9. Greenhalgh T. How to read a paper: papers that summarize other papers (systematic reviews and meta−analyses). BMJ 1997; 315:672−75.

10. Greenhalgh T. How to read a paper: papers that go beyond numbers (qualitative research). BMJ 1997; 315: 740−43.

하나의 연구 프로젝트를 시작하고 계획을 세우고 완성해내는 과정은 결코 만만치 않다. 이 길고 긴 작업은 헌신과 노력, 그리고 의지가 필요하며 이러한 노력이 어떤 대가나 인정을 받지 못하는 경우도 많다. 처음부터 질 낮은 연구를 발표하려고 계획하는 연구자는 없다. 대부분 연구 설계 과정과 결론 도출을 하는 과정에서 여러 가지 자원의 부족, 윤리적 고려사항, 그 외 몇몇의 실제적인 문제에 부딪혀 연구의 제한점이 어쩔 수 없이 생겨나는 것이다.

의사가 논문 비평 기술을 습득하면 의학 연구 논문들의 질을 평가할 수 있다. 이 능력으로 그저 어떤 연구의 결점을 찾아내려고만 해서는 안 되고, 그 연구의 장점을 부각시키고 긍정적인 결론을 찾아내기 위해 노력해야 한다. 모든 연구는 그 자체가 좋은 연구이든지 아니든지 간에 향후 연구를 위한 새로운 아이디어를 도출해내는 데 활용될 수 있다. 고민하고, 의문을 갖고, 행동하는 과정의 무한한 반복으로 우리는 더 먼 곳을 향해 발전해나갈 수 있다. 우리의 여정은 무언가를 끝내는 것이 아니고 더 멀리 나아가는 것이다.

1676년에 아이작 뉴튼은 자신의 연구에 도움이 되었던 사람들에게 감사하는, 다음과 같은 말을 후세 과학자들에게 남겼다.
"내가 만약 다른 이들보다 더 멀리 볼 수 있었다면, 그것은 바로 거인들의 어깨에 올라섰기 때문이다."

색인

한국어

ㄱ ○ ○ ○ ○ ○ ○ ○ ○ ○

ㄴ ○ ○ ○ ○ ○ ○ ○ ○ ○

ㄷ ○ ○ ○ ○ ○ ○ ○ ○ ○

ㄹ ○ ○ ○ ○ ○ ○ ○ ○ ○

ㅁ ○ ○ ○ ○ ○ ○ ○ ○ ○